戴國煇全集 

採訪與對談卷・九

◎未結集7：台日觀察綜論

目次

contents

未結集7：台日觀察綜論

輯一　日本留學生教育課題

輯二　台灣研究廣角鏡

輯三　透視台日・兩岸政治

【圖表目次】

戴國煇全集 26

採訪與對談卷・九

未結集7：
台日觀察綜論

翻　　譯：李毓昭・林彩美・陳進盛
　　　　　謝明如
日文審校：吳文星・林水福・林彩美

輯一

日本留學生教育課題

台北與東京的都市文化觀察座談會

與會：松平誠（日本立教大學社會學部教授）
　　　蕭新煌（台灣大學社會學系教授）
　　　陳亮全（台灣大學土木系教授）
主持：戴國煇（日本立教大學史學科科長）

東京是世界第一大都市，急速的都市化，使住民的社會生活發生重大改變。在都市化過程中，台北顯得缺乏規劃，台北的住民也缺乏規劃的試著適應都市生活型態。這個題目，是由關心台灣社會的戴國煇教授提出的，特此致謝。

戴國煇（以下簡稱戴）：拿日本與台灣比較，我總覺得台灣人的價值觀、想法與日本人不同。大部分的台灣人似乎認為住在高樓大廈是一種理想，他們喜歡熱鬧，對噪音也沒有太大的抗拒感。日本人則是為了安全或其他理由，不得已才住高樓，對噪音也特別覺得厭惡。松平教授對這點有何看法？

東京台北發展階段不同

松平誠（以下簡稱松平）：如果要以民族性的差異來解釋的話，似乎把問題弄得更複雜了。從社會學的角度來看，或許可以從發展階段不同來解釋。日本由於經濟的平準化發展地相當徹底，中產階級的觀念變得極為淡薄。另一方面，剛剛陳教授在談開放空間時提到的攤販問題，大概目前台灣對攤販尚有強烈的嫌惡感，這與20年前的日本相同，不過，現在日本人卻非常懷念昔日的攤販。

蕭新煌（以下簡稱蕭）：戴教授剛才提到台灣人喜歡住大樓的問題。的確，一直到前幾年還有這種現象，不過漸漸地，中產階級也希望擺脫高樓大廈改住平房，只是平房可能更貴。

還有剛才也提到中國人的觀念問題。中國人對空間的觀念總是偏好「大」。歷史上，中國一向很大，因此中國人便認為大就是好，像台北這麼小的地方，仍舊以大的觀念來處理空間。

日本在歷史上一直就是小，因此他們把小的東西內化，例如他們製造出很多精緻小巧的東西，把「小」的功能發揮到最大；中國則是把「大」濫用。中國人的家庭經常是大而不當，內外不分，經常向外擴張，譬如裝設凸向外面的鐵窗與花架，門口則擴張成自己的領域，不該讓外人看的掃把、垃圾都擺出來亮相。

還有一個值得留意的現象是，台北沒有「水的文化」。台北有的是淡水河、基隆河、新店溪，但是我們的都市生活與水無關，幾乎聽不到水流的聲音。

讓台北市的水活起來

像歐洲的都市人，不管遊樂也好，休憩也好，他們能夠充分利用水來提高生活的品質。去年〔1987〕8月我去了一趟漢城，發覺漢江「活」起來了，這也增加了漢城人的生活品味。

陳亮全（以下簡稱陳）：日本這幾年來對水的問題相當重視。他們在1960年代的經濟高度成長期也和台灣一樣，污染情形很嚴重；但是到了1970年代，日本人投入很多資金，現在大部分的河川已經過淨化處理，像東京市區內的隅田川便已相當清潔，大阪的淀川上還有模仿巴黎的遊覽船。

有趣的是，有些河過去被掩埋了，現在又重掘河道、恢復舊觀，而且放的不是自然的水，而是經過淨化處理的水；河岸則鋪設步道，成為居民生活休閒的中心。

一般而言，都市化後最先面臨的是綠化問題，這就牽涉到剛才提到的開放空間，要讓居民有解放的舒適感；接著，便產生對水的需求。

台北雖然尚未邁入對水需求的層次，但是我很贊成趕快設法讓水在台北市區內復活起來。

中國人居家便利至上

剛才提到住高樓的問題。我想與其說中國人好住高樓，倒不如說好住都心。中國人講求便利性，例如購物方便或晚上可在居家附近吃宵夜，因此願意忍受一些環境品質的缺陷，如噪音、擁擠等。日本人則喜歡庭園、自然、寧靜的家居氣氛。

戴：台灣在光復以後，特別是1949到1950年之間，從大陸一下子擁進了200萬人口。當時台灣人口不過600萬，200萬相對於600萬而言，是個不得了的數目。當時政府的財政困窘，因此發生了空間爭奪的問題，為了應急，連植物園裡都蓋了房子。

東京在戰後也發生類似的問題。像江戶城本來有內河與外河，當時日本人糊里糊塗地就把外河全部填平，興建高速公路，現在想復原也不可能。

因此有三個問題值得我們思考一番，其一是戰後的特殊情形，其二是我們的法律老是趕不上社會發展，其三是日本戰後的都市計畫與中產階級的住宅問題有關。日本執政黨（自民黨）為了得到中產階級（主要是上班族）的支持，在郊外興建了很多國民住宅，紓解了人口集中都心的現象。我們反而拚命往台北擁去，形成都市空間愈來愈擁擠的嚴重問題。

都市規劃應有長程眼光

陳：台灣的國民住宅是為解決低收入者住的問題而興建的，政府似乎認為中產階級可以自己解決住的問題。台灣沒有住宅政策，只有國宅政策，這與日本相當不同。

東京之所以能不斷地向外擴張，主要是因為交通發達。台北則受制於兩種因素，一個是盆地的地形，只能向三重或板橋方面發展；另一個是我們的交通系統無法支持都市向外擴張。這兩個因素造成了台北的高密度化。另外還有戴教授剛才講的「戰後人口的激增」，這是一個很大的社會變因，我們談都市計畫時當然不能忽視過去這個急遽變化。

同時，台北也沒有一個好的都市法規或建築法規，沒有長程全盤的計畫，只有一些應急的措施，一直是頭痛醫頭、腳痛醫腳。

台灣一直走經濟掛帥的發展路線，產生了不少社會問題，今後的都市計畫應該邀集經濟學、社會學、心理學等各領域的專家，配合實際推行計畫的人員。其實，不只台北的都市計畫，整個台灣國土的規劃都必須如此。

本文原刊於《日本文摘》第27期，1988年4月，頁43～47。座談會係由戴國煇策劃，劉翠英翻譯、呂理州記錄整理。文前錄有松平誠、陳亮全、蕭新煌三篇引言

戴國煇縱論政局

——既是總統老友，願效直言諫臣

日本立教大學教授兼國際中心長戴國煇，是今年國建會政治社會組中備受矚目的人物。

他學有專精，對農業問題和台灣史都有深入研究；而且和國內政壇要人關係密切，是李登輝總統的學弟*，農委會主任委員余玉賢的學長。

本報記者昨天就內閣改組、朝野關係和農業等問題，訪問戴國煇，他侃侃而談，見解精闢。以下是訪談大要。

問：你對此次新內閣改組的看法為何？

答：沈君山教授出任政務委員，是這次內閣改組的「絕妙好棋」，他不僅是執政黨和民進黨磋商溝通的一顆好棋，也是和外省籍第二代菁英接觸協調的要角；至於若干內閣改組所下的「棋」，我以學者論政的觀點看是有些「疑慮」，但也許李總統和俞院長另有用意，我不清楚。不過，大體而言，台灣的官僚制

* 應是指農業經濟學上的前後輩關係，李登輝與戴國煇並無共同就讀的學校。

度尚未健全，像日本的政務官少有「空降」的情形，也不會輕易更動。

問：你對於目前執政黨與民進黨的互動關係，有何看法？

答：從政治角度來看，講求「兩黨制衡」的觀點太狹窄了，整個政治的良好運作，應是在民意基礎下，政治家、官僚、學界人士和大眾傳播媒體能夠充分互動，達到監督政府施政及政治制衡的理想目標。

問：你這次回來參加國建會，打不打算和李總統、余玉賢見面？如有，將提什麼建言？

答：以前我回國，多會和李總統見面，就農業問題交換意見，但不知總統這次是否有空見我，要是見了面，我將就有關問題「直言反映」。至於余玉賢，前天晚上我和他吃過晚餐，還送他有關日本目前農業發展、美日貿易關係中關於農業問題的書，供他參考。畢竟，過去台灣曾以農業發展工業，在中美貿易談判中，犧牲弱勢的農民，是不應該的！

問：你對台灣史素有研究，有何特殊心得？

答：談台灣史，日本統治台灣和台灣光復是兩個重點，日本治台期間採行「日本工業，台灣農業」政策，為台灣農業紮了根；台灣光復，若干大陸農業專家，如沈宗瀚、蔣彥士來台，對推動當時農業發展頗有貢獻，這是其他第三世界國家中難得的「際遇」。

本文原刊於《民生報》，1988年7月27日，12版。由記者邱文通採訪報導

海外台獨的美麗誤解
——專訪戴國煇教授

曾就「中國結」與「台灣結」的問題，和陳映真進行對談的海外學人，日本立教大學國際中心長戴國煇教授，昨天特就台灣政治的特色及民主化推動等問題，接受記者的訪問。

必須有自己的方向

問：我國在第三世界中有一個特色，就是在政治的立場上，無論在朝或在野均表現得非常親美，這與一般第三世界國家作風大異其趣，就這點而言，您的看法如何？

答：我認為在野或執政黨在對美的態度上，只是因政治運作或政治權術上必須親美，這是無所謂的；但是，若在整個政治意識形態及本質上，均是親美，則是很令人擔憂的事情；因為，台灣過去的政治及經濟一直缺乏自主性而依附在美、日下生存。但是，現在要走向民主化的道路就必須有自己的方向，這種變革的主體性是政府及在野於現階段及未來所應把握的，從這點而言，執政黨在解嚴後，表現得比在野黨還好，至少執政黨員已體會到目前台灣的政治、社會及經濟方面都是一個總解體的階段，因此，執政黨無論在黨內及政治社會上均在推動改革的措施，企圖將台灣帶向主動的角色。

問：我國在第三世界中，另外一個特色是統、獨的立場代替了左派、右派之分，您個人認為是否有特殊的政治因素造成？

民主化比統獨重要

答：從主張台獨四十多年來的歷史看來，因主張台獨而付出生命的只有兩人而已；但是，反觀過去主張左派思想，在當時的特殊政治環境下，均易被冠上共黨的名義而遭無妄之災。因此，在過去那種政治氣氛之下，左派的思想當然不易在社會上堂而皇之出現，而改以比較隱晦的方式寄生在統、獨問題上。因此，有「統左」、「統右」、「獨左」或「獨右」等曖昧的政治立場出現，久而久之，一些自稱為左派的政治團體，表現出來的政治思想，在學理上令人覺得是和左派風馬牛不相及的「左派」。

問：您個人對統、獨問題採取什麼態度？

答：我認為統獨問題對海峽兩岸而言均是不重要的，尤其在現階段談這個問題是沒有意義的；海外主張台獨的人，因與台灣的政治社會脫節，總認為只要在適當時機登高一呼即會四方響應，這只是一廂情願的美麗誤解；而在國內主張台獨的人，則是對台灣過分自大的心態所造成；我們應對自己在世界中扮演的角色有清楚的認知，主張台獨在政經上必須依賴日本、美國，而日、美卻在依靠蘇聯及中共的市場，從美、日的世界觀中，台灣角色猶如人體中的盲腸而已；另外，從我國的政經而言，我們的政治及經濟是否有實體？我們將經濟抽出後，我們的政治實體在世界中扮演的是微不足道的角色；而我們的經濟在世界中也只是「二房東」而已，只是因為教育水準高、人力品質高、勞動價格低，才吸引了世界各地的工商業進入我們的市場，然而，我們自主性的經濟在哪裡？大致上是沒有的，只是向世界販賣勞力換到今天的經濟成果。因此，我認為民主化比統獨更為重要。

需要時間付出代價

問：有人認為在解嚴以後，街頭運動及群眾事件層出不窮，完全是因民主化太快的結果，因此，有人主張應回復戒嚴；然而另一批人認為民主化的進展太慢，政府應加速推動民主化，兩者態度似乎有愈來愈對立的傾向，您認為政府在推動民主化時應該如何處理這兩種態度？

答：民主化是需要時間及付出代價，美國民主化的背後是剝削自少數民族而得到，任何一個國家的民主化的背後均是由慘烈的代價換來的；台灣目前的經濟條件已足以提供民主化的基礎，這是個陣痛的摸索期，政治與經濟整合發展的時期，沒有人能指導未來的走向，大家都是在學習民主，政府無法扮演一個醫生的角色，唯一勉強能監督這個體制不讓它因陣痛出現太多負面影響的，只有學界及媒體傳播界，讓各種理論及意見能夠公開化，避免再走入過去一元化的反共政治秩序，走出自己的民主坦途。

本文原刊於《自由時報》，1988年7月29日，2版。由記者謝忠良採訪報導

戴國煇諷謔瞎扯主義者

台灣是個「主義」氾濫卻又最沒有「主義」的地方。

我們凡事奉「三民主義」為圭臬，口口聲聲反對「共產主義」，然而一般大眾對這些主義的起源、精神及應用卻鮮有認知，就連所謂的開明或保守，恐怕也都只是長期戒嚴下養成的正反「情緒」反應，而不是對其背後一整套主義做了精研的抉擇。

在昨天的國建會中，旅日學者戴國煇便諷謔國內一直分不清什麼是馬克思主義、馬列主義、共產主義及社會主義；他聽說台灣現在流行「新馬克思主義」，令他忍不住說：老馬都沒念的人搞新馬，真奇怪了！

他表示日本大學生在一、二年級時若不念馬克思主義，會被人瞧不起，但到三、四年級還在念，別人會罵他混蛋，如果畢了業還繼續搞，那簡直是瘋了！戴國煇說馬克思主義實在只是一種思考方式，不須視為意識形態，但是台灣對此一直很害怕，殊不知愈禁愈好奇，比如「台獨」，在台灣反而有了「美麗的誤解」，在美日不入流的卻在台灣被視為極有分量。

戴國煇表示從許多例子來看，他一直認為國民所得高到某個程度後，應對共產主義有免疫症，比如日本戰後大學生是人手一本《毛選錄》*，但現在根本沒人買。

從日本看台灣，國民所得5,000美元的我們是不是也到了免疫階段？

本文原刊於《自立早報》，1988年7月30日，2版。由陳依玫報導

* 應是指《毛澤東語錄》。

天皇在日人心中仍有尊貴地位，對日本政局有微妙的影響

日本天皇裕仁的葬禮，定於明（24）日舉行。在昭和年代，日本帝國的版圖曾擴張到極限，同時也曾將日本推到毀滅邊緣，千萬生靈在昭和的年代，裕仁的名下慘受荼毒；然而或許這是一種歷史的荒謬，戰後日本唯一安然無恙的竟是萬世一系的天皇。裕仁所留給世人的，將是一個複雜的歷史命題。

往前看日本未來的發展，除開憲法上的象徵意義外，天皇在日本國民心目中，仍有尊貴的地位，對日本政局仍有微妙的影響。以下是本報記者訪問旅居日本多年的歷史學者戴國煇，就日本人的歷史觀和對天皇的認識進行答問。

記者問：日本明仁天皇在第一次公開講話時，曾說明要和日本國民共同擁護日本憲法，是否具有政治意義？

戴國煇答：明仁的講話，自然係由日本政府安排，代表日本當前政治、經濟主流及既得利益。言外之意，主要是針對日本保守派和右派要求重新制憲的主張，在右派心目中，日本和平憲法是美國代日本制定的，日本要恢復軍備，取得國際政治地位，就必須廢憲制憲。日本的保守派和右派多數是擁護天皇的，透過日

本天皇表態，正好搪塞重新制憲的運動。維護日本憲法，其實就是肯定日本在戰後發展出來的資本主義，認識到日本資本主義若要繼續發展，只有走國際化的路。透過天皇肯定當前憲法，不但日本人會接受，國際間也會接受。

問：這和日本社會心理，以及歷史觀有關？

答：我們常說，中國人有歷史包袱，日本人則沒有這份負擔。像日本平民蓋房子，一般只有20到30年的打算，中國人則常有百年基業的打算，這不但浮現出社會心理的不同，也是歷史觀的不同，存在著「求變」與「應變」的差異。日本自明治維新以來，即不斷求變，雖然在國家決策上屢屢犯錯，而能不斷向前的原因即在此。換言之，日本人所追求的是一股「流」（時尚）。

問：但日本天皇卻是萬世一系的？有無挑戰？

答：日本天皇的萬世一系和皇帝不同，日本據台期間，為了區別天皇和中國皇帝有所不同，長期存在著緊張的氣氛，在中國人認為皇帝是替天行道的天子，唯有德者居之，若皇帝無道，是昏君，人民有權起而革命，天命也會轉移。但萬世一系的天皇即不能被革命。日本天皇在面對國際關係時，在初期即有適應上的困擾，後以英國王室為皇室典範，但歐洲統合之後，英國王室將面臨新的轉變，日本皇家屆時必將面臨考驗。戰爭責任則又是另一樁歷史責任。

問：明仁天皇平成的元號在古典意義外，有無現實意義？

答：這要從日本人的歷史觀來看，只要有任何變化出現，日本人均會誇張為一個歷史發展的轉折點，認定又是一個可以向前推進的機會。日本現在已體認到非走國際化的路不可，期望世局和平，平成的元號正好與之呼應。

問：美國新任總統布希決定參加裕仁葬禮，自然有相當程度的政治意義，是否能產生國際連鎖效應？

答：美國目前相當需要日本在國際事務上給予支持，在日本則可借重美國緩衝其他國家對日本戰爭責任的追訴。美國既是當年日本最大的敵人，今天連布希總統都能來參加裕仁葬禮，對其他國家具有暗示作用，不必再有戰爭的陰影。有利日本國際關係的開拓。這也是對日本天皇存廢與否的表態，雖然，這中間已經引發許多爭論，至少在現實上，美國今天還是支持天皇制度的。

本文原刊於《聯合報》，1989年2月23日，2版。由記者高惠宇、王震邦專訪

從台灣經營看近代史的斷面
——松本健一vs.戴國煇

◎ 林彩美譯

對談：松本健一（評論家）
　　　戴國煇（立教大學教授）

明治7年（1874）日本出兵台灣，是侵略亞洲的第一步，此一經驗後來也活用到日本對滿洲的經營。

侵略亞洲的第一步——「台灣出兵」

松本健一（以下簡稱松本）：我曾從那霸機場搭機飛往台灣。那霸機場面向東海，正對面是中國，朝鮮在右側，再往裡面是舊滿洲，左邊可以看到環狀的台灣。在近代史上開始擁有很大力量的日本以這個環狀做為台階，加速近代化，終於走向對中國大陸的侵略。那最初的第一步是琉球處分、台灣出兵。

明治6年征韓論爭之後，暫不征韓，而轉向對台灣出兵。琉球事件出兵的藉口是台灣殺害漂流到台的琉球人，以此事件為契機，日本開始走向連結到甲午戰爭的歷史。伊澤修二和後藤新平

評論家松本健一（松本健一提供）

在台灣進行實驗，後來以滿洲殖民地的經營而完成。在此，我首先想請教的是出兵台灣時的情況。

戴國煇（以下簡稱戴）：征韓論有推進派及穩重派之別，但可說終究要去做是相當明確的。明治政府的實權派和西鄉等人之間的政治鬥爭，在西南戰爭（1877年）最後解決。西南戰爭可說是圍繞明治維新的最後內戰，之前西鄉從道毅然決然出兵台灣，這次軍事行動很有意思。

西鄉從道帶領薩摩的同鄉到台灣來，可以看出他有私人方面的動機。也就是因為害怕其兄西鄉隆盛率領不滿分子舉兵，將他們與西鄉隆盛切割，藉由對台灣出兵，期望可在其兄進行內戰之前，早一步將他救出。因此出兵台灣並不是明治政府的正式決定，而是獨斷地造成既成事實。當時日本的國民意識還不是十分成熟，這次出兵是鄉土性格很強的行動方式，我是這麼理解的。

成為出兵台灣的原因是琉球的漂流民，不是漁民。1871年11月，宮古島的69名地方政府職員到那霸繳納年貢，回程時遭遇颱風，因此漂流到南台灣的八瑤灣牡丹社附近。上岸時，3人溺斃，54人被牡丹社的排灣族殺害，只有12人被附近漢人有力者所救，被送到福州的琉球館，翌年（1872）6月從福州回到那霸。

想想他們被殺的原因，是因為生活方式不同而產生的種種誤會。起初排灣族協助漂流民，不過由於漂流民不懂漢文，不清楚排灣族的用意什麼而害怕；此外，也聽過台灣有獵人頭的民族的傳說。因此第二天一早，當他們看到排灣族要出外打獵時，就逃出來了。知道這件事的排灣族，誤以為琉球難民一定有什麼企圖，所以趕去追殺。

當時琉球在薩摩藩的支配之下。包括在鎖國時代，薩摩藩把琉球當成傀儡，命其與清朝貿易，進而從中榨取，最重要的獲利商品是砂糖。因為這個關係，琉球人對薩摩人極反感。此間發生牡丹社殺害漂流民的事，清朝禮遇生還者，把他們送回琉球。對琉球而言，事情已經了結，但是薩摩藩知道這件事後，把它當成良機，做為出兵台灣的藉口。

當時明治新政府急於確定國界。這當然是伴隨近代國家成立的必要的「手續」，需確定到何處是自己國家的領土，以及哪些人是自己的國民。在這個過程中，琉球本來與明、清以及日本都有藩屬關係，此時真正被納入日本的領土，可說是日本固守鄰近的對馬或樺太等的一環吧。然而就近代國家的邏輯而言，這是擴大霸權，鞏固自己的領土，這種事例不只在日本才看得到。

鎖國時代開始，琉球就受到薩摩藩的控制。薩摩和長州在明治維新中扮演要角，薩摩本身想持續掌握對琉球的霸權，不希望喪失對琉球的支配及利權。因此可推論，它想透過自己的支配，在圍繞琉球為確定國界的作業中，掌握主導權。薩摩藩長年藉由琉球對中國貿易而獲取利潤，對它而言這事應屬當然。但對琉球而言，這卻是很麻煩的事。明治政府也因與清朝的界限不明，為確定琉球附近的國界，宮古島官民遇難事件正好可做為口實。

1871年，明治維新政府斷然施行廢藩置縣，同年與清朝訂定《中日修好條規》，但並未解決琉球的歸屬問題。翌年在半強迫之下，琉球的慶賀使被半強制謁見明治天皇，維新政府強行任命琉球國王為藩王。與此同時，維新政府通告各國，此後琉球藩與各國的外交關係，都歸日本外務省管轄。因此，一向兩屬於日本及清朝的琉球，經由日本使用中間手續，巧妙地演出，就把持續「獨立」的琉球王國放進日本的單一統治之下。

明治政府以「人身保護義務」的正當名分，於1874年出兵台灣，並在出兵同時與清朝進行交涉，同年訂定《北京條約》。日本不但從清朝得到許多賠款，也確認了琉球歸屬於日本。

對清朝的畏懼之心

松本：琉球分別臣屬於清朝及薩摩。對於薩摩出手干涉，琉球是否感到困擾，現在思考這一點，卻能十分清楚其真相。但是就之前漂流到台灣的琉球人的基本常識而言，台灣的「生蕃」並不屬於漢人文化，他們應該是會意識到這些人是化外之民，語言不通，或許因此而感到害怕。

戴：也因此有了誤會，琉球人才被殺。

西鄉從道侵略台灣，回溯其作戰過程，他似乎絕不與漢民族硬碰硬，並不準備要和清朝對立。做為現實問題，雖然清朝已受列強之害，但因為當時是明治7年，明治政府對清朝還是有不安感。與征韓論類似的是，主流派認為時機尚早，因為恐懼，所以不敢。西鄉等人出兵台灣，也是把作戰對手完全限定在少數民族，希望不與清兵對抗，在此情況下展開戰爭。另一方面明治政府中央則在北京進行交涉，一邊擔心如果清朝發動戰爭將如何，一邊進行外交交涉，後來關東軍行動的原型也是這種方式吧。

但是當時清朝還不是把日本看得很重要，只當成小老弟一般，北京自己受列強的壓迫，情況已經不易，如為台灣的少數民族而與如小老弟一般的日本作戰，是不太值得。知道清朝政府無意作戰，日本政府就逐步進逼，逐漸要求賠款等。因此這件事的處理結果，清朝有很大的損失；相對地，日本方面對清則站在優越的位置，結果日本朝野都感到意氣高昂。

松本：本來猜測清朝會站出來，後來得知其不會站出來……。

戴：這外交的過程中，有美國在背後。這次日本出兵台灣，是由美國出借軍艦。剛在南北戰爭（1861～1865年）之後，美國廢棄、處分掉大量的武器，擬尋求脫售的對象，新興日本正好接手。

松本：近代日本的朝鮮觀，基本上是長州的朝鮮觀；長州把對馬藩當作媒介而覬覦朝鮮。對馬藩過去也分屬於日本和朝鮮，明治政府意圖統治對馬，順利的話，也要統治朝鮮。

另一方面，南方政策上，明治政府的琉球觀、台灣觀，不也是有薩摩的想法？西鄉從道認為自己可以去討伐這些地方，雖然覺得清朝的勢力有點可怕，但是可以突然出兵，不是也有台灣已在自己手上的意識？因此，對於征韓採消極立場的大久保利通，才不會阻止出兵台灣吧？大久保對征韓論一直有些微的觀望牽制作用，但另一方面，他認為出兵台灣可行，不是有這種感覺嗎？

戴：不過大久保對清朝也採慎重的態度，暗中睜一隻眼、閉一隻眼說可以，這麼看似乎與史實較相近。決定的關鍵是薩摩藩的樺山資紀，他後來擔任首任台灣總督。出兵台灣前，樺山曾到台灣踏查軍事，非常了解台灣並不團結、少數民族討厭漢族、漢人也不是完全可以統治少數民族，也就是與其說台灣是以漢人為中心，不如說台灣是漢人與少數民族二分的台灣；同時，清朝也認為台灣是「化外之地」。

在台灣的田野工作

松本：甲午戰爭後，日本掠奪取得台灣，伊澤修二為教化目的而到台灣。當時他的台灣觀是把台灣分為東台灣和西台灣，並有漢民族和少數民族系的範疇。這樣的分類也留下來嗎？

戴：伊澤修二很早就與中國人張滋昉往來，學習中國話（北京官話），編纂《日清字音鑑》（應用「視話法」原理的中國發音法教科書）。他的台灣觀是透過清朝官吏層入手而形成，因此伊澤修二完全以中華思想為基礎，並以新興日本的對外擴張為中心，就此思考台灣統治。他並不明白客家在台灣的客觀存在；教育方面，他熱心研究，想做實驗。然而，樺山自己做田野工作，進行過調查。

松本：伊澤的想法是透過教育來進行統治，在天皇制的基礎下，使台灣與日本一體化。然而，樺山或之後來台的後藤新平的台灣觀，則認為台灣是依舊慣而自治，藉此經濟、政治、警察、學校各方面都能自主營運，這種看法是台灣已經擁有穩固的自治組織。

戴：後藤進行的舊慣調查，其中的重要舉措是大量翻譯關於外國人對殖民統治的各種文獻，藉以參考。他以德語為始，重用有語言長才的人。台灣總督雖是兒玉源太郎，但實質上政事則全委諸後藤。因為總督府的權限強大，後藤果斷用高待遇招募人才，例如新渡戶稻造即是。由於是殖民政府，可以不比照中央政府的既有制度，也較彈性地發動強權，試行開展政策。聘用日本人展開了舊慣調查，以及本地自治組織調查研究的田野工作，同時學習歐洲人的殖民經營經驗，將其組成而進展後藤的台灣統治。不應輕忽後藤那些背後優秀智囊團的重要性，後藤在台灣的施政，是藉由他們在背後支持的。

松本：後藤根據在台灣的實驗，建立滿鐵調查部。在滿鐵做舊慣調查的學者非常有名，例如白鳥庫吉或東大史學系的教授等，有許多一流的學者出來。意外地，後藤在台灣的智囊團並不廣為人知。

戴：若從明治政府的主流來看，甲午戰爭、日俄戰爭後，隨著日本自信心的增強，日本的國民意識也高揚，因此其浪漫的想像連接到萬里長城、戈壁沙漠，而不是從台灣到福建這樣的南方路線。所以，一流的學者不是去南方，北方才是他們浪漫的想像眼光所在。

出兵台灣20年後，1894到1895年的甲午戰爭中，日本勝利，訂定《馬關條約》，強迫清朝割讓台灣。這時的日美關係，是第二次世界大戰前最好的蜜月期。南方由美國，北方則有日本占領台灣，這是當時兩國間的默契。

另一方面，1902年日英同盟形成。為對抗帝俄，英國很稀罕地只與日本結盟。如此一來，日本不能南下向英國勢力圈進展。日本當然想以台灣為據點，從福建進逼大陸，或是透過福建，想把南洋華僑納入勢力圈。因此，1898年4月22日日本強行要求清朝簽署《福建省不割讓宣言》等。

1900年，後藤新平支援孫文在惠州起事，不過並沒有維持很久。雖然曾稍對廣東或福建管閒事，但日本中央政府很快就制止了。因此改朝東北、華北的方向。帝俄是英國之敵，也是日本爭奪朝鮮的對手，也在以南下華北為目標。

統治台灣的「共犯結構」

松本：在此情況下，長州派是希望經由朝鮮，以中國本土為目標；而薩摩派則主張經由台灣去中國。不管是兒玉源太郎、乃木希典，或是兒玉之下的民政長官後藤，幾乎都到滿洲。日本人認為台灣的經營大致順利，直到今天，台灣人和日本人的關係都還不差，日本人在旅行時非常受歡迎，事實上可以認為日本人的台灣經營很好嗎？

戴：日本對台灣的統治，在後藤新平最初十年間大致底定下來。從鴉片政策到包括土地調查，以漢人為對象，施行地主制的再編，把地主階層完全納入日本的統治體制，我認為這是日本統治台灣的機制，把漢人的中上階層捲入，即所謂的共犯結構。此後在日本資本主義的結構中，步上殖民地開發的軌道。令平原地區的漢人社會屈服之後，浮現了山岳地區少數民族問題，未漢化而被蔑稱為「生蕃」的部族約有20萬人，像是美國對印地安部族一樣，日本也對他們進行各個擊破，留下來的已經是漢化顯著的部族，所謂的「熟蕃」，他們與漢人社會幾乎都走上同樣的軌道，都被日本所征服，而被捲入成為共犯結構的下層。

松本：日本保留了漢人原有的組織結構，取代原宗主國清朝，而坐上最高位。

戴：不僅如此，還有制度的近代化。當時台灣寄生地主正在形成與少數民族產生對抗，漢民族之間也有對立，而且因為大部分開拓農民來自對岸，搞不好漢族系地主連佃租都收不到的例子不少。清朝派來的官員忙於貪污腐化、累積財富。起初日本的統治是強行殺害抗日游擊隊，後藤新平到任以後，尊重舊慣，並採用鴉片吸飲許可制，准予吸食鴉片，藉此懷柔地主階層，意圖瓦解抗日游擊戰線。有能力吸鴉片的都是上層地主，下層只能吸鴉片滓，中產階級則不吸。分析時，必須從社會學去分析不可。

台灣的反抗者被殺了，但總督府同時允許吸食鴉片。土地測量後，地主起先擔心土地會被沒收。但政策上是先壓制抗日游擊隊，之後再給予保護，雖是被強制的秩序，但統治的方法看來有其合理性。對地主而言，從清朝到日本當局，受保護既得利益是增幅的。但是，台灣地主的子弟到日本留學，大學畢業後回到台灣，卻還是不能有作為，就產生被歧視的不滿。地主的子弟，用當時的話就是「貸地業」子弟。在被馴養其一生的層面上，日本當局比清朝有其更進步的體制，把地主變成無骨氣的「從犯」，放入共犯的結構裡。

與這種方式比較，朝鮮則是徹底分成上下兩個階層，因此共產黨也強。在台灣，共產黨的體質卻非常弱，我認為這是因為中小地士階層在台灣相當厚實之故。

朝鮮與台灣殖民政策的差異

松本：台灣的殖民政策中實施了土地政策和戶籍政策，雖然後來建造台灣神社，但並沒有像在朝鮮那樣有日本人出去興建很多神社的構思。

戴：日、韓合併時，朝鮮神宮的祭神中已列入天照大神。但是台灣神社則與北海道的神社同樣的祭祀開拓神，加上北白川宮，最初並沒有天照大神。朝鮮是徹底的日、韓合併，實質上是殖民統治，日對韓的歧視是昭然若揭的。不過表面上，還是有必要裝成日、韓對等的樣子，所以朝鮮的李王家也列入日本的華族。

松本：台灣則完完全全是殖民地。朝鮮雖是殖民統治，但表面上是合併，事實上是被併吞。

戴：台灣與朝鮮的情形，還是非要謹慎區別分析不可。朝鮮是東大法學部畢業的朝鮮人可以當到朝鮮總督府中的高階職位，台灣人卻是一高、東大法學部畢業後，出人頭地的道路卻被封閉，如不成為日本人的養子，頂多也只當個課長就停止升遷了。志願兵制度及徵兵制度台灣也比朝鮮來得晚，雖然對台灣人來說，晚了應是讓人感謝的……。台灣是層次低的殖民地，朝鮮人中有成為將軍的人吧，可是台灣是沒有的。

松本：洪思翊中將即是。那麼是不可以把台灣與朝鮮等同思考。明治政府開始劃定國界的時候，小笠原或北海道是免稅的。最初也不實施徵兵制度，逐漸收入國境內之後才與本土一樣的待遇。

戴：日本慢慢地把邊境組織進去。

松本：是啊。就此來說，朝鮮並不是日本的邊境。

戴：台灣與朝鮮是內涵不同的殖民統治，我認為這樣的分析方式比較接近社會科學。如果很平板地把兩者想成是同樣，是不能了解的。

朝鮮是創氏改名，而在台灣則是改姓名，皇民化運動中，從中國的姓名改成日本的姓名，只是改姓名。朝鮮或許是因為與日本合併，創了新的家，所以創氏。事實上，這兩者本質是一樣的。日本統治朝鮮共36年，統治台灣則是50年。不過，不論是徵兵制或創氏改名，朝鮮都比較早。與徵兵制相關的是，後來台灣神社變成為台灣神宮。因此日本官僚是很合理的，首先整備形式，再實施殖民政策。單純只用過去單面的日本帝國主義批評，一刀兩斷式的切斷歷史的研究法，可說太過於平板，也無法掌握真相。還是有必要更仔細地綿密調查、整理事實，分析其有機關聯。

松本：現在這種分析方式是可能的了。明治的伊澤修二等人的程度是否有具體的認識，伊澤渡台前說過要輸出帝國教育，殖民統治不是在軍事、經濟、政治的層次上，而是以教育輸出的形式去馴化大眾，政策上使其從化外之民，成為王化之民。而且他對明治政府要求的政策主旨，一是要使朝鮮民族浸潤在帝國教育之中，二是要教化台灣土民成為帝國臣民。他的看法裡，還是有鄰邦朝鮮民族和台灣土民的差別，作法有點不同。但是確實二者都是擴大日本帝國版圖意義的具體戰略。

戴：他所說的台灣土民，是專指少數民族？或也包括漢人？兩者差異很大。他的真正意思讓人摸不清。他很認真地為赴台而準備，只是他的學習似乎沒有來得及。

松本：明治維新時，隱岐島的島民因尊皇攘夷而起事，趕出德川的代官，維新政府認為不可擅自起事，因此派軍。當時對隱岐島島民的稱呼，西園寺〔公望〕等也稱隱岐島的土人。因此在這些官員的意識中，隱岐島和台灣的人不都是土民嗎？

受台灣富人的衝擊

戴：可能伊藤博文和乃木希典也都是在這種意識下到台灣的。但他們見了台灣富人，受到很大的衝擊。有錢人穿絲綢、用紫檀黑檀木之類高級家具，飲食奢華，享受備至。也就是說，這些人已有相當的生活程度與經濟力，地主之家蒐集許多書畫、古董等。看到這些時，日本官員應是想像之外地震驚吧。明治維新的中心人物們，多由下級士族出身，勤勉而儉約，並且清白廉潔。和自己的日常生活相比，台灣富人的生活與其有很大的落差。乃木給吉田松陰家的信上說，相對於抗日游擊軍，自貶為受贈馬匹的乞丐，既不會飼養，也不會騎乘。乃木留下這樣實在而坦白的信。因此，與膚色不同的歐洲人，統治宗教、飲食及民風大為不同的土民的殖民統治形式，與日本來到台灣的殖民統治形式，應是很不一樣的。

乃木是文人將軍，被稱為是儒將，有「山川草木」〔譯註：即〈金州城外作〉一詩〕之詩等，在中國人評價他是明治以降的日本人中，最擅長漢詩者。事實上，從中國人的上層來看，當時日本人的領導層並不偉大是史實。雖然如此，台灣的富人為守住自己的權益，所以開始積極地與總督府討價還價。

松本：把台灣當成是未開化的土民，到台灣看到孔廟，舉行科舉考試，生活程度相當高。在台北，也會看到只有東京都心才會有的馬車在跑。

戴：台灣也已鋪設鐵路，雖然比日本從汐留到橫濱的鐵路稍晚鋪設，但之後近代化的速度比不上日本的台北也開始有電氣及自來水等建設，台灣的「洋務運動」（近代化運動）也在推進。另一方面，日本雖對台灣的上層階級有劣等感，與某種的親近感。可是另外他們也在台灣看到婦女纏足、赤足的苦力等，發展比較慢的情形，台灣也有窮人，此外山區還有「獵首族」。看來台灣存在著很複雜、重層的文化及民族狀況。因此，伊澤所謂的土民，究竟是整理到什麼程度的詞語。

松本：當時伊澤並沒有看樺山的報告，他是以當時為止的日本知識來思考台灣。

日本人因明治維新而文明開化，中國本土也把台灣稱為「生蕃」、化外之民等，或許意識裡認為台灣是發展相當慢、是土人未開的狀態吧。

戴：一般人的想法，都認為台灣有可怕的少數民族。

松本：日本取得台灣後，軍人、新聞記者、教育者等人到台灣，當時都普遍有很強烈地認為自己是文明開化的人。從台灣的漢民族來看，或許會感覺到這些傢伙怎麼會這樣吧。清廢帝溥儀在《我的前半生》中寫道，義和團事件時，歐美列強稱霸天津、北京，命令不准通行，用棒子打中國人，叫中國人要勞動，這棒子叫作「文明棒」。對他們來說，歐美人以文明國自豪但無內涵，對其文化程度了然於胸。同樣，日本雖以文明國耀武揚威，其實並沒有什麼內涵，持中國儒教文明的人是那樣看的。台灣上層階級看到日本人時可能也這麼想。

戴：後藤新平外出時大都騎馬，他個子小，所以騎馬來掩飾吧。此外，當時的建築物台灣總督府，現在國民黨政府還當寶貝地使用，也蓋得很氣派。為什麼要蓋這麼氣派的建築物？當時日本國會也批評後藤，認為台灣經營還不十分上軌道，為什麼要做這麼浪費的事？後藤是在台灣現場的人，他對如何壓住台灣人相當感到困擾，所以除了對台灣人施加壓力外，也和兒玉源太郎等人組成漢詩會，為有錢人設饗老典，頒授紳章給有力人士，以此收攬人心。

中國商人和有錢人有買官的傳統，逐漸也向日本勢力獻媚，被捲入這個勢力之中，這就是我所說的共犯結構。

迂迴的台灣、正面衝突的朝鮮

戴：直到1930年霧社事件後，少數民族的抵抗才幾乎被壓制完結。之後日本的台灣殖民統治，可說是以日本工業、台灣農業這樣簡單的模式，成為相當成功的事例。但是也絕不是沒有流血騷動，台灣人並不是每個都很高興的，主要反抗分子都到大陸去了。有一部分的人認為，中國革命若能成功，可試著用迂迴作戰的方式從日本手中救出台灣。

而朝鮮的情形，則是李王朝中有被稱為「兩班」的文武官員統治階層，另一方則是階級及階層壁壘分明的支持左翼勢力的廣大基盤，此外中間階層非常薄弱，很難和台灣一樣形成廣泛的共犯結構。朝鮮半島由於整個國家被併吞，反抗者除正面衝突外，沒有其他方法；沒有可以逃避的地方，只有少數人到滿洲延邊或西伯利亞。從全中國來看台灣，像是李鴻章等都感覺那地方只一丁點，無所謂。因此台灣一方當共犯，一方又採迂迴的方法，在大陸尋求一時的避難所，同時進行反抗。只是在初期階段，中、上階層的「台灣人」與日本人正面衝突，之後他們就韜光養晦，為明哲保身而左顧右盼。

松本：在亞洲四小龍中，台灣與韓國似乎有對抗意識，但是兩國間有交流的歷史嗎？

戴：台灣和韓國並沒有直接的交流。台灣人對朝鮮的印象是非常不幸的。日本人的妓院僱用朝鮮女子到台灣賣春；戰爭末期，軍中年輕人到妓院去，在那裡與朝鮮女子相會，這是一般台灣青年與朝鮮人見面的場景。

松本：台灣人與漢民族同宗，他們存有這樣的中華意識。

戴：是有這樣的想法。而且也有順應日本人侮蔑朝鮮人的情形。另外，中國民間流傳的古代英雄傳裡，有征伐朝鮮半島的故事。朝鮮人喜歡穿白衣服，但對中國人而言，白色卻代表喪服；在國民服裝中，中華思想認為喪服是不吉利的。因此和中國人征伐朝鮮的故事結合，可以說真是不幸了。

松本：從長久的中華思想傳統來說，這種感情會像皮膚的感覺一樣浸透進來，沒有具體的交流，更加深擴大這種殘存的印象而已。

戴：現在國民黨政府的主流在經濟上與韓國競爭，為了不要被美國拋棄，也將韓國當作可並肩反共的夥伴。不過另一方面，對近來的韓國動向也有疑慮觀看，因此會防備他們出賣台灣而與北京牽手，因此開始有不愉快和猜疑各半的複雜情況。反體制方面，對韓國的學生運動的激烈與勇敢則有憧憬，因此體制方面的看法，好像也顧忌著會被韓國的情形所影響。

少數民族的反抗

松本：日本像是要馴化台灣一樣，殖民統治也逐漸軟化。相對於此，1930年的霧社事件，被認為是反日游擊隊的最終型態，發生的原因雖有很多問題。

戴：霧社約略在台灣中央地區山岳地帶的一個村，當時一直都是殖民統治很成功的模範地區，也是日本對內對外宣傳的地點。但依例舉辦的秋季運動會開幕式中，附近日本人幾乎都集合時，卻被泰雅族襲擊，這次蜂起是要把所有日本人殺絕的事件。以郡守為首，包括來賓、與會的學童、觀眾，共有百餘名日本人犧牲。這次蜂起經過周密的準備，依序先襲擊較遠的霧社周圍的駐在所，再切斷電話線，血祭日本警官，最後再把襲擊目標設定在運動會會場，前後有很精密周到的計畫。

當時日本方面懷疑事件背後有中國共產黨。事實並非如此。

當時台灣共產黨以漢人為主，少數民族加入台灣共產黨，是始於戰後。霧社事件後，社會運動家自我批判，因為看輕山岳民族，他們未能與山岳民族取得聯繫，這個反省留在台灣抗日左翼組織的反省文獻中。因此，不能說是事前有組織、有聯繫的反抗日本帝國主義。

但是，山岳民族只正確地殺日本人，並沒有要殺漢人。漢人在事件中死了兩人，一人是穿和服的小孩，被誤認是日本人；另一人則是被流彈波及。所以可說山岳民族的政治意識很高。

松本：是因為政治意識高，或是因為少數民族的精神性非常高？

戴：這是為了民族的榮譽吧，雖然不能說是有打贏的把握，但是更不願蒙受日本的侮辱吧。泰雅族很勇敢，蜂起的團體中有兩人受過高等教育。所以我認為他們有很高的政治意識。在同地區的山地中，他們的經濟是富裕的。

松本：他們有自己的自治組織，從中培養獨立心。雖看過「文明開化」的日本，但並沒有被壓倒的感覺。如果去看看《霧社討伐寫真帖》〔《霧社討伐写真帖》〕，對於泰雅族或是擔任引導的其他部族，都令人覺得他們每個人的精神性非常高，像是修行者與武士的合體一般。

戴：因此國民黨政府進來後，泰雅族人也有加入共產黨的，後來被舉發了，可見他們的政治意識並不低。因加入共產黨，泰雅族的醫生有被槍殺的，當時山地民族出身的醫生全台才二、三人而已。

以台灣經驗經營滿洲

松本：無論如何，日本在台灣所實施的殖民地經營，可以說是近代日本對外侵略的原型。

戴：是的。實際上，後藤新平把在台灣用的智囊團，放到滿鐵之中加以活用。在台灣施行舊慣調查的京都大學教授，也有著關聯；很不可思議的是，在滿鐵裡，京都大學出身的人很多。後來也有牽連到《治安維持法》的人為了活命進入滿鐵。

松本：滿鐵調查部最初聚集相當多東大、京大優秀的歷史學者、地理學者。從這一點看來，包括在台灣實施的舊慣調查等柔軟的殖民地經營，與在朝鮮的作法相當不同。

戴：因為是強行合併，是統治一國的關係。對日本當局而言，統治朝鮮比統治台灣難多了吧。

松本：總之，朝鮮是統治一個國家，而台灣則是統治一個民族。

戴：伊藤博文成為朝鮮的首任統監，而台灣的總督則是中將。為了南進政策，1936年9月，才始由海軍退役的大將小林躋造擔任台灣總督，1940年末，為了準備對美開戰，始由現役海軍大將長谷川清擔任總督，當時兒玉及乃木都還是中將而已。朝鮮總督則一開始就是大將。

還有一般人誤解說，台灣因為由海軍總督出任，所以是進步、開明的殖民地經營。事實上，包括陸軍轉任的樺山在內，海軍出身的台灣總督只有三人。

松本：朝鮮則是連警察在內，組織從下面開始都非得由日本人控制不可。

戴：日本地主進到朝鮮農村，台灣卻沒有這種事。

松本：在台灣，警察、下級官吏、地主等都是原來的組織，日本就這樣沿用。

戴：我在鄉下時，遇到的日本人，大概只有小學校長等頂多兩個人，日本人的警察官也是巡查部長而已。霧社事件中被殺的日本下級警察，是台灣特殊的例子。日本貧窮出身的警官如果到台灣山地服務，可以領到殖民地津貼和山地津貼雙重待遇，所以為了可以服勤幾年、存一些錢，許多日本人願意到台灣山地。

朝鮮則是連在小村莊也有日本人去放高利貸，反過來說，朝鮮的「兩班」或寄生地主階層或許就不是那麼厚實。因此上面如果改編，下面就分解了。台灣則是漢人開拓的歷史不夠久，所以從開拓地主到寄生地主的層面是很厚實的，無法把他們徹底消滅掉。在鎮壓台人的過程中，後藤新平認為與其殺之，不如讓台灣人吸食鴉片，加以攏絡並馴服，他發覺這是比較好的作法。

透過國家專賣鴉片進行統治

松本：另一方面，鴉片的利潤也很高，這不是明治政府首次在台灣發現的嗎？

戴：日本的近代化與鴉片的關係很深，大清帝國在鴉片戰爭中敗給英國，日本人認為沾染鴉片會很淒慘，有著這般強烈的戒慎心和恐懼感。因此在伊藤博文與李鴻章交涉訂定《馬關條約》時，李鴻章說台灣有「生蕃」，而且台灣人也被鴉片污染，不易統治，用這樣的話來威脅，希望阻止日本占領。李鴻章是以七十多歲之齡聞名世界的大政治家，相對地，伊藤只有五十出頭，兩人資歷不同，伊藤尊敬李鴻章為前輩政治家。

伊藤則回說，沒關係的，你看我們一定可以克服的。成就維新的薩摩、長州是日本的邊境，這些下層武士質樸，主要都是拚命三郎型的。

後藤新平與台灣發生關係也與鴉片有關，當時他任衛生局長，曾與伊藤談過鴉片對策而且被接受，成為總務長官之前，就以台灣總督府衛生顧問的身分，參與台灣政治規劃。他本來主張禁絕鴉片，因此起初武裝抗日事件中，地主和農民都一致決定抗日，因為地主害怕鴉片被禁絕，害怕鴉片的禁斷症狀。

地主大都吸食鴉片。中國的地主為了要守住祖先的土地，都會讓子弟吸鴉片，吸了鴉片，就不會想太多，不會從事冒險；性方面會增強，又認為多生孩子是「多子多孫多福氣」。如果活力無限又從事冒險，就不知道子孫們會飛到哪裡去了呢。（笑）

後藤新平這麼考量，所以採用鴉片許可制（由國家專賣），可以高價出售，又可以獲得莫大的財源，也可以對地主進行懷柔，實在是一石二鳥之計。

松本：此外，也可防止鴉片進入日本。其實後來鴉片也成為滿洲國的部分重要財源。

戴：為了關東軍的鴉片政策，其實當時台北帝國大學醫學部的台灣人杜聰明教授被派遣去進行相關研究。

松本：滿洲國總務長官星野直樹說過，為了滿洲國的經營，鴉片由國家專賣是必要的。

戴：所以是有益於獲取財源，又是可收買當地上層階級的手段。

松本：讓台灣的學者來做鴉片研究，這是很有意思的事。

戴：上海的杜月笙（經營鴉片幫派，為祕密結社青幫頭子，1920到1930年代支配著上海，奧援蔣介石）之類的黑社會勢力可以擴張，原因之一也是鴉片。鴉片是和女人及金錢接近的捷徑，不過，這好像是東亞獨有的問題吧？

松本：杜月笙是蔣介石的贊助者，而當時蔣介石以國民革命為名，政令上禁止鴉片，其實只是表面工夫而已。

戴：當然是這樣的。善意解釋的話，為了獲取及維持政權，連魔鬼的手也要去握。在現實上，因為與共產黨對抗，保守勢力利用黑社會組織等，這是四處可見的。

本文原刊於《知識》第92號，東京：彩文社，1989年8月，頁254～268

留學生問題與私立大學

——要求國際化聲音中的日本大學座談會

◎ 李毓昭譯

時間：1989年9月28日

地點：私學會館

與會：戴國煇（立教大學教授）

孫福弘（慶應義塾藤澤新學部開設準備室長祕書）

安川昱（關西大學教授）

主持：青柳清孝（國際基督教大學教授．日本私立大學聯盟宣傳委員）

青柳清孝（以下簡稱青柳）：今天是為了「留學生問題與私立大學」——要求國際化聲音中的日本大學——而請各位聚在這裡。各位老師都在各自的領域上活躍，尤其有許多機會直接接觸到留學生問題，我想可以在座談會上，請各位提供有用的資訊、意見，也非常期待能提出對今後的看法。

進入私立大學的留學生種類

青柳：能否請孫福老師先從這個主題，也就是私立大學的觀點，談談對留學生問題的看法？

孫福弘（以下簡稱孫福）：我想要從與留學生問題的關聯為私立大學定位，首先說到留學生與留學目的的關係時，我們並不會刻意去區分國立大學、私立大學、公立大學等大學的類別。而從留學生的立場來看，考慮的因素包括私立大學、國立大學在內，最現實的問題就是要負擔的學費。從這方面來說，私立大學留學生所面對的最大障礙就是高昂的學費。

還有一點，從日本接納留學生政策的觀點來看，雖然可以分成公費留學生和私費留學生兩種，事實上，接納公費留學生是以國立大學居壓倒性多數，私立大學則是以私費留學生為主。

而且這裡有個特徵，就是接納的大學部留學生遠遠多於研究所學生。

再來看學術領域，如果區分成文科系、自然科學系的話，接納留學生的也是以人文、社會科學為主，這與國立大學的接納型態有很大的不同。

以私立大學的留學生現況來說，可以歸納出以上的特徵。我想或許可以去思考私立大學從這些特徵產生的特有問題。

青柳：還有一種留學生是外國政府派遣來的。他們不太會進入私立大學嗎？為什麼呢？

孫福：外國政府派遣的留學生中，有些是由文部省居中安排就讀的大學，像來自中國、馬來西亞、印尼的就是。這種情況牽涉到學費金額，雖然也有相當多人進入私立大學，但大致上還是以國立的為主。

經濟援助的辦法

青柳：您剛才指出的學費問題，以及私費留學生多半是去念私立大學，何況也有大學部的留學生居多、研究所就念國立大學的模式，在在都是問題，我想首先要來思考學費問題。

留學生雖然可以從種種地方領取獎學金，但整體上究竟是什麼情形呢？這方面有迅速的改變嗎？還是如同以往？

我看過一篇論文，裡面提到經濟波動很大，美元一貶值，就會讓人頭痛。我們的大學也是這樣，有沒有什麼辦法可以讓留學生在日本念一兩年或三年的書，不會過度受到經濟波動的影響呢？這方面有什麼措施呢？

安川昱（以下簡稱安川）：近來這方面的經濟援助很受輿論矚目。以我任教的地方來說，近來與關西大學有直接關係的私人財團援助似乎一直增多中。關西大學的留學生沒有那麼多，但近來已經有大約七成的留學生領得到某種形式的獎學金。

戴國煇（以下簡稱戴）：我想就認知的層面，先指出幾個問題。日本大概是變成巨大的經濟大國之後，才開始覺得必須在國際的大循環中有積極作為。在分擔國際責任，接納留學生的同時，也必須將日本的學問往外輸出。以前只單向輸入學問的想法已經無法成立。

我是定居在此的外國人，目前也還保有中國國籍，以定居外國人的眼光來看事情。我之所以會堅持這一點，並不只是要自我主張，而是覺得也許能因此提出獨自的看法。我想要以這種身分表達的是，如何與普世價值結合。

首先是接納十萬名留學生的構想，光靠國立大學的容量是不夠的。我們私立大學的相關人員也要確實先想好如何承擔。

另一點是，雖然通稱為私立大學，但可以大致分為兩種，一種是日本人從明治維新之後，以日本人自己的力量創設的大學，第二種是傳教士設立的大學，例如我目前所屬的立教大學。

信仰基督教的教師是藉由禮拜等形式，不斷地確認自我。立教大學的硬體是美國聖公會的信徒建立的，後來由日本信徒繼承，充實了軟體部分直到現在，卻意外地看不到以後要怎麼做的新使命感的重組。既然美國人為我們建設好了，就只要好好維護就行了，這種氣氛特別濃厚。說到以後要如何使大學往普世價值的方向成長，就某方面來說，對亞洲、非洲、第三世界開啟門戶，以更上一層樓的形式，將得到的東西帶進人類史規模的層次裡這種使命感意外地淡薄。我首先要指出的就是在問題意識這一點上有點遲鈍。

我無意批評師長，會說這些話是為了讓彼此都能夠更愉快地在21世紀共生。

還有一點，私立大學無論如何都會有經營與財政上的問題。財政基礎非常脆弱。有些大學擁有許多資產，游刃有餘，但多半是以學費為主的營運方式。日本從明治維新以來，好不容易有了現在的局面，我希望產業界、財界人士能夠重新了解私立大學在這裡面所做的貢獻。而且，日本成為如此規模的經濟大國，在國際的大循環中，接受留學生來受教育會如何牽動日本經濟，以及世界經濟這件事，我認為經濟界、財界人士也必須再次加以認清。

不能只是由文部省實施補助政策。如果不以包含財界、產業界、金融界在內的形式，利用私立大學這個媒介進行國際學生交流，或是思考如何接受留學生，以趕上符合21世紀的形式，研擬或重組基本構想，是毫無幫助的，只是在小問題上打轉。如果日本的資本主義要繼續發展，或是說我們有如此的期待，就不能只有我們大學人員扛起重負，而應該由大家一起來思考以後一起承擔的基本架構。這就是我首先要提出來的一點。

接納留學生的現況

孫福：剛才戴老師提到有關私立大學本質的問題，我要針對這方面和剛才一開始說的概要，也就是日前私立大學接納留學生的實態與特徵，連結起來提出我的看法。

事實上，學費是最大的問題，來私校就讀的私費留學生因此痛苦不堪。基於這個觀點，到目前為止，私校的關係人，尤其是留學生問題的關係人一直在向文部省要求提供獎學金等經濟上的改善措施，也極力向民間呼籲要充實獎學金。這一點依我看來，在這三、五年有非常急速的改善。例如，文部省對於有學費減免措施的大學提供補助、經濟上的援助。這是以30%的學費為限的補助，相當有效。

另外還有透過日本國際教育協會支付的學習獎勵費，給付的範圍很廣，大學部和研究所加起來，名額增加到2,500人。這是非常大的比例。

我試算過，日本私立大學的學費減免30%的話，學費以現在的幣值換算成美元，大約是3,000美元。3,000美元比現在的美國州立大學還要便宜。雖然私立大學確實比國立大學貴，但是從全世界來比較，問題就沒有那麼大了。

還有獎學金種類愈來愈多，民間的也是一樣，光是學習獎勵費就差不多可以領到10%以上。像這樣子獎學金問題、經濟問題就獲得相當大的改善。

宿舍問題依然沒有改善。這問題非常大。硬體上的「基礎設備」雖然還有問題，但整體上已經改善很多，應該是把這方面當成重要問題來處理的時候了。

以英國來說，就有處理留學生問題的機構，我之前去那裡和他們討論過，那時我有點批評說英國的學費好貴，結果他們反駁說英國大學的學生與教員比率是低於10：1，可是日本的私立大學是超過30：1。他們認為就算英國的學費有日本私立大學的三倍，也是划得來。這在某方面來說是有道理的。

因此，我覺得應該要超越目所能及的獎學金、經濟援助之類的問題層次，著眼於現在的教員與學生比率等問題，以此為契機更深入去探討教育的本質問題。這樣才能與剛才戴老師所說的私校該具備的角色銜接上。

私大的生存策略

青柳：戴老師的發言提到普世價值，這方面要如何著手是非常大的問題，也是今天座談會的目標之一。

情況如何呢？教會學校很多，我們那裡也是。不是教會學校的地方，也都具有各自的興學精神和理念。我覺得就如同教會學校，對留學生秉持著某種精神，也實際表現在對留學生的對策上。

還有說到採取學費減免措施的大學能得到學費30%的補助，所以比美國的私立大學便宜，但之前的報紙也有報導，實際上在東京生活，生活費要比紐約物價高出幾倍。所以我覺得情況沒有那麼單純。

安川：確實因為有獎學金或30%學費的補助，經濟面上變好，得到改善了，但說到剛才提到的生活面，就會出現本質上的差異。

我所在的關西大學與幾所大學簽有交流協定，與美國的喬治華盛頓大學交換學生才剛在今年秋天展開。學費互相免除。計算之下，因為有減免，就像剛才提到的，兩個地方幾乎是差不多的，住宿費也是一樣。

但是，生活內容差很多是很明顯的。這牽涉到生活費的不同和方便性。美國的大學和英國一樣，在大學裡面生活，不用花太多錢。可是在日本就必須去到街上，生活費就高出很多。所以實際上有相當不同的經濟負擔。這種生活環境的問題是存在的。

青柳：這下子又多了一個問題，就是如何使生活環境對私立大學的留學生有利。

安川：這會是今後的重要問題。硬體已經有很大的改善，至於宿舍，關西大學雖然只有日本的學生宿舍，但今年〔1989〕4月就要興建國際學生之家，也供留學生居住。最後會建造像美國那樣的大學宿舍，兩人一間，日本學生和留學生搭配入住。

另外也會向財界遊說，請財界借給我們多餘的宿舍房間。企業的單身宿舍有若干學生入住。居住面也在慢慢改善。

青柳：對於留學生的生活，開始有許多改善措施了。日本將在平成5年（1993）以後面臨大學生逐漸減少的問題。（笑）改善生活之類的措施，也算得上是私大存活策略吧。

戴：我認為我們要積極思考，反過來利用這種不得不努力求生存的狀況。到目前為止，日本私立大學的教育完全是為了日本人，這種情況應該改變，以複合的形式展開新的使命。做為存活作戰的一環，從內部去激發國際化的契機。另外也要思考如何定位它，以便接納第三世界的人。而為了這個目的，就要開闢財源募款。

至於課程的改革也非考慮不可。依我看來，日本自從明治維新以來，引進學問的方式是因為高效率、高超的選擇才會如此成功。亦即以翻譯為中心，整理得簡明易懂，以輸入為主的學問體系。所以在語言方面，像研究所就有英文、德文、法文等第二外國語的科目，要求相當嚴格。

可是，師長們在新的狀況下，卻沒有逐漸轉向輸出的自覺。人總是很容易故步自封，從第三世界來的人光是學日文就要費盡心力了，何況還抱有使命感，想要早早學會某種真才實學，趕回去建設自己的國家，老師卻還要求他們學德文、第二外國語，這對留學生來說負擔實在很大。

至於老師這邊，要修改第三世界學生寫出來的論文，個人的負擔實在太重。培養一個博士時，只能仰賴個人善意，就被迫付出很大的犧牲。可是這種犧牲有時是無法純粹用熱情或使命感來彌補的。所以這方面的制度，也是以後必須要思考的。

不僅是做為日本的大學，也做為世界的大學

孫福：戴老師所說的私校必須扮演的角色與使命，我百分之百贊同。國立大學是國家設立的大學，一般所想的第一個目標就是要為國家培養傑出人才。可是國家這個概念非常死板，私立大學一方面是因為比較能免於這個概念的束縛，如果要活用這個特色，以私校來說，就要去除日本學生之類的框框，也就是採取身為世界大學的想法。例如全世界的立教大學、全世界的關西大學，以後是不是應該要這麼想？

就像哈佛不僅是美國的哈佛、也是全世界的哈佛這種想法，日本的私立大學只顧著看日本這個地方已經行不通了，必須做為全世界的大學，思考如何去教育全世界的人，沒有這樣的觀點，就無法在21世紀立足。從這方面來看，我想私校的存在理由應該會變得非常偉大。

基於這個觀點，我想教育品質是最大的問題。如同前面提到的留學生問題，這裡也有硬體和獎學金之類的問題，例如考慮居住問題時，確實東京或大阪的生活費相當高。這時是要把居住當

成純粹的硬體去思考，還是把它想成教育環境的問題。

如果要當成教育環境去思考，就要參考譬如英國的牛津或劍橋的學校宿舍、學院的制度，把待在學校的時間和空間都當成教育的場所。24小時，除了睡覺之外，都是在教育。像這樣去思考時間和空間，居住問題就等於是教育問題。我覺得從這個觀點去想會比較好。

戴：剛才孫福老師提到的居住問題，我以前曾在某次會議上提出想法。現在日本正處於新的轉換期。隨著這一兩年來的內需擴大，就某方面來說，住宅問題對日本人而言，變成了第二間房子、渡假別墅的風潮。不論事實如何，我認為再過五年或十年，東京都會增加許多只有老先生、老太太居住的房子。年輕人只會為自己著想，不願意和老爸媽一起生活。到了這個階段，或許就會出現新的居住條件吧。

在那之前要面對的除了供外國留學生寄宿的空間不足之外，還有心理上的問題，不習慣與外國人一起住，這種障礙要如何突破也是一個重點。

這時最先要考慮的是浴室和廁所，日本每一戶民房幾乎都只有一間。以美國來說，通常會有兩三間全套浴廁。日本人特別愛乾淨，與不同文化的人一同生活時，有沒有分開的廚房、浴室和廁所很重要。依我的看法，老先生和老太太都喜歡和年輕人說話，只要是能夠放心的人，就願意一起住。而他們的兒女也會希望有人替他們看顧老爸媽，有人幫忙看家。這樣子就有了互通有無的條件。既然備齊了平等交換的條件，或許就能產生新的制度。

老先生、老太太是靠年金生活，房子要另設浴廁就勢必要加蓋，由政府開發援助（Official Development Assistance，ODA）來補助，是不是就能夠解決孫福先生所說的瓶頸呢？留學生可以學說日語，透過日本老先生、老太太，親身體驗像團圓之類的日本文化，不是一種可以嘗試的學習系統嗎？這樣才說得上是真正的留學生活吧？能不能把一部分政府開發援助用在這裡呢？

我還有一個提議。和平部隊是源自於美國，和平部隊活動了很長一段時間，累積了不少技術。能繼續發展是不錯，但如果與和平部隊合作，讓當地國家的人才來日本大學受訓，不也是可行的方式？

如同我在前面說的，日本的私立大學和國立大學都一樣，基本上是在明治維新以後，是為了培養日本建國的人才而設立的。但是以後需要去培養世界的人才，回報給世界。這麼一來，就要去組合適合的學系或學科。

我想已經到了需要所有日本人一起去研擬構想的時候。在策略的構想中，援助、活用私立大學的形式應該是可行的。這就是我現階段的想法。

安川：戴老師的意見相當有意思。我們的大學也如同戴老師剛才說的，出現寄宿家庭愈來愈稀少的情況。如果能借用空出來的房間，讓留學生在裡面生活就好了，可是現實中要保有這樣的家庭很難，所以為了使大學內有類似家庭的宿舍，而興建了國際學生宿舍。名稱是International Student House，兩人住一間，採取24小時都由日本學生和留學生同住的制度。

當然，宿舍內也設有餐廳，而由於各國有不同的洗浴習慣，所以設計了兩三種浴室。有大眾浴池，也有小隔間，花了一些心思去做。雖然還稱不上完備，但可以讓學生學習彼此的習慣。我們也嘗試一對一的搭配，避免只有日本人的小圈圈。

由於今年四月才開始，還說不上有什麼成果，但目前似乎一切順利。如果能再往外擴展，出現戴老師所說的形式，確保寄居家庭的數量就好了。

青柳：軟體方面，要去考慮更廣泛的範圍，不能拘泥於大學的質，就居住問題來說也是一樣。因此，討論問題時，嚴格區分軟體和硬體，總覺得有點不自然。以前沒有使硬體如何帶軟體功能的觀點，以後必須思考。

安川：沒錯，正如剛才孫福老師說的，雖然日本很難採用英國學院的制度，但應該要有類似的想法。

給亞洲各國更多訊息

青柳：私立大學要面對的重大問題就是如何存活。國立大學因為有國家給錢，所以這問題並不嚴重。剛才孫福先生提到全世界的哈佛，我們有相當多有關美國的資訊，日本大學提供出去的訊息卻很少。

還有一點是，近來有愈來愈多亞洲學生來我們學校。這和日本是經濟大國有很大的關係，另一方面，我們似乎只是在接納，而沒有主動走向亞洲。譬如在生存策略方面，私立大學著眼的地方卻是美國、英國。我覺得應該要稍微轉換頭腦，各位覺得呢？

戴：確實在20年前，我曾提議說，不只是日本人而已，日本社會內部也要國際化。內部對亞洲問題的關心或理解，不先從身邊解開，就無法達到國際化。就算有房間空著，有這方面的主張也沒用，一般人想到要與外國人，尤其是亞洲人或非洲黑人住在一起就有抗拒心理。要如何解開這種心結是問題所在。如果校方能積極為留學生的人品做保證，會比較能夠接納吧。

立教大學幸好是小型的大學，有熱心的校友和基督教人士，幫助非常大。是不是能夠在大學周邊設立這樣的網絡，慢慢熟悉、累積運作技巧，再逐漸擴大呢？如果有媒體介紹，就可以傳布出去。我們看文部省的資料，堂堂一個世界大國，卻只接納這種程度的留學生，日本人應該要覺得慚愧。這是我今天最激烈的發言。（笑）這樣子太說不過去了。

孫福：剛才青柳老師提到兩個問題，一個是欠缺提供資訊的環節，另一個是對亞洲的關心。確實我以前就一直在想，深入去分析日本人所說的國際化時，往往會發現都是歐美化、西方化，從明治以來一直都沒有改變。

所以這方面非從根本去改變不可，而改變日本人意識的方法應該有很多。多接納留學生，接觸面多了就會改變是經驗主義式的想法，但也有比較刻意的方式，就是提出計畫或制度，來帶動改變，方法是很多的。

至於缺乏資訊則是制度上的問題，只是沒有建立起來而已。特別是現在亞洲來的留學生最多，亞洲各國卻非常欠缺日本留學的資訊。從意見調查來看，就連實際上來到日本的人，都有六、七成沒有足夠的資訊。

這方面光靠各大學的努力是來不及的，必須從國家層面去擬定政策。以前只會把留學生問題當成國內問題，例如如何改善日本國內接納的情況，可是以後這不僅是國內的問題，也牽涉到留學生的出身國家，要去思考如何在這樣的關係中建立制度。沒有動員到這個層面，就無法真的改善留學生問題。

換句話說，就是要以亞洲為中心，研究如何在與各國的關係中，建立完整的資訊提供網。資訊提供的制度不只是把這裡的資訊傳送到他們那裡，也要反過來把那邊的資訊傳給日本的大學，並且向學生傳布，使學生也能夠關心，必須有雙向的資訊流通，沒有這種網絡是不行的。

青柳：在這方面私立大學聯盟能不能做些什麼呢？（笑）

戴：不活用普及運用這個制度，只靠各大學的努力，結果是有限的。

青柳：現在亞洲來的留學生實在很多，從客觀上來看，時機正好，一定要把握。還有，就像剛才戴先生說的，就算有一所大學要做也做不來，對方國家的大學也是一樣，如果日本的私立大學能設立某種聯絡機構，針對這個問題持續做下去就好了。

如何掌握假留學生問題

戴：青柳老師巧妙地點出問題，日本這個世界經濟大國如何在迎接21世紀時思考以後的自處之道，基本上這是在世界系統中自我定位時產生的。

現在表面上雖然是留學生、就學生的問題，實際上卻是勞工問題。對於就學生問題，或是有中國大陸來的假難民這件事，身為中國人的我覺得給各位添了麻煩，感覺很不好意思。但在同時，以世界的觀點來看，旁邊有個所得差距相當大的國家，身為鄰居應該要感到奇怪的，如果沒有任何感覺就糟了。大門口再怎麼檢查，他們還是會從後門不斷進來。

在我看來，這些問題引發的狀況，除非有勞動省、法務省、文部省和我們大學人員四個機構一起討論，否則是無法解決的。

就現實問題，恐怕以後大學會有以入學考試就能核查出來的部分，和以研究生、旁聽生利用偽造文書或其他方法而檢查不出來的部分，這方面要如何處理？

本來應該以未熟練工的身分進來的人偽裝成學生進來，這些學生就變成了就學生和留學生的問題。

世界上的一切事情都是要等到問題發生，才會有解決問題的機會，所以不要怕發生問題，反而要把它看成好事。應該要害怕的是發生問題後，日本人和日本社會內部失去了解決問題的能力。我們在今天的座談會上，如果能夠向社會宣傳這個問題，我認為就是一個新的開始。

以上所說的每一個問題報紙都報導成假難民事件，讓人很頭痛，可是實際上的問題是，日本的中小企業絕對有勞工不足的狀況，才會有人因所得差距而前來冒險。這個差額又被中間人抽頭，也因為有差額，才會出現日語學校這種奇怪的學校。不注意這一點，我們私立大學的老師就會一直被逼著去擔負不適合自己的職責，也不應該擔負的社會功能。我覺得應該要去釐清其中的真相。

青柳：所提的問題在兩位老師任教的大學中有多嚴重呢？

安川：聽了戴老師的話，我才知道這不只是關西大學的問題。關西大學的東南亞學生特別多，入學時有非常嚴格的文件審查，但還有許多事情無法查知，面談時就會發現許多人表面上是來留學，實際上很明顯是為了來日本工作。

而即使正式通過了，由於大阪附近的中小企業有勞工不足的情況，會以非常便宜的工資僱用他們。留學生需要錢，就會去打工，而漸漸不來學校上課。確實他們會把許多時間花在打工上。最近這幾年，這種情況非常顯著。尤其是在入學第二年，幾乎所有的留學生都會被企業搶著拉去打工。

由於現實中發生這種問題，我覺得這與就學、假難民等問題有直接關係。

雖然關西大學的方針是大量接納東南亞學生，但同時也有這種棘手的問題。

青柳：慶應的情況呢？

孫福：慶應也是面對著難以解決的問題。我實際接觸過極有可能以打工目的前來的人，那時問了很多問題，他回答想要聽某方面的課，但聊了很多話之後，有興趣的領域會一直改變。（笑）感覺實在很奇怪，經過再三追問，才發現他其實無心念書，只是求個方便而已。

還有資格上的問題，聽了他的話，我追問，「你並不符合大學入學資格？」他就說：「馬上可以帶證書來。」「可是你剛才不是說沒有畢業嗎？」他說：「沒有畢業還是弄得到證書啊。」（笑）一副毫不在乎、理所當然的樣子，近來這種例子愈來愈多。

說到最後，我認為最嚴重的還是聽講生，但當然他們裡面也有非常認真，真的對念書有興趣，想要專心念書的人。

所以，如果以偏概全，認為留學生都不行，是非常情緒性的說法，媒體對這個問題的處理方式就有這個傾向，必須注意。只是我覺得大學當局必須要好好確定學生是否真的有意讀書，是否具備念得下去的基礎訓練。這是很難處理的問題。

安川：確實很難。

戴：本來聽講生的制度是為了方便學習，開放大學的社會性功能，幫助有心就學的人，但這個制度現在面臨很大的挑戰。其中一個就是來了太多人，讓老師們覺得已經夠忙了，還來這麼多學生，而暗暗叫苦。如同孫福老師說的，學生大量前來的原因可以說其實是為了錢，而想要得到合法居留的資格。可以理解成是一種社會性的營為，只要進入社會評價很高的大學，就能確保就學生的生存權。

然而在這之前說到要去掉哪個、採用哪個，這種工作對教授會來說又太辛苦。

想一想以前美國和日本的關係，也許是明治某段時期或大正初期之前，真的有日本年輕人抱著遠大的志向去美國，一邊當服務生，一邊念書。實際上就有幾位後來成為有名的政治家。我們回過頭去看當時的美國和日本，再去思考日本和亞洲國家的關係，就會去想是不是能夠基於某種合理的人道主義，以新的構想去建立積極的制度呢？

除了和平部隊之外，是否也該接受那邊的人進入日本國內，讓他們一邊工作，一邊向日本學習，再帶著學好的某種學問打道回府？我想該是社會一起來思考的時候了。

青柳：是不是類似澳洲那種工作假期的系統？

戴：可以思考日本式的。如您所說，像大阪、東京都的川口市一帶，都有勞工不足的情況。

安川：這是事實沒錯。

戴：我在昭和30年（1955）來日本時，想打工也沒機會，頂多只能當家教，沒有人僱用。現在就不一樣了，到處都需要人手。要是沒有亞洲的工人，中小企業就會倒閉。可是如何好好配合，擬出一套有用的系統，能否依全日本全體的意思，依整個社會的意思去做？就是我想要提出來的問題。

教育制度與課程內容上的對應

青柳：以上各位提供了很多建議，但還有一個要處理的問題，希望大家提出我們應該在大學教育方面如何對應的意見。所謂的教育品質問題，剛才有人以英國為例，還有教師和學生人數的比率，這也是問題之一。是不是還有其他建議？

安川：現在日本的大學都如此，因為是依照設立標準訂立的，從四月到翌年三月雖然有分前、後期，但還是全年上課的系統，有許多無法對應的情況，所以我一直覺得還是要採用學期制，不論是上學期還是下學期，是不是能夠有以一學期為循環的課程系統？

例如，我們的大學從今年九月開始與美國的喬治華盛頓大學交換學生，那邊是採行從九月開始的兩個學期制，關西大學卻是持續一整年才完結的課程。落差很大，非常難調整。我們是為期一年的留學生交換，對美國學生來說，尤其是一至三月的期間，都沒什麼課可以上。他們要待到八月，但這段時間根本無法照顧他們，接著就放暑假了。關西大學派去的學生倒是很能夠利用美國的制度。

如果有一個學期三個月的制度，外國大學的留學生，如果是四年制的正規學生來上課就沒有問題了。我覺得要對應短期的留學生，還是要稍微改變這個制度才行。

青柳：安川老師談的是制度上的設計，是不是可以再談談制度或教育的內容？

戴：第一點，以私立大學來說，就像孫福老師說的，大學部的學生占多數。其中最基本的問題還是日語吧。要有教日語的地方，讓學生好好磨鍊日語。像慶應、早稻田都有相關技術，也有這方面的機構，但是小型大學要針對六十人左右的學生開設特別的日語課，負擔相當重，這也是一個問題。

第二點，如果要靠著老師個人的善意來教導學生，對指導老師來說也是極大的負擔。正好我們學校的研究所有特別多外國學生，首先碰到的問題是指導教授除了要教導專門學識之外，還要修改論文的字句，這是很大的負擔。指導一兩位就覺得很吃力，導致沒時間去做自己的研究或其他的事。我一直在想，這方面能不能找志工來搭配，合作看看。

先把專門學識放在一邊，只是找人幫忙看論文中的日語。例如請年約六十歲左右的退休老師，或是上班族組成志工團體。專門的部分由指導教授負責，日文就由事先建立的系統來審查。如果能普遍與老師們配合做下去，老師也會覺得輕鬆許多。

日文的部分解決了，再由指導教授來幫忙。我其實是一邊指導，一邊在拚命想這個問題。（笑）

孫福：原來是這樣。有關日語教育，我最近也有提出看法，其中一個就是從入門到初級、中級的程度由學生在自己國內先準備好。我覺得這是必須有的大原則。現在都是來到日本，先學一年的日語，接著才去上四年或五年大學。這非常浪費，也會增加留學費用。

以英語來說，日本也是一樣，是從中等教育階段開始教。像東亞、東南亞各國，日本政府可以盡量與對方國家的政府商量，這不是強迫推銷，只是讓對方同意，讓學生從中等教育的後期或高中開始學也可以，把日語列入自選的外語科目。這時候當然日本政府要在許多方面確實給予財務上的援助。

以這種形式，至少從國中或高中就開始接觸日語，來這邊之前再多加磨鍊，才來到日本。

有了這樣的系統，他們進入大學之後，應該就能大幅減輕老師的負擔。

另一點是日語教育的歷史雖然還很短，但也開始冒出芽來。除了一般的日語會話、一般大學入學水準的日語，也要考慮到與專門領域銜接，這方面也必須要開拓教日語的方法。例如研發科學技術日語，慶應也在由理工學院和日語教育人士一起在推展計畫。

同樣的，社會科學方面，也是由專門老師和日語老師合作，進一步研究應有的教法。日語教育不能只有日語老師，而只有專門教育的人也不可以。因此，銜接非常重要。如果能確實研發出教授法，專家不斷增加，不僅會寫成教材，也能達到有系統的改善，我覺得這一點最重要。

以日語為第一外國語

戴：對於孫福老師的意見，我有一點要補充，這是「教授會」的共識，也就是一定要把留學生的第一外國語是日語這件事當成在教授會上確認的議題。不然的話，依舊以英語為第一外國語，永遠會讓留學生感到困擾。

他們是來日本留學，日語對他們來說當然是第一外國語。這方面的優先順序，教授會的日本老師們一直都做不到，只會嘴巴讚美「啊，你日語說得真好」。但從實質上課程的制度上去想，依然無法擺脫明治維新以來輸入學問的框架。這樣子很不好。所以我想藉著貴刊來向老師們呼籲。（笑）

安川：關西大學好不容易在教授會上有了共識，就是日語是第一外國語。

戴：好不容易確定了，真好。

安川：可是英語在目前的社會還是必須的，所以學生還是要修英語。當然從英語圈來的學生要選修其他語言，這樣的系統終於建立了。另外也有全部一年級留學生集中上八小時日語課的系統。

問題是後面就沒有特別的日語課了，我在想，不知道能不能建立一種系統，接著由專門科目的負責人和日語教育的專家搭配，完成銜接的工作。如此一來，就必須安排各系指導人、教職員顧問或學術顧問的職位。我正在研發這樣的系統，但是還不夠充分。何況還有教材的問題。

青柳：最後我想補充一點。這是我自己的經驗，現在回想以前在戰後學英語的方式，一開始是聽平川老師的英文，例如“Come, come, everybody”，然後從傳教士那裡也學到一些，接著才在中學裡面學。所以像孫福老師說的，把日語學科放進教育制度裡面是非常必要的，但如果只是這樣，我認為是學不好的。

其實可以利用收音機，讓學生從媒體學日語。日本現在是這樣，不論是韓語、中國語或法語，聽收音機聽久了，都會感到熟悉。建立這樣的基礎是很重要的。所以不要只有一種方式，從多方面讓學生熟悉日語，再逐漸提高程度的作法，也是很有必要吧。

今天非常謝謝各位。

本文原刊於《大学時報》第222號，東京：社団法人日本私立大学連盟，1989年11月，頁14～28

探求各種國際交流專題研討會

◎ 李毓昭譯

與會：本間長世（時任東京大學教授、東京大學名譽教授，現任東京女子大學教授）
戴國煇（立教大學教授）
喜多村和之（曾任廣島大學教授，現任放送教育開發中心教授）
主持：山下彰一（廣島大學教授）

山下彰一（以下簡稱山下）：我們要針對主題演講和留學生的發表文章，接著請三位來賓一同討論「探求各種國際交流」這個題目。

接著要請戴先生先發言。不好意思先說點私人的事，我服務亞洲經濟研究所時，與戴先生共事了十多年，從他那裡獲益良多。如同之前的介紹，戴先生寫過暢銷書，以非常嚴厲的眼光看待日本社會和日本人，而在外國方面，當然中國問題是他的專門，也分析、介紹過很多華僑問題等我們日本人所不了解的層面。現在就請戴先生指教。

戴國煇（以下簡稱戴）：立教大學是一所很小的大學，也許有人不曾聽過，前巨人隊的長嶋〔茂雄〕就是這個學校畢業的，而現在養樂多隊的長嶋〔一茂〕就是我的學生。他的父親長嶋〔茂雄〕我沒有教過。今天要不是東京下雨，他應該就會打敗喜多村先生和山下先生的母校早稻田大學，拿到睽違二十多年的優勝。請大家給他加油。（笑）。

話說回來，今天很感謝熊平財團邀請我來參加這個聚會。我們在東京有個從事國際交流事務的聯絡會議，熊平財團的工作在那裡也成了話題，這在後面還會稍微提到。第一個話題是，日本社會似乎有不只揹著還要抱在懷裡的過度照顧傾向。相較之下，依目前的物價水準，如果說支援留學生的金額剛剛好，留學生也許會來跟我抗議。

然而，我算是一個留學生前輩 （OB），所以可以這麼說，並不是領得到錢就可以用功讀書，或是成為一個人才。連本間先生這麼優秀的老師，都曾在美國留學時拚命當服務生賺錢。我其實拒絕了所有獎學金，在東京大學念了十年書。那是我自己選擇的留學理念，沒有意思要其他人也這麼做。所以接下來的話也許會跟之前一樣有點辛辣。

這種專題研討會很不錯，後面的懇親會也很令人期待，不過美好的邂逅並不是花錢就有，營造讓人心靈相通的場所真的很重要。這方面剛才本間先生的主題演講已經提到，因此要說我今天的角色，應該有以下三個。

第一個是我本身是留學生前輩，也不是從一開始就無所不知。同樣要經過嘗試錯誤與整理，才能提出建言，絲毫沒有跟大家說教的意思。

其次，我目前是立教大學國際中心長、國際交流或迎送留學生或教師的總負責人。我雖然是外國籍，卻擔任首任中心長，目前已經是第二任了。我是在昭和30年代來留學的，當時的國際環境和現在完全不同，日本情況也改變了很多，我只能提出從經驗中感覺到的問題點，希望能供在場的各位前輩或日本朋友參考。

第三個角色與本間先生也有關係，也就是與東京設有棒球隊的六所大學國際交流中心負責人士與事務局長，每兩個月開一次聯絡會議。我們討論的範圍很廣，包括如何使國際交流進行得更順暢。我想整理在開會時感覺到的問題，向各位報告。

關於留學的思考

本間先生在剛才精采的主題演講中，就已將什麼是留學整理得很清楚。我和本間先生不同，是來自屬於第三世界的台灣。來到日本時，也曾思考過究竟留學是什麼。現在從中國大陸來的留學生受到文革等因素的影響，年齡比較大。這是特殊情況。一般而言，留學年齡大致上是二十多歲，尤其是私立大學，留學生多半是念大學部，國立大學則似乎比較多研究生。

無論如何，人在這段時期是一生中最像海綿的時候，趁著頭腦還靈活時去外國學習極為重要，這是我首先要指出的一點。這個年紀是非常重要的時期，因為要學會在近代的市民社會中不侵擾他人，奠定負責任的真正個體，亦即獲得自我，而不是「利己主義」式的自私。

我們從外國來到日本，是把日本這個社會，以及住在日本的各位，還有日本的國家形成，尤其是明治維新以降的日本當成典範或鏡子去認識自己或重塑自己，同時去回顧自己的國家社會或民族。我不是什麼了不起的人物，所以要老實說，我是來到日本才開始了解台灣，也才開始了解在中國大陸發生的事。這也是剛才本間先生提到的比較觀點。

其次是要學習專門學問。自然科學領域的人會用很多不同的學習方式吸收專門學識。尤其今天到場的人裡面，應該有相當多自然科學的學生。至於日語也沒那麼簡單。來自漢字文化圈的人也許比較輕鬆，不是的話就相當辛苦。幸好自然科學有共通的符號或語言，大概懂得三千個左右的字彙，就可以應付所需。人文科學或社會科學就不一樣了。與我同期的朋友中，有些去美國的人在自然科學領域中比較早熬出頭。但這裡會有陷阱。太急著學習專門學識，就會變成專門傻瓜，忘記要從整體上去學習日本人，只是變成技術人員回國是很糟糕的。要去採行不同的作法。

第三點，每一個從外國來的人，都會把自己出身的文化和歷史、民族的生活方式帶到日本來。像澎提先生來日本之前，還先去美國旅行，了解美國的民情。這種作法我就覺得非常好。我每年都會在立教大學把60至70名日本學生送出國。送出去之前，我都會跟他們說，一定要在出國之前好好了解日本。一定要讓他們先學習日本的歷史、經濟或文化，才把他們送出去。不然他們在外國被問到日本的情況，如果一問三不知，就太丟臉了。把無知的學生送出去也是我們老師的責任，必須檢討。剛才澎提先生提出的問題真的是我們應該接受的寶貴啟發。

像我這樣一待就待了34年並不是好現象。原諒我吧。希望大家留學三、四年後，拿到博士學位就回去，而且在留學的過程中，每天自問，我屆時要帶什麼回去，然後一邊確認一邊累積。如果帶回去的不是對日本的怨恨，而是對日本各方面的了解，那就太好了。日本各方人士經常會提到「心」，讓外國人很難了解。包括閑寂和幽雅在內，都是日本文化非常難以理解的部分，都應該努力去體會。帶著對日本各方面和日本人真正的了解回去，才能在祖國社會以橋樑自居，或是在向曾關照過自己的日本社會提出主張時有所依據。

第五點要提出的是，來留學時，例如我是從台灣來的，思考時常常會局限在中國人和日本的關係上。這也是不行的。到目前為止，日本的大學並沒有很開放，國際化的腳步也很慢。舉例來說，我曾在柏克萊大學當過一年客座研究員。柏克萊的副校長是我一個從台灣去的朋友。柏克萊的化學教授，也是在日本化學界知名的李遠哲先生曾獲頒諾貝爾獎。仔細數一數，光是柏克萊這所大學，就有八十多名中國裔學者。這在日本是無法想像的。走在柏克萊的校園裡，真的會碰到各種不同的種族。但日本要迅速達到這種程度也是不可能的。慢慢來就好，只是必須先開放心胸。

來日本留學時，譬如在廣島大學念書的留學生，遇到的人並不會只有日本老師和學生，也可能會認識美國人、英國人、馬來西亞人或印尼人，有多元的接觸機會，如何妥善運用是一個課題。在如此多元的接觸中，唯有用複眼般的觀點且深入去看，才能更為正確地在世界上找到自己國家、社會或民族的定位。

因此，留學時要如何積極主動地得到全面而多元的接觸機會，就成了一個要思考的問題。對於這一點，我也想告訴各位留學生，日本人一般而言是羞怯的，也不欣賞愛出風頭的人。雖然在本間先生面前講這些話有點惶恐，但日本社會講求沉默是金，而沉默在美國連銅都不是。我並不是說美國好或日本不好，每個民族和社會都會呈現出不同的生活方式。話說回來，我們來自第三世界的人，不只是要了解剛才我提到的日本的心，還要學習明治的精神，當然這裡面也是有好有壞，我們要把不好的一面過濾掉，學習日本人建立近代社會和國家時在學術等方面誠實認真的鑽研精神。只是學習表面，或只用形式邏輯去比較也是不行的，一定要從內在去比對自己，學到日本人內在的營為和積極的立國方式才回國。

最後要說的是，我在昭和30年來到日本時真的很驚訝。我並不知道東京大學會如何對待我們留學生，當時沒有什麼制度，派對也是在幾年以後，校長才開始為留學生每年舉辦一次。頂多只有系上老師會表達關心。幸好我是東畑精一先生的學生。如眾所知，老師曾在美國和德國留學，也是熊彼得〔譯註：Joseph Alois Schumpeter,1883～1950，從奧地利移居美國的經濟學家〕的學生，非常傑出的自由主義者。他對我說過：「戴君，你是外國人。說你是外國人也不是在歧視你。你不必有無謂的派別束縛，不用去考慮什麼馬經（馬克思經濟學）或近經（近代經濟學）的無聊事，哪裡的課都可以去旁聽。」我其實連東京大學醫學系的課都去聽過，經濟學、社會學就更不用說了。當時是東京大學非常輝煌的黃金時代，正好是本間先生去美國留學的時期。我在那裡遇到非常多優秀的老師。連我也能夠在今天設法用日語寫作，波岩新書的《台灣》〔《台灣總體相》〕談的是對日本來說有如盲腸一般，有沒有都無所謂的台灣，很奇怪不到一年居然能賣到六刷，讓我有點惶恐。現在我很怕稅務處。（笑）

互相了解的重要性

在這種情況下，對日本來說，國際化是什麼呢？目前東歐發生變化，還有中國天安門事件和蘇聯劇變，日本經濟以後也是充滿艱險，沒有人預料得到。世界體系會在我們即將進入的21世紀中出現很大的變化，日本人也正在努力跟上情況。儘管不要太誇獎文部省比較好，但文部省也在努力，和民間人士一樣。大學、一般人民和財界也都在竭盡全力。

簡單整理我的想法，主要就是日本已經成為經濟大國，在論說要對世界負起的責任等道德層面之前，必須把正面的循環帶進世界體系，否則日本資本主義會完蛋，企業也是一樣。其實助人等於助己，救濟他人等於在救濟自己的結構是愈來愈明顯了。如澎提先生所說的，我們砍了太多樹。樹砍了之後有沒有好好植林這種整體性的東西，不只是個別的企業，整個國家和民族要如何與外國來往，都是我們應該思考的。Give and take（取與予，即對等交換）的關係已經在這裡形成，留學問題就是其中之一。國際交流也是。在應有的互相了解中，日本不只是經濟，連文化也必須成為大國。不僅如此，政治不要只靠政客來運作，日本的政治外交也應該由傑出人士，對一、兩百年以後的國際政治有遠見，或是了解日本國內政治的政治家來處理。

在學問方面，日本向來都只有輸入。我也是教授會的成員，要用很大的工夫去說服其他老師。我一直告訴他們：「應該要開始輸出了。外國來的學生要把日語當成第一外語，第二外語則是英語」。第三外語可以是法語、德語等，請他們這麼思考。尤其是第三世界來的學生，光是要學會日語就很傷腦筋了，還要用明治維新以來的老套去思考事物，實在很困擾。

還有，日本老師仍然是以以前輸入學問式的系統來看待外語，動不動就說要重視英文。當然，要成為學者或研究者，英語是必要的。可是，在那之前，日本人士或日本的學會應該要對日語更有自信，開始去輸出學問。以回報恩義的方式去敞開心胸，各位留學生也要打開心胸去努力，以後的國際交流就會更順暢。（拍手）

山下：謝謝。剛才苑〔復傑〕先生有一些談話對大學老師來說是忠言逆耳，所以要接著請喜多村先生來發表他的意見和其他看法。喜多村先生是廣島大學排名第一的國際派，專門領域是比較大學論，因此不僅是中國和日本，也希望他能談談歐美的大學。請多多指教。

喜多村和之（以下簡稱喜多村）：剛才聽了本間先生、多位留學生和戴先生非常令人感動，也讓我感同身受的話，覺得心情沉重。

我也有一名學生是中國來的，因為是自費留學，以前他通過入學考試時，我還很擔心他以後的生活。那時卻好像旱天降下慈雨，他獲得了熊平獎學金，因此能順利念完碩士，現在已經在念博士班了。

當老師的多少有點學問可以教，但多半沒什麼錢。當然，也有人兩方面都有（笑）。在無能為力時有人幫忙，會覺得很慶幸。也因為心存感謝，我才會答應參加今天的研討會，就像剛才戴先生所說的，恩情必須要還，只是不知道還不還得了。

為什麼我剛才會說「感同身受」呢？像留學生澎提先生提到宮澤賢治，宮澤賢治正可以說是我青春時期的老師，我當學生時，曾多次前往他位於花卷的誕生地，因此苑先生的談話讓我想到非常懷念的青春，以及許許多多的留學經驗。

我的留學體驗

我最早出國留學是在1964年，也是東京奧運會那一年，當時日本才剛要開放民眾出國，因此那是無法從日本帶很多錢出去的時代。我得到荷蘭政府的獎學金，畢竟不是戴先生那種有風骨的人，實在無法拒絕（笑），而且是高興地收下那筆錢，只是交通費要自己負擔。我拿到的金額是一個月450荷蘭盾，等於45,000日圓。當時的大學畢業生假設在廣島大學就職，大概可以領到15,000日圓的薪水，因此我以為可以在那邊過得很奢侈，沒想到過去之後發現，物價好高，就像現在的亞洲學生來到日本時會驚歎物價很高一樣。雖然有4萬5千日圓，一天的住宿費就差不多要1,000日圓，一天卻只能花1,500日圓，而要用剩下的500日圓支付早、中、晚餐和郵票、電車票等全部費用，實在是不可能的，我只好不吃早餐，請住處的阿姨幫我做成三明治，拿到公園配開水吃。

那時最深刻的感受是，像我這麼脆弱的人，留學時身邊沒有一定程度的錢，日子就會很艱苦。我還覺得，要是我有多一點錢，荷蘭留學的收穫也許會比較大。當時還沒有熊平獎學金（笑），也沒地方可以申請補助。

很難相信那時候1美元大約有400日圓。美元的威力就像現在的日圓。當時做夢也不會想到日圓會變得這麼強，與美金的匯率變成只有130、140日圓。在以前的時代，帶日圓去換錢會遭到臭臉對待，好不容易才能換到外幣。因此日本物價對於留學生有多高，我在某種程度上是可以體會的。

我雖然去了荷蘭，卻不會說荷語。雖然很用功學習，還是說得不夠好。現在反省起來，覺得當時留學的目標並沒有很明確，而且身上沒錢。在這種條件下，留學就很難成功。尤其是語言上的問題。在中世紀的大學，對於從歐洲各地來的人而言，拉丁語是共通的知識。語言不通確實會使留學價值減半。

各國不同的優缺點

後來經過很長一段時間，從1984到1986年，我在加州大學柏克萊分校待了一年，剛好戴先生那時也在那裡。我雖然已經有教職了，還是又去留學。

在荷蘭時，校方對留學生幾乎都沒有特別的照顧，根本就把我們晾在那邊不管。我感覺除非有重大問題，否則大學什麼也不會幫你。

可是去了美國的大學，我第一個發現是一般教育的課程和教學法都非常充實。有一套系統讓普通學生也能學習，受到磨鍊，而不只是菁英，這方面做得非常好。我能夠以學生的身分去聽課，知道每一堂課都必須預習和複習。不過教師和學生的關係，從日本的立場來看，就像苑先生剛才說的，感覺很平淡，和日本非常不一樣。舉例來說，如果我跟美國學生說：「我們去吃午餐吧。」帶他去吃過午餐後，我說：「我請客」，他會睜大眼睛驚訝地問：「咦，老師要幫我出錢嗎？」他以為即使應老師邀請也是要自己付錢。在日本如果老師說要各付各的，從那天開始，這個老師就慘了，會被私下批評：「這老師很小氣。」（笑）通常譬如去咖啡廳，連咖啡都不請客的話，是沒資格當老師的。可是外國卻不是這樣。

想到這裡，就像剛才苑先生說的，研究所的情況更是這樣，不過在日本，老師對學生各方面的人際關係都介入很深。從正面來看，日本人大概是把學生當成家裡的一分子，不然就是當成小孩一樣對待吧？也就是說，屬於自己研究室的學生都是家裡的人，因此為家人的前途和現在的生活擔心是老師的義務、為人父母者的義務，也就會在各方面熱心照顧，連結婚、找工作，都會出力去促成。

可是從反面來看，連結婚、就職和未來的事情，老師全都要出面干涉，做什麼事都要經過老師同意，形成一種老大與小弟的關係，讓人喘不過氣來。

我們曾做過留學生調查，請留學生自由對日本的大學提出意見，結果得到兩種截然不同的回答。其中一種是：「獲得那麼周到的照顧，我不知道該怎麼答謝，真的是滿心的感激。」另一種是恨之入骨，「從沒有受過這麼差勁的待遇。我完全受到排擠，我討厭老師，也討厭日本學生，感覺非常痛苦。」

換句話說，美國大學的授課和課程都非常充實，留學生的照顧則由英語中心或留學生中心負責。日本卻是由個別的老師犧牲自己，全部擔負。因此進到日本的大學，碰到好老師就會非常幸福；碰到合不來的老師，就會好像下了地獄。人的因素在這裡影響很大。

剛才苑先生指出許多日本的大學問題點，往好的方面來看，老師非常照顧學生，在各方面的關照程度是其他國家的大學無法想像的。這方面雖然很好，但也有壞的一面，就是干涉太大。學生去請教別的老師時，有的老師甚至會吃醋。剛才本間先生也有批評日本人，其中一點是度量狹小，確實是日本封閉性或排他性態度的不良層面。

只是凡事都有好壞兩面。今天，尤其是留學生會針對日本的大學提出很多問題點，我也做好了某種程度的心理準備。可是要請各位留意一點，雖然這和日本人的民族性有關，但是我們開始接受留學生，大學展開國際交流之後，還沒有經過很久時間。我們日本人向來思考的都是如何使日本近代化，如何從西歐或先進國家學習文明或文化，或者引進科技，我們建立的教育系統和學校、大學制度、教育方法，全都是以有效率地從先進國家引進文化為目的。我們十年前根本連想都沒有想過日語會像現在這麼重要，還必須考慮如何教導許多留學生，或是使日語普及之類的事。以前並不需要去研發日語教育的方法，我們大學的授課或教育方法也一向只以日本人為對象，只習慣使用教導日本人的教育系統。

但是隨著國際交流的腳步，我們目前已經在努力研發教育方法或日語教學法。希望大家了解，文部省已計畫在21世紀接納10萬名留學生，也同時在摸索，如何像對待日本人學生一樣地接納外國留學生，如何給予教育，回報之前日本獲得的恩情。

100年前，明治政府花費文部省30％以上的預算，把留學生送到全世界，帝國大學的預算也有大約有一半是外國老師的薪資。換句話說，當時當然沒有聯合國教科文組織，也沒有傅爾布萊特計畫〔譯註：1946年由美國阿肯色州參議員傅爾布萊特（J. W. Fulbright）所提出，由美國國務院與外國政府共同推動的學術與文化交流計畫，目的是透過人員、知識和技術的交流，促進美國與世界各地人民的相互了解〕，更沒有世界銀行，熊平獎學金更不用說了。可是確實有一段運用微少的錢去學習先進國家的歷史，現在也終於出現成果，日本在某方面來說成為經濟大國了。我們現在的學制或教育制度全是為了那個目標建立的，因此要一下子改變並不容易。

最近有一本書出版，內容是福澤諭吉寫給其到美國留學五、六年的長子和次子的信。我發現裡面有一段話，起初覺得稀鬆平常，不是什麼了不起的創見。他先是叮嚀兒子四件事，第一點是：「要把英語學好。光是這樣就有留學的價值。」第二點是戴先生剛才說的，「要學到一種不輸給任何人的專門學識」。第三點是「要保重身體，一定要寫信。短信也沒關係，如果沒什麼好寫，就在信上寫沒什麼好寫，然後寄回來。」最後他說：「不要太節省。沒有錢的話，會搞壞身體，或沒有時間念書，我會寄錢給你，不要太節省。」我回想自己的體驗，心想真的是這樣，這段話雖然平凡，卻非常實際。

我兒子目前念高三，以後要考大學，正在考慮未來要怎麼走。我覺得很遺憾，我從事大學研究，卻覺得日本的大學沒有一間是他一定要去念的，陷於自我矛盾。廣島大學是其中的例外（笑），尤其是有那位校長在，又是國立的。但是我兒子的學力實在沒辦法進廣大，我就跟他說：「既然這樣，就去美國好了。你去念柏克萊。爸爸是去了美國的柏克萊，才在有大學水準的大學得到留學經驗。你還年輕，一定要把英語學好。爸爸的英語說得很爛就是因為年紀大了才去留學，所以你一定要在年輕時去。有句話說，疼小孩就要讓他去旅行，何況日本沒有什麼值得推薦的大學，我想推薦的大學你又進不去。」（笑）剛才戴先生提到「要在外國了解日本」，這是非常好的理念，我現在才想到，當初也應該跟兒子這麼說。

美國的大學很能夠磨鍊學生。預習和複習會讓學生受到磨鍊。那並不是菁英的大學。說穿了，是使普通無能的人變成有能的大學。日本的大學卻是以學生已經有能為前提建立的，要求太嚴格是失禮的，因此不讓學生念書（笑）。我兒子不算是有能的人，所以一定要去美國大學接受磨鍊。我告訴他：「你如果念的是古怪的大學，爸爸大概不會幫你付學費。但如果是美國的大學，哪一所都可以，我都會幫你付。你一定要去念美國的大學。」之前不太念書的兒子突然卯起來用功讀書。我心想兒子終於下定決心，要去美國念大學了，就跟內人說：「你看，我講的話很有用吧。」內人回答：「你腦筋有問題嗎？兒子念書並不是為了去美國念大學，而是覺得不念書，考不上日本的大學，就會被你送去美國念大學，那就慘了，才開始念書的。」（笑）

我去柏克萊時，兒子也跟著去了一年，所以知道美國的大學有多嚴格。他也知道日本的大學有多輕鬆，因為他有時候會來廣大，看得出來，才會覺得被送去那種地方會很慘，而開始用功準備考大學。我這個父親的深厚期望就這樣落空了。其實我根本沒有來這裡講這些話的資格，有這麼一個失敗案例，卻還來這裡，真是對不住。（拍手）

山下：非常感謝您。聽了兩位先生談了許多與留學生或留學的意義有關的事，接下來想請本間先生對兩位先生和剛才留學生的談話提出意見，或是補充之前沒說到的東西。

我的留學體驗

本間長世（以下簡稱本間）：我想要提出三大重點。第一個是我自己的留學體驗。戴先生、喜多村先生、澎提先生和苑先生都分別說出了他們的留學體驗，我的就非常幸運，有某美國財團的獎學金，不過暑假必須靠自己打工。雖然生活有保障，但一年中有兩個半月要以戴先生的精神去工作。如剛才所說的，我做過餐廳服務生，也在小鎮工廠工作過，獲益良多。我後來還帶家人回去，想要以客人身分去眷顧之前服務過的餐廳。僱用我的老太太已經去世，換成下一代經營，餐廳的味道卻依然沒變，非常棒。給我獎學金的財團工作人員是女性，對於包括我在內的六名日本人留學生非常關心。我在美國結婚時，她也來參加，送我三個不同大小的鍋子當結婚禮物。我們家到現在還在用那幾個鍋子。鍋子非常堅固耐用，都不會壞。能有這樣的際遇真的很幸運。

後來我在安默斯特學院時，也曾接受老師邀請，去他家參加耶誕派對，玩得很開心。他有位非常漂亮的女兒，這個漂亮女兒後來結婚，當了老師，還曾來到沖繩。我們現在仍在通信，她來東京時，我們也會碰面。

我去威斯康辛大學當客座研究員時，曾去聽專題講座。講座的老師過著單身生活，妻子已經去世。他會請參加講座的學生來家裡吃火腿排。美國的火腿非常鹹，吃的時候要配鳳梨或山藥等甜的東西去除鹹味，那就是老師親手做的菜。我們就一邊吃菜，一邊聽他講美國史。

我在日本的東京大學教課，專題講座也有留學生來上課。我曾在過年時請他來家裡。我不清楚一般日本人怎麼慶祝過年，也不知道我家的年菜是否齊全，但無論如何都想讓留學生看看，也順便請了接受美國傅爾布萊特計畫資助，來擔任交換教授的老師帶妻子和兒子來，一起吃年菜。結果非常成功，只是最後有點困擾，因為那個留學生是來自東方國家，喝了很多酒，開始糾纏美國教授〔譯註：指受Fullbright法贊助的學者。二次大戰後，美國制定Fullbright法，將在國外出售剩餘農產品所得的一部分，做為來美留學者的獎學金之用〕，要他說日語。這名留學生經過千辛萬苦，才學到日語非常流暢的階段，他認為來到日本就應該說日語，用日語逼迫美國教授。我把留學生的話翻譯給他聽，他回答：「非常抱歉，我都這個年紀了，要開始學日語實在沒有辦法。何況再過二、三個月我就要回美國，我的專門領域又是美國政治，以後一輩子都不會用到日語，因此請饒過我吧。我真的很遺憾不能在日本說日語。」他說了很多話，我覺得雙方都很有道理。

我也很了解辛辛苦苦學會日語的學生在酒醉時說出那些話的心情，也能體會美國教授的心聲。這頓年菜吃完，感覺學到很多東西，收穫很大。

國際理解的困難

第二個要報告的是，我現在對國際理解愈來愈悲觀。互相了解會在文化交流中逐漸加深。在只要一直努力，彼此應該就會更加了解的前提下，我們做了很多事情。一方面也是我的關係，為了與在戰後關係最深的美國互相了解，起初進行的事情看起來好像很順利。現在有了共同的價值觀，日本又是民主國家，引進了美國的優點，在建立新世界的過程中，努力朝著人類繁榮與幸福的共同方向努力。美國愈來愈了解日本，對日本也愈來愈關心，我也覺得日本也更加了解美國了。

可是，在互相了解的努力下，進行互相交流，經濟關係也更密切之後，就進入了可稱為相互依存的時代，卻發生了經濟摩擦，而且愈來愈嚴重，近來開始有「戰爭」的字眼出現。前陣子駐日美國大使亞馬柯斯特先生（M. H. Armacost, 1937～）在日本的記者俱樂部演講時提到：「為什麼我們一定要用『戰爭』來形容日美的經濟關係？比喻的詞彙不都是戰爭嗎？例如攻擊、反擊、還有什麼秋之陣、夏之陣、冬之陣之類的詞彙，不是嗎？」這種戰爭的想像，在交流更加密切之後，反而爆發出對立的想像，互指對方是異類。

現在美國一直在說，自由民主終於勝利了，冷戰結束，自由民主贏了，東西陣營中的東方輸了。然而，這裡面有一點令我很擔心，那就是美國報紙刊出的社論說，不能簡單地說自由民主贏了，因為「日本不一樣。以後亞洲幾個國家可能也會以日本為楷模。那並非美國所以為的自由民主。」這一點我很擔心。

剛才戴先生說的很對，日本縱使要優先考慮自己的未來，在21世紀繼續存活與繁榮，也必須推行國際化，做出在國際社會中肯定他國的優點，對彼此的繁榮有幫助的事。可是日本今後要如何朝著這個目標努力呢？近來努力沒有達到效果，只有挫敗的情況好像比較明顯，所以我感到悲觀。

光是悲觀是找不到出口的。有沒有讓人樂觀的因素呢？無論如何日本都要在國際社會中扮演角色，善盡責任的看法是一致的。目標是一致的。招牌至少掛出來了。雖然有些招牌並沒有產生實效，但掛著招牌總比沒有掛好。儘管作法非常消極，但沒有人反對。這樣其實也不能讓人放心，因為可能會在某個階段有人出來說，把這個招牌撤掉，而且有人附和說，沒錯，沒錯。這一點是我最擔心的，但現在的走向至少是朝著這個方向。

今天聽到像澎提先生和苑先生的談話，我覺得很欣慰，因為來日本留學的外國學生都非常認真學習。如同澎提先生的報告，像宮澤賢治這樣的詩人，能夠讓澎提那麼感動，真的是很美好的事。宮澤賢治寫出那首詩時，有沒有想到它有一天會打動一名亞歷桑那青年的心呢？這是非常重要的事。我們現在說得出哪位美國詩人的作品打動我們的心？我們有前輩看到艾默生（R.W.Emerson）、惠特曼的作品，覺得很感動，但我們現在就美國的詩來說，有哪些人的詩會打動我們的心，而且讓我們一句句地背誦出來？這是我們要自我反省的。從樂觀的一面來看，就像澎提先生告訴我們的，人類只要存著宮澤賢治的詩中那種心就能夠融洽相處。這種想法讓我們燃起希望。謝謝大家。（拍手）

山下：三位來賓都表示了他們的意見，我想談談讓我印象深刻的一、兩件事，想請三位各用五分鐘的時間答覆。

戴先生非常有條理地講述留學的意義，各位應該都能夠體會。其中提到應該是日本輸出教育，回報恩情的時候，這是第一點。還有喜多村先生關於貴公子的那一段話，打動我的心，覺得很值得參考。這麼說或許不太好意思，但現在的大學都在提倡要多吸收留學生，實際上卻存在著吸納留學生的體制與因應方式都不夠周全的問題。對此，最近我覺得毋寧是民間社會的接納對應比較積極。在廣島，熊平獎學會是這方面的代表，縣、市機關也都在努力，親切地迎進留學生。相較之下，大學的因應就比較慢。我自己也是其中一員，一直都覺得應該多做些事情，卻無法如願。不知道有什麼好辦法，可以解決問題。今天廣島大學的田中校長也在座，希望能聽聽他的意見。

第三點是本間先生剛才說的，隨著國際理解的進行與加深，情況卻愈來愈悲觀，甚至發生貿易摩擦這種對立。要怎麼看待這個問題呢？趁著台下正在收集聽眾質詢的問題，我想請各位提出對這些事情的看法。可以麻煩戴先生嗎？

克服摩擦

戴：我要先補充一點，就是我不接受獎學金是因為那正好我研究的領域與利權沒關係，我可以藉著這麼做在精神面上鍛鍊自己，達到獨立自主，同時抱持非常明確的問題意識，並不是建議各位晚輩也這麼做。我要強調的是，並不是要得到很多錢才能讀書。除了希望各位留學生了解這一點之外，我也希望善心的日本人士不要誤以為給了錢就能馬上培養出人才。

接著要回到正題，廣島的情況我不太清楚。不過聽說今天在座聽眾中，也有地方自治體的人士，以及許多志工前輩。其實東京最大的問題是居住，我因此從二、三年前就在呼籲一種解決方式。

社會正在走向高齡化。雖然這麼說不怎麼好聽，但是目前已經是老人被當鬼牌一樣避之唯恐不及的時代。恐怕許多日本人退休後，小孩也不會回來和他們住。人際關係必須在互相施惠的情況下，才能長久持續。如果有一方一直在施恩，關係就無法持續，何況也有人不願意接受恩惠。房子只有老先生、老太太居住的話，就會有空房間。日本住宅有一個很大的問題，就是通常浴室和廁所都只有一個，不像美國有額外的空間。各位都在發揮善心，想要援助留學生，所以我在想是否能請地方自治體的人士支援改裝房屋的費用，主要是多設一個廁所。浴室的話不需要日本式，淋浴間就行了。可以的話，再設一個簡單的廚房。美國一般公寓的廚房怕瓦斯爐危險，都使用電爐。這一點也可以列入考慮。只要大學校方提供保證，不僅老先生、老太太有說話的對象，要接納留學生時也比較方便。離家和配偶另住他處的人，每天打電話問候父母親是否安好也是一種孝行，但沒有住在一起還是會感到不安。如果有留學生住進去，可以減輕不安的感覺，留學生也可以幫忙打掃屋子。老先生、老太太有人可以說話，又能和留學生進行種種交流。這種網絡就是我認為以後可以實施的具體提案。

藉著這個方法，留學生比較容易在年輕時敞開心胸。可是日本高齡化社會中的人中，例如55歲或60歲以上的人，即使心懷善意，也往往裹足不前。畢竟陌生人會讓人產生疑慮。尤其是有些人會說只歡迎白人，有黑皮膚的會很困擾，或因為中國來的留學生沒有錢，一個房間就塞進六、七個人，造成很大的問題，也形成另一個摩擦的理由。

如同本間先生所說的，人與人之間的交往難免會有摩擦，貿易也會發生問題。我經常在說，不需要害怕發生摩擦、矛盾或問題。真正應該害怕的是自己體內、自己社會內部、自己的國家，或是地方自治體裡面失去了解決問題的能力。問題接踵而來是很正常的。有問題惡化卻無可奈何，無法解決，那才是應該擔心的。因此只要自己內部裝設有隨時都能解決問題的能力，社會、個人或國家都有這種機制，就不怕發生問題。一般懷有善意的日本友人如果也能這麼想，前景應該會非常光明的。（拍手）

山下：我們接到很多提問，事務局收集到的問題已經在我手上。由於問題太多，我必須事先聲明，無法一一回答。不過接下來有一場懇親會，如果提出的問題沒有在這裡回覆，請各位直接請教來賓。

這裡有一個問題請教喜多村先生，提問者是YMCA的永井先生。「真正能接納留學生、提供教育的體系，大概需要幾年才會完成？」這是在詢問幾年以後才會建立，與我剛才的問題有關，請喜多村先生回答。

日本的對策

喜多村：我的立場無法負責任地回答，廣島大學校長和學生部長應該都在座，想知道廣島大學的回答，就問他們吧。（笑）

我只能這麼說，這和剛才山下先生的問題有關，例如提高留學生獎學金，或是興建留學生中心等事、都是困難重重，但只要有錢、改變法律，或是政治上有意去推動，總是可以達到某種程度。硬體的部分只要有心、有錢和政治力 ，就可以做到。因此，像日本政府已計畫接納10萬名留學生，只要定出預算，就有可能做到。那個計畫是預定在21世紀初達成。又如熊平獎學會的業務，只要社長或會長先生下決策，雖然不是容易的事情，但也不是不可能的。

可是接納留學生時，軟體上的因應就沒有那麼簡單了。如眾人所知，確定日語教育的方法就是其中之一。以英語教育來說，日本的大學也受到究竟在做什麼的質疑。不只是英語，或許正確的說法是：到底整個大學教育是在做什麼？長年的營運都還這麼不順利了，更不用說之前不曾思考過的日語教育，突然出現這個需求，要馬上順利推行是不可能的。我去美國留學時發現，到處都有英語教育中心，提供非常密集的訓練，但是那是經過百年以上的歷史和經驗，才逐步成形的。

因此，現今留學生最大的問題裡面，也包括頒授學位和日語教育。一般認為，如果日語教育更有效率，留學生問題幾乎就能迎刃而解。廣島大學也設立了日語教育學系，即將正式展開。但實在不可能在設立之後，日語教育馬上就在隔年突飛猛進。這和日本歷經100年的近代化一樣。我的意思不是說必須耗費一百年，而是說需要等上一段時間。因此究竟需要幾年，我想還是請教廣島大學的負責人吧。（笑）

山下：謝謝。我很想請田中校長回答，但時間有限，只好緊跟著繼續下面的問題。留學生有幾個問題要請教本間先生，其中一個是窮學生要如何念書？我想他指的是自費留學生。學費很貴，還要支付生活費，就不能不去打工。這樣子就沒有充分的時間學日語，該怎麼辦呢？這問的是就學生要怎麼念書，問的人是廣島大學的學生。

工學部的學生也有問題請教本間先生。請問日本與美國在博士課程的教育方法上有什麼不同？另一個是日本的英語教育要如何改善？請把焦點放在國中和高中的程度。現在就請本間先生。

窮學生的問題

本間：問題有三個。第一，窮學生問題真的很嚴重，不知道我以前算不算窮，但應該也是在貧窮邊緣。我必須設法打工，維持生活。剛才介紹的日本前輩中，也有必須打工賺錢的。有人想要換一所好學校，買了火車票，卻沒弄清楚，前面還有幾百英里的路程，必須再買一張票。這個人我記得是片山潛。上車後要補票，車掌卻說票價要多加一成，結果他抵達時身上只剩下幾個銅板。窮學生真的很辛苦。剛才喜多村先生也提到他必須省下一頓飯不吃，讓人覺得很心酸。

我也是一樣，有一次想買一本平裝書。當時大約50美分就能買到裝訂精美的平裝書，例如范伯倫（*Thorstein Bunde Veblen*, 1857～1929，美國經濟學家、社會學家）的《有閒階級論》。當時紐約地下鐵的票價是15美分，不搭地下鐵，改用走的，三次就能省下45美分。換句話說，省下三次坐地下鐵的錢，就能買一本書了。我覺得這個計畫不錯，就開始實行，結果是感冒了，還傳染給我新婚不久的妻子，兩個人高燒發到差不多40度，什麼都不能做，也不能看醫生，就只是躺在牀上等體溫下降。不知道這是得還是失（笑）。總而言之，生活是能省就省，同時盡可能找個效率高的方式賺錢，沒其他辦法。壓力真的很大。

我也認為社會、大學或其他機構對於念書願望很強烈的窮學生，覺得念書對他本人非常重要，也對未來的學問或國際理解很重要的人，應該多多給予幫助，這才能真正解決問題。

可是說是這麼說，並無法知道要幾年才能做到。如果有人想知道究竟要花幾年時間，就叫他去問某個地方的大學校長，那就傷腦筋了（笑）。這種事應該也有很多機構在想辦法，目前我頂多只能告訴窮學生要保重身體，生活盡量節儉，當然，我知道這些學生已經很節儉了，但還是覺得壓力很大，但也是無可奈何的。另外，跟慈善人士借錢雖然有時候反而危險，不過這也是不得已的。日本的留學生歷史中，確實也有人抱著這樣的心情念書。

關於博士課程

關於日本與美國的博士課程有什麼不同，這是因學科而異的。美國有「綜合學科考試（comprehensive exam），這應該和日本有很大的差異吧？這是針對每一種專門科目實施的考試，規模非常大，得花好幾個小時才能寫完，而學科考試是另外的。有時候連副修也要接受這種考試，通不過就無法進入寫論文的階段。日本就沒有這種考試，只要修滿學分就行了，這大概就是決定性的差異。當然有學位的問題，大家應該都知道，因為時間不夠，這一點就不提了。

哪一種制度比較好，不能一概而論。我想如果在日本提議舉辦綜合考，獲得採納的可能性應該很低。

日本的英語教育

至於國中和高中的英語教育要如何改進，剛才喜多村先生也提到，這是日本人想了一百多年，也始終沒有找到標準答案的大難題。倒是有一種非常發達的產業在利用這種沒有標準答案的情況，那就是入學考試英語補習產業。而這方面也有一些古典名著，談一些英文解釋的書，每個世代都出現過。

不可思議的是，在英語剛進來日本的初期，反而有一些英語高手出現，像夏目漱石就能夠用英語寫詩。後來也有人會翻譯非常艱澀的梅瑞狄斯（George Merdith,1828～1909，英國詩人、小說家）作品。平田禿木（1873～1943，英文學者）這位大翻譯家也是在早期出現的，現代人的英語程度反而愈來愈低。我有同事說，今年東京大學學生的英語能力又更低了，不過這只是這名同事自己的說法，不是客觀的意見，但大學老師通常會拿以前的學生來比較，然後歎氣說，現在的學生愈來愈不行了。（笑）

我認為這方面的問題很多，其中一個是考試科目沒有把口語訓練加進去。因此難得有外國來的以英語為母語的年輕人在國中和高中教英語，老師也不會積極利用，學生更不會利用機會，覺得反正考試不考就算了。很遺憾，沒有用考試來控制。

另一個問題是日本的國中、高中英語老師是在大學的英文系學英語。英文系是在教什麼呢？教美國文學、英國文學、語言學，而沒有英語教學。教英語雖然也標榜要修教科、教育課程，但英文系的老師並沒有花很多心思在教。像英文學是針對莎士比亞進行新的研究。莎士比亞學會在日本是非常大的學會。最常使用《牛津英文字典》的人，大概就是日本的英語老師了。可是國中、高中的英語老師應該要受到不一樣的訓練。我認為這是非常大的問題，國中、高中的英語老師究竟是在哪裡受到什麼樣的訓練，必須徹底檢討。

雖然利用考試是邪道，但可以用考試來解決這兩個問題。在考試科目中加上評估口語訓練的成績是一個辦法。另外再搭配稍微長期性的作法，認真檢討依現在的英文系課程訓練國中、高中英語老師是否適宜的問題。

山下：謝謝。喜多村先生，能不能回答剛才最後的問題，亦即有什麼辦法加強日本人的英語教育，提高英語程度？

改變教育體制

喜多村：如剛才所說的，我是上了年紀以後才去留學，英語才會那麼差，如果有辦法進步，我還真希望有人教教我呢（笑）。

不過，或許可以說，這個問題並不局限於英語教育。明治以降的我們總是認為要吸收已開發國家的各種文化，英語或德語是必要的工具，我想要如何有效率抓住意義，要如何盡快輸入知識的是語言學。因此大部分的人都很善於閱讀，很多人看得懂莎士比亞，精通高級英文，可是一旦在街上碰到外國人問路，就會嚇得答不出話來。因此這種學習語文的方式必須改成去學習表明自己的想法，或是用英語與人溝通。這種需求一定會在國際化中出現。

其實不是只有英語教育需要改進，我們的小學、國中、高中的教育，從升學考試就可以知道，是多麼像幫人捕魚的鵜鶘，張口把魚吃進去，就立刻被強迫張口吐出來。考試就是競爭，而元凶就是大學入學考試。這種學校教育的方法本身，其實可以說潛藏著我們百年近代化的歷史。如果不能改變，就不只是吸收談話對象的，連要向對方表達自己的意思，或是與對方溝通都做不到的。因此不只是英語，我們整個教育制度都必須慢慢朝那個方向改進。

如果問我要幾年才能達成，我只能說必須花很長的時間。我認為改變只能慢慢來。現在的日本要取消升學競爭是不可能的，退而求其次的話，就像本間先生的提案，把英語會話加進考試科目中，或許是眼前最快的方法。

努力學習聽與說

本間：我也有一上年紀感到絕望的感覺。戴先生說一方面是高齡化社會的關係，可是上了年紀以後，還是能做點什麼吧。不知道老是從哪裡老的。人的年紀從一出生就開始增長。有人說學語言沒有了記憶力就沒有希望，確實是這樣。可是我們再怎麼不喜歡英語，還是會在國中與高中的六年中學到。而大學的通識課也多半要修英語，總共就有八年。加上去補習班上的課，八年又可以增加到十年，無論如何都會能構成一種基礎。自認年紀大了，中年之後有需要用到英語，心想總有辦法學習吧，就去找老師，老師卻說來不及了，可是不能這樣就死心。

時下錄音帶很進步，我想可以找有課本的錄音演講或授課之類的不太困難的教材，邊看邊聽。既然大家都在用隨身聽或卡拉ok拚命學歌，也可以投注這種心力去聽英語錄音帶。先聽很多遍，再把課本蓋起來聽，確定是否聽得懂。只要練習過多次，大多數人都能培養出聽力。當然，有人無論如何也無法克服瓶頸，突破障礙，沒有辦法提高水準，這是因為把能力用在別的地方了。不過，我想大部分的人都能得到訓練的成果。

如同剛才戴先生說的，日本人在表達方面確實比較羞怯，在美國沉默連銅都不是，確實是連通都通不了（笑）。無論如何，都必須開口說。要學習口說英語，可以出聲唸課本，即使沒有抑揚頓挫也沒關係，以自己最快的速度唸出來。而在他人面前說話時，就放慢速度，慢慢以對方聽得懂的方式說。

發音是非常重要的。很遺憾，日本人因為發音不準確，經常會被要求複述。這是因為到目前為止的教育都沒有灌輸發音很重要的觀念。我留學時，剛才提過的安默斯特學院的老師曾邀我參加派對，聽過印度來的學生說話。那發音讓我怎麼也聽不懂，不知道是方言還是口音的關係。可是美國老師並沒有聽不懂的問題。還有一次是去聽義大利來的名記者演講，主題是批評杜勒斯的外交政策，我根本都聽不懂，只覺得他說的是義大利語，沒想到聽眾卻踴躍發問。

很遺憾，日本人的英語發音對英語母語者來說要聽明白並不容易，實在必須改進。方法是聽標準發音，然後去模仿。日本人學唱歌都很認真，連歌手的小毛病都可以學得唯妙唯肖。（笑）我建議大家多利用這種拚勁去學習英語發音，效果一定會很好。

山下：謝謝。現在可以接受一、二位聽眾發問。有嗎？請說。

嚴格與溫和

奧田（廣島修道大學）：因為談到美國的教育，我在這方面受過非常多的說話訓練，也許其實並不應該說，但還是請讓我說一些話。

嚴格教導留學生是非常重要的事。對於留學生，我是用美國的方式嚴格教導，不過態度是溫和的。把留學生帶到某個目標，例如上台說話，需要相當多的指導，這時候要很溫和。可是不只是在大學，有時候四周的人的溺愛會讓人很為難。

舉例來說，歐美各國來的留學生會在晚上碰巧用餐的地方被酒客勸酒，後果有時候很嚴重，因為有時候回去以後還要練習演講。因此就不能學習了。這是一個例子。我想到底亞洲來的留學生會不會發生這樣的事。希望老師和社會各界不要對留學生有差別待遇。

老師當然要溫和而嚴格地教導。這是老師的使命。但嚴格也需要周遭的人的配合，否則無法達成目的。以戴先生來說，應該有很豐富的經驗，希望請三位老師中的一位表示意見。

山下：謝謝。還有誰要發問嗎？是，請說。

國際理解、樂觀論與悲觀論

竹內：沒有人發問的話會冷場，所以我站出來了（笑）。本間先生說他對國際理解感到悲觀。我要針對這一點，提出我樂觀和悲觀的看法。

我認為無法達到真正的國際理解是理所當然的。日本人連住在一起的男女，連彼此都是日本人的男女都無法互相理解了，可見理解之困難，當然會讓人感到悲觀。

至於樂觀論，我閱讀俄國小說，看法國或美國的電影、小說，都可以隨著劇情一起哭泣或高興，以同樣的人性去體會。所以從這個層面來看是樂觀的，但同時也覺得互相了解之困難是無可奈何的。不知道這麼說算是贊成還是反對，總之我的看法是這樣。

山下：謝謝。現在要請各位來賓總結。先請戴先生針對剛才奧田先生的問題，還有相關的問題回答。您希望日本的大學老師如何指導學生？日本的老師必須做什麼事？這與剛才的問題有關。另外還有一個問題，也請一併回答。為了讓留學生充分了解日本文化，大學校方和日本社會應該怎麼做呢？這是奧田先生提出來的問題。

廣泛的體驗

戴：說到嚴格與溫和，我都會在迎新會上告訴日本學生，或是在主持研討會時告訴學生，我是農學部出身，因此可以從種植或剪定梅樹、玫瑰時知道。「剪定」一詞在英文中有很多專門術語，以美式觀念來說，就是給予刺激。如果不進行剪定，梅樹就無法在隔年結出大果實，玫瑰花也不會盛開。但如果剪得太過火，就會傷害到植株。我會請學生了解這一點。如同我之前說的，學生必須盡量自己努力，自己想辦法。

澎提先生說，在美國賺學費上大學這種偉大的美國拓荒精神至今仍在年輕人身上延續。美國雖然有很多問題，但是自助努力的精神還是（美國的）強項。在日本就講求團隊精神，各自奉獻己力，像股票一樣交叉持股。要如何與學生對話，說明這一點呢？

我的小孩剛從大學畢業，正在日本的企業或美國的公司中服務，因為是在日本出生長大的，外表就像日本人。年輕人都有非常短視的通病，也就是想要不勞而獲，做任何事都不想浪費心力。除了一部分的第三世界，目前全世界都有這種現象，才會有這時候應該如何教導年輕人的問題。像現實中也有正當書籍賣不出去，各種怪異的雜誌和漫畫卻大發利市的情況。就某方面來說，這或許也顯示出日本資本主義成熟的一面。不論是面對年輕人還是留學生，我們老師都要去思考如何以身作則去教導的課題。

至少我們立教大學有為留學生設置特別講座，每年都會嘗試各種形式的組合，例如請日本史或文化人類學的老師上課。這時最重要的是增長他們的一般見識，使他們能夠在以後成為有用的人。如富士山沒有廣闊的山腳，就稱不上富士山了。只成為一個純粹的專門傻瓜，就很可惜。在成為專家之前，真的非常有必要擴大一般見識。

因此我告訴立教大學的留學生，要去公共澡堂看看。很遺憾，近來澡堂愈來愈少了，真是傷腦筋。另外我也會帶他們去小酒店，舔著鹽，一起喝酒。喝二級酒就可以了。我在昭和30年來到日本時，日本還有喝了會瞎眼的假酒（笑），現在已經沒有了，一起喝喝燒酒也很不錯。

我剛開始去澡堂時，如果櫃檯坐的是女性，我也不敢脫衣服。內人比我晚三年從台灣來留學，她也是看到櫃檯坐的是男性就不敢脫衣服，進到浴池還會看到有嬰兒的小糞便浮在上面。可是那並沒有衛生上的問題。經歷過這些事情，就有辦法和日本的老百姓對話了。內人後來會幫老太太擦背。我當時住的是木造公寓，也和一些老先生混得很熟。

我先有了廣泛的接觸，再加上念農學部的優點，可以去農村做調查，又看到無法在銀座看到的日本。我去過東北、北海道，也曾為當時東大農學部的所有亞洲留學生策畫旅行。到現在還記得，《日本產業發達史》這本岩波講座出版時，我曾和留學生同學辦讀書會，去很多地方參觀學習，例如當時才剛創立，經營得很辛苦，如今已稱霸世界的豐田，還有住友化學等關西企業。這是嘗試從工業和農業或農村的層面去了解日本。如果只給留學生看到東京、廣島等都市，拿出日本好看的一面，其實沒什麼教育效果。希望日本社會、日本的大學或日本各方的有心人士，都能夠從後方、從旁邊，從側面提供多元而多面的機會，讓留學生了解日本。

接納者的反覆試行

因為今天的主題是大學，廣島大學的校長才會受到欺負，讓我很同情（笑）。其實大學校長並沒有很大的權力，這是日本民主主義的優點。大學校長只是在選舉中被選出來，到底擁有多少權力，和美國、中國、台灣的情況都不一樣。現今大學的教授會成員都想要盡量減少留學生，與日本整個社會的動向相反。為什麼想要減少呢？因為在最後的論文階段，當老師的不能不幫忙改文章潤稿。而光是專門知識之前的指導就很吃力了。

我最近在東京和某個獎學財團討論過，日本的高級菁英，像退休的大學教授，或從一流商社或企業退休，年紀超過60 歲的人都有很多空閒時間。大可以組織這些人，請他們幫忙修改博士論文、碩士論文或預備論文。先由他們修改一遍，專門的部分再由指導教授或指導老師過目，就能減輕老師的負擔，而有能力多收一些留學生。目前的情況卻是「啊，已經受夠了」，相當辛苦。

我還有一件事想要拜託熊平獎學會，能不能考慮補貼印刷論文的費用？當然也可以考慮其他的協助，例如出借文字處理機。我們不能指望日本同學或研究所同學支援，因為他們光是自己的學業就忙不過來了。立教大學有一段時期採用家教制度，付給研究所的日本人學生一個月1萬或1,500日圓，由他們幫助留學生解決問題或教他們日語，希望他們能夠互相刺激，提高程度，但是後來發現只是這樣是不夠的。現在還是在反覆試行，例如請畢業生前輩幫忙，盡量由志工來修改留學生論文中的日語，以多少支付一點費用的方式請他們指導。以上這些希望能提供各位參考。謝謝。（拍手）

日本的課題

山下：謝謝。喜多村先生，今天研討會的主題是「探求各種國際交流」，尤其是根據留學生的體驗，思考國際理解等方面的難度時，我們要面對的課題是什麼呢？

喜多村：一言以蔽之，就是我剛才說了很多次的，面對21世紀，日本最大的課題無論如何都是國際化。至於國際化的定義，雖然眾說紛紜，但可以確定，每天都在發生不以「國際化」一詞就不能表現的情況。而國際化的尖兵，就是各位留學生。國際化有各種不同的階段，現在應該是要從例如日本因貿易摩擦而考慮是否要減少進出口，或為了接納留學生而增加獎學金的階段，逐漸進入軟體的階段。軟體的階段是無法光靠金錢或法律的變更來解決的。

具體而言，就是大學不能只是接納，也要把至今為止只以日本人為對象的教育體制，改成包含留學生在內，或以多國籍人士為對象的國際性教育系統。因此，我們已經來到必須去研發軟體的階段。

山下：謝謝。本間先生，請在最後說幾句話。

脫離悲觀論

本間：我只說一分鐘。說到國際理解，脫離悲觀論的關鍵在哪裡呢？如果要說找不到，那就十秒鐘就可以講完了，但如果要花一分鐘，就還是要從脈絡中去掌握「理解」的意思。例如，摩擦是難免的，可是為什麼日美之間的摩擦是那麼大的問題？原因還是在於冷戰結構的改變。蘇聯的威脅已經沒那麼大了，日美的摩擦才會突然變得很嚴重。大致而言，國際關係其實與國際理解有很大的關係。我們在理解時，從整體去理解是非常重要的。儘管也只能了解大概，但整體的理解很重要。這是我們逐漸忽視的一點。連美國人自己也在說，無法從整體去掌握美國。這麼說的學者很多。

另一方面雖然說來矛盾，但必須更關注細節。如同剛才澎提先生說的，有些地方出口裁切好的木材，由日本加工。輸出木材的地方因為日本而生意興隆，對日本應該會有好感，可是在第一線裁切的人會覺得，自己花了幾十年或更多時間種出來的樹木變成木材送到日本，心情會很捨不得。這方面是不能忽視的。另外也有愛荷華州來的大量輸出玉米的什麼協會會長來到日本說，日本對他們很重要，日本買愈多玉米，他們就愈高興。可是有人是樹砍得愈多就愈難過。這些細節也是有必要了解的

有人說，連男女都無法互相了解了，我也有同感。那麼了解自己就沒問題嗎？我內人前陣子說：「你不了解你自己。我對你的了解比你對自己還多。」（笑）我連我自己都不能了解了。但是我們要去思考，國際理解究竟是什麼？要理解什麼，人類才能在國際性的往來中，帶著各自不同的文化一同生存，融洽地進入21世紀？這樣子應該就能走出一條路來。（拍手）

山下：謝謝。似乎沒有足夠的時間來回答竹內先生的問題，非常抱歉，請在後面的派對上提出討論。

今天是針對「探求各種不同的國際交流」這個主題，主要根據留學經驗來討論。國際交流、國際化的原點應該是了解異文化的社會，或是了解在異文化社會中成長的人。日本對這種異文化的交流還不是很習慣，可是在成為經濟大國的現今，有必要在國際交流、國際理解上更加努力，採取為國際社會做出貢獻的態度。

今天的研討會就在這裡結束。謝謝大家。（拍手）

本文原刊於《留学体験をどう生かすか——シンポジウム「国際交流と留学生」の記録2・第二章》，廣島：（財）熊平奬学会，1991年10月10日，頁133～182

留學生與日語的考察專題研討會

◎ 李毓昭譯

時間：1990年11月10日

地點：廣島全日空飯店

與會：外山滋比古（曾任御茶水女子大學教授，現任昭和女子大學大學院教授）

戴國煇（立教大學教授）

奧田邦男（廣島大學教授）

主持：粕谷一希（評論家）

粕谷一希（以下簡稱粕谷）：今天的主題「與留學生一同思考日語」牽涉到的問題非常多，我們自己也必須對日語好好反省。我們最不經意使用的東西就是語言，我不是語言專家，只是無意識地每個月編雜誌。今天外山先生的談話提到日語的特性，特別是「島嶼模式」與「大陸模式」的分別，對我來說非常新鮮，感覺收穫很大。

還有王〔志松〕先生和梅利・西加兩位留學生寫得非常精巧

的作文，一位來自漢字圈，另一位是非漢字圈，兩位都提到他們學習日文的動機，以及在過程中遇到的困難。我認為即使依日本人寫作的水準來看也算是屬於頂尖的，兩篇短文都寫得非常好。

我們要根據語言專家外山先生的主題演講和兩位留學生的經驗，以大約一個小時50分鐘的時間，由三位來賓進行討論。

首先要請戴先生發言。戴先生當留學生時應該也吃過很多苦頭，所以要請戴先生透過自己的經驗，談談日語和日本文化的特性，以及今後的可能性。接著要請奧田先生從指導留學生的立場提出問題點。最後再由外山先生來補充剛才的主題演講。請戴先生和奧田先生各談10分鐘，補充的外山先生則是5分鐘。現在就請戴先生發言。

戴國煇（以下簡稱戴）：很感謝繼去年之後又能獲邀前來。我的體驗等一會兒再說，我想先以外山先生的演講和兩位留學生的話當作開場白，談談我的感想。

第一點是，日本長期以來始終把歐洲或美國當成立國楷模。在此過程中，我個人認為日語變得愈來愈充實。例如，如各位所知，平假名和片假名是從漢字衍生的，但漢字還是保留著，與假名混在一起使用，後來又善於運用外來語。外來語把英語、德語、法語等各種語言都加了進去，讓我覺得，日語也是順著近代國家的發展形式充實起來。就某方面來說，是一種往內部蓄積的形式。可是，以後要做到國際化，就不能不往外面走。依我不成熟的看法，如果沒有優越的特色，就無法與普遍性連結。因此我想拜託日本人老師，請思考讓日語與普遍性連結的新理想形式。

其次，中國來的留學生王先生提到「馬鹿野郎」一詞。我去過美國等幾個國家，雖然不是很會講外語，但也懂得幾種。有一天忽然發現，沒有一種民族語言像日語這樣，罵人的髒話這麼少。頂多只有「馬鹿野郎」或「你媽媽是凸肚臍」，真讓人驚訝。因此，要如何領略它的美呢？為什麼只有日本群島的居民長期以來都不使用與性有關的髒話呢？我覺得這一點非常值得研究。雖然到目前為止，有很多人用歐美的各種尺度批評日語，例如說它不合邏輯，但是能不能認真思考如何琢磨出特色，使它能夠與普遍性連結而不排他。

至於梅利先生提到的漢字病，我尤其要拜託主要在照顧中國留學生的志工或老師，我自己是留學生前輩，也是站在照顧留學生的立場上，才會發現中國來的留學生比較會說日語，可是上課時中國學生卻會聽不懂。其中一個原因是有另外一種漢字病。用漢語表示的日語發音不一樣，雖然文字看得懂，可是老師上課講得很快時，並不會寫在黑板上。沒有寫出來，那個詞彙就會漏掉聽不見。因為有這個問題，希望老師上課時，如果有中國留學生，就盡量在黑板上寫出漢字的部分。另外有件事也很重要，就是要注意包括台灣和中國的留學生，他們可能會因為懂得漢字而掉以輕心，對日語學習不夠認真。並不是非漢字圈的人才有漢字病，來自漢字文化圈的人，也會有另一種漢字病，這就是我要指出的一點。

以前的留學生和現在的留學生

我是在昭和30年來到日本，前十年都在大學的研究所念書。

但隨著日本的經濟成長，逐漸出現對留學生非常有利和不利的因素。其中一個是留學生的數量在當時很少，當然也沒有熊平獎學金。那是我們念人文科學、社會科學的人幾乎都沒有獎學金的時期。但相對的，也有非常棒的東西，例如有澡堂、蔬果店，有廉價租屋。現在澡堂變少了，蔬菜店也被24小時營業的7－11或全家等便利商店以及超市取代，沒有人跟你說話，只會找錢給你。肉店也成為超市的一部分。留學生沒有機會和蔬果店的老闆娘說話，或是在澡堂幫老先生擦背，與他聊天。我內人起初去公共澡堂時不太敢脫衣服，但習慣以後，就和老太太處得很好，也和肉店老闆娘變成朋友，當時因為很窮，老闆娘還會多給100公克的肉。那是一段對留學生來說非常有利的時期，但是很遺憾，現在留學生體會日本老百姓喜怒哀樂的機會都被剝奪了。

然而，我們在那個時期並沒有能力購買電視機。現在的留學生幾乎都有電視機，而只要打一點工，也可以裝電話。我們以前連打工的機會都沒有，因為一打工，就會被出入境管理局的人抓出去。現在就放寬很多了。雖然從電視機學語言的機會增多，在生活中與人會話的機會卻減少了，這是很可惜的事。

學習不能只是看書

還有一個重點是，目前有很多志工團體，留學生應該要和志工團體的人員密切接觸。尤其是來自中國大陸的留學生，我要以同是中國人的身分拜託，由於收入差異很大，你們會想盡量存錢寄回家，或是帶電視機回去，可是參加日本老師或學生的餐敘也很重要，因為可以在聚會中學到很多……並不是只有念書才是學習。我是農學部出身，所學一半是社會科學，一半是自然科學。專攻自然科學的人只靠英語或許也能設法畢業，但如果只是急著拿到博士學位，想要趕快把博士論文寫出來回家，那就太空虛了。既然來到日本，就應該體會日語的美，在回國之前透過日語去吸收日本整體的文化或日本人的歷史。

可是，專攻人文科學和社會科學的人，光是寫論文就是一大工程。我現在任教的立教大學的日本人同事也覺得接納留學生是件好事，可是考慮到自己的工作或研究，就必須拒絕留學生，因為不能不幫他們修改日文。因此我們立教大學正在嘗試一套系統，先透過志工團體的網絡來修改留學生論文中的日語文法，然後在論文或報告寫好後，才交給研究所博士課程的學生看，最後再由指導教授檢查內容。

這方面就像剛才王先生說的，日本老師多半很親切。不過像東大就有一個台灣留學生，研討會參加了五、六年，卻不曾上台發表報告。聽到這件事時我很驚訝。那是老師覺得留學生可憐，或是覺得有什麼不妥，才沒有讓留學生上台。可是留學時要抱著就像旅途上發生的糗事不要去太在意，即厚著臉皮的精神學習，日語才會進步，就算第一次上台報告時失敗了，第二次也會進步。老師竟然連機會也不給，不自覺地這麼做。就長遠的目光來看，這種作法並不親切，其實是剝奪了留學生的權利。我就說到這裡。（拍手）

粕谷：謝謝。接著請奥田先生發言。

奥田邦男（以下簡稱奥田）：我想就一般的情況來說，而不只是針對留學生。這十年來，在國內學日語的外國人增加很多。連國內都這樣了，在國外學日語的人也就有爆發性的成長。有人說來日本留學的人算是比較優秀或幸運的，那麼要如何因應國外爆發性成長的日語學習者呢？我想就是要趕快培養日語教員。尤其是中等教育，不論是澳洲、印尼，還是近來的加拿大、美國，中等教育的日語學習者都在大幅增加。

培養充裕的日語教師

不只要大量培育日本人日語教師，也必須培養足以在各國教學的當地日語教師。來日本留學的許多留學生當然都有專門的學習領域，但其中有相當多可能在未來成為日語教師。但是這幾年來日本的大學，尤其是研究所，都很難讓外國留學生進去修日語教員或專家的課程。例如筑波大學或東京外國語大學、名古屋大學，外國人為了成為日語專家而參加研究所考試時，都很難獲得錄取。我認為問題是出在接納的體制。我們必須建立足以讓許多留學生在回國後充分活躍的基礎，目前的情況卻是以名額有限、指導留學生比日本學生困難、很麻煩等理由，不讓留學生進入研究所。

話說回來，我們也必須考慮如何培育優秀的日語教師，當然日語對外國人來說是一種外語，對日語會有比較客觀的看法或思考方式。相對之下，想要當日語教師的日本人是在日語中生活，出生之後不知不覺地說起日語了，因此欠缺對日語的客觀性或分析能力。對於剛才外山先生所說的，外國的大陸模式和日語模式的點與線比較，以及如何結合是很難了解的。因此如果有意成為日語專家，就必須重新從客觀角度切入，用外國人的立場去思考。就這方面來說，我們可以從留學生那裡學到很多東西。

對照研究的必要性

為了客觀看待日語，必須拿許多種語言和日語進行對照研究。對照研究是指比較兩種語言的結構，了解其中的差異或共通點，經過分析之後，把結果運用在教育上。尊卑用語雖然很難學，但並不是所有外國學習者都有同樣的難度，各自的語言背景不同，困難點自然不會一樣。這種對照研究是必要的，例如中國的王先生也提到，像日語有內外關係，這在中國話裡面並不會與敬語連結，又如尊卑用語中，在尊敬的同時也有謙讓，謙讓語的使用非常困難。

這是我們對身分的想法，對外人不會隔著一段距離思考，因此不容易學。「請讓我做什麼」這種說法也很難。留學生想要使用尊卑用語時，反而會說出太過度的敬語，或是在老師面前說話時，連講自己的事也不禁用起敬語，又例如說「です、ます」就可以的情況，卻使用「でございます」，或「でおります」，無法分辨到底要在什麼情況使用、怎麼用或可不可以不用。把日語當成外語學習時，當然必須從教科書和實際情況學習，但是我們編寫的教材幾乎都沒有考慮到這方面。像敬語也只在教科書最後面用一、兩課交待，剩下的好像是要學生出了社會以後再學，非常不足。

許多語言的結構和日語很相似，但也有些差異很大，進行對照研究時，就要比對各個語言體系，了解學習者的問題點會出在哪裡。如同剛才提到的，問題有可能出在文法或漢字上，如果是漢字的問題，中國人和韓國人也有差異，因此教導時必須知道容易在哪方面出狀況。雖然日語有些漢字和中文一樣，但是像「利口」、「立派」、「留守」、「用事がある」、「余計な」、「約束」、「便利」、「返事をする」、「都合が　い」等等，都是對中國人而言完全不能溝通的漢字使用法，中國學習者在學習日語漢字的用法時，就要留意自己可能會有的學習問題。

近來有許多種語言工學的機器問市，對於漢字學習非常方便。但是學漢字也有其他方法，例如出聲唸報紙。這麼一來，就不只是用眼睛閱讀，也能夠學會唸法。亦即必須聽、說、讀、寫這四件事兼顧。看報紙時，不能只用眼睛看，也必須查字典知道唸法。如果我問留學生怎麼學習日語，得到回答是「非得用身體去記不可」。光靠頭腦是不夠的，一定要在邊聽邊說，邊讀邊寫中學習。

日語的學習是永無止境的，可以把日語程度用0到10的數字來代表，0是完全不會日語，1是會稍微打招呼，2是會講隻言片語，10則是和日本人相同的程度，然後判斷自己的程度是6、7還是8，再去思考怎樣才能更上一層樓，自己去想出學習方法是很重要的。從事日語教育的人不可能什麼都教，他們只能協助學生懂得如何學習。要掌握學習的方法，就不能只學一些基本的東西，如果想要表達什麼卻說不清楚，就要去思考是否有別種說法可以讓對方聽懂，想出各種不同的表現方法來擴大使用的幅度，

並實際運用在學習上，也是很重要的。（拍手）

粕谷：謝謝。接下來請外山先生發言。

日本人要有的心理準備

外山滋比古（以下簡稱外山）：剛才我沒有提到，以前從外國來日本留學的人，語言方面姑且不提，對日本文化、日本人的了解並不見得足夠。感覺其中原因是他們語言學得還不完整或不充足，就結束留學回國，有些還會對日本抱持不太好的印象。這些人是不是覺得日本人不親切？至少他們沒有感覺親切，這是為什麼呢？學習外國語言很辛苦，在教室上課時固然要很認真，但除此之外，也必須在離開教室，在街上，在生活的地方，盡量接觸一般家庭或一般人，找機會使用各種不同的語彙。日本人似乎在這方面有點笨拙，剛才我有提到「島嶼模式」一詞，看到外國人就會有點緊張或產生戒心，又因為不知道怎麼回話，而有敬而遠之的心理。

日本人參加有外國人在場的派對時，都會與日本人圍成一圈，和每天見面的人說話，而把外國人撇在一邊。也就是說，日本人似乎無意主動跟外國人攀談，或是聽他們說話，多多少少都會怕生。有些來日本教英語的外國老師會陷於精神衰弱，原因之一就是來了很久都沒有人請他去參加派對，而覺得可能是自己的風評不佳。有人真的來了一個月都沒有參加過派對，而煩惱不已。但是以日本人的立場來看，要在家裡招待外國人時，太太會很麻煩，可能會說：「幹嘛帶那種人回家呢？」「我又不會做菜，怎麼辦？」結果只好選一家餐廳辦派對。可是，再怎麼樣，還是有必要請客人來家裡。我們實在不擅長做這種事。雖然有心要做，對待外國人的方式卻很拙劣，也不會主動去親近。實在應該積極一點。

不擅交際的人在英語中的說法是poor mixer，我們大致上都是poor mixer，熱切歡迎外來者，與他們聊天談話的事情真的做得不夠。今後來日本學日語的外國人，當然會在教室裡面認真上課，但除此之外，整個社會也必須讓他們有機會用日語與人溝通。我想這是以後迎接外國人來日本學日語時，日本人必須要有的心理準備。（拍手）

粕谷：謝謝。戴先生、奧田先生和外山先生都提出了非常獨特的建言，舉出許多不同層次的問題。今天在座聽眾有留學生和大學相關人員，也有當志工照顧留學生的一般市民。今天的主題是「與留學生一同思考日語」，雖然對留學生的進言是必要的，但也希望大學相關人員和以志工身分照顧留學生的市民也能夠想一想，現在的日本社會要如何對待留學生，還有如何營造環境，讓他們愉快地學習日語。這是我目前感覺到的問題。

使日語成為國際語言

另外還有一點也牽涉到幾個非常有趣的層面。我基本上是覺得，剛才戴先生說，明治以來的日本在近代化的過程中使日語變得很充實這一點關係重大。奧田先生說過，留學生是非常優秀或幸運的，可是各國現今有許多留學生不能來日本，卻很想學習日語。這不是我們日本人或日本文化前所未有的經驗嗎？在這之前，日本是透過中國學習印度的佛教、中國的儒學，到了近世就學習歐洲的基督教，近代之後又學習歐洲的近代文明，全部都學進來了。因此一直以為憧憬和美妙的東西都在外面。

曾有段時期充斥著這種說法：「日本人總是當收信者，從來沒有對外發信的經驗。像這樣只顧接收就是日本文化的特性。」但現在日本人開始對外發送信息了，日語不只是日本人一出生就學會的日語，也是外國人想要學習的語言，這表示日語正在離開日本人，成為國際語言，因此最近有許多人提議使日語成為國際語言。不是只有英國人才說英語，全世界的人都在說英語，英語因此出現變化。英語和美語給人相當不同的印象，去菲律賓時又會有不同的感覺。日語以後應該也會像英語這樣，隨著風土改變。就這一點來說，日語做為國際語言是一個非常大的課題。

之前戴先生也簡單提到，近代的日本在建立近代國家的過程中，一邊接受歐洲文明，也一邊充實了日語中的日本文化、日語本身。了解這一點，就會發現這或許就是日本的留學生了解日本核心，了解日語的最大基礎。這方面能否請戴先生再說明清楚？

戴：我一直都在設定許多主題寫書做研究。我明年就滿60歲了，一直在想著要在這二、三年把日中現代化比較論之類的東西理出頭緒。這時我最困擾的是第三世界的人趕時間的情況。他們很心急，尤其是中國人與日本有長期的往來，會一直問說：隔壁的國家做得到，為什麼我們做不到？

可是，他們提問的方式多半限於形式邏輯的表層。以稍嚴格的說法，就是例如中國大陸在這十年來了相當多留學生，起初最令日本老師驚訝的是他們的日語講得非常好。可是後來深入去了解，就會發現中國因為太急著近代化，而以非常實際的方式灌輸日語。如果問這些人：「你看過幾本日文的日本小說？請說出書名。」現場的各位或許沒有問題，但依我在東京的經驗，有九成連一本也說不出來，真的很令人吃驚。這種狹隘，沒有餘裕的日語學習方式，其實是很糟糕的。

從這方面來看，日本從明治以來就一直在忘了自己是誰的情況下對外學習。有些日本知識分子會自嘲或有外國人批評日本人是在依樣畫葫蘆，也有人因此表示輕蔑。可是仔細觀察其中的底流，就會發現日本人其實很巧妙地把外國近代化的東西與傳統結合，而獲致成功。

進入和魂和才的時代

越南在法國的殖民地統治下，完全捨棄了漢字。可是胡志明會寫出色的漢詩。越戰期間，岩波新書曾出過由陸井先生翻譯的胡志明詩集。令我驚訝的是，編輯是學英國文學的，不懂得漢詩的基本結構，而無法核對。記得我正好獲贈一本，曾跟那位編輯說，「這裡很奇怪」，而幫了一點忙。

除此之外，像北朝鮮自行脫離中國的文化獨立，也是在建立一種族群認同。在我看來，這種脫離中原中國自立的營為是很了不起的。

相較之下，日本大概是從聖德太子以來就在努力從中原中國的文化或朝鮮半島的文化中巧妙地建立獨自性，而匯聚成「和魂漢才」這個口號而成形。

然而，這其實是一邊往內部收斂一邊編組進去，主體始終是日本群島居民的精神，依現代說法就是族群認同的建立，亦即和魂的形成。這種和魂雖然一方面在後來轉變成大和魂，被軍國主義拿來利用，但另一方面也脫離了中原中國和朝鮮半島，成為有獨自性主張的主體營為，這是我的看法。日本一直都在編組進去，沒有忘記自己，才會在最後進入和魂和才的時代。我認為日本是從和魂漢才、和魂漢洋才，以至即將結束和魂洋才，走到現在正要進入的和魂和才。因為學術、技術或科學都不能像以前一樣從中國、歐洲找到現成的師傅，日本已經進入非自己想辦法不可的時代。

我的理論結構就像這樣，語言方面也是一樣。因此，外山先生的演講讓我覺得收穫很大，對很多地方也有同感。不必用外國的尺度來論斷日語不合邏輯什麼的，大可以堂而皇之地提出日語的優點，但如果太過分，說起什麼日語比任何語言都優美之類的論調，就又退回到以前的國粹主義，所以必須自我警惕。我想點出這一點，再去思考一個問題，就是第三世界的人確定自己的語言這件事與自己的獨立和民族能量的解放有什麼關係？

以日語來說，至少是在明治維新之後，才從標準語變成國語，目前的入學考試用的就是國語。國語之前還經過標準語的階段，並不是一下子就變成國語。之前有日本前輩付出很大的心力，發揮相當多的生活智慧才有現在。第三世界更精實地學習這個過程，這是近代化的重要因素之一。總而言之，就是可以把日本當成學習範例，了解確定自己的語言和近代化的關係，除了奠定民族自尊心，也能知道如何把語言當成民族或國家獨立的手段。如果為近代化引進的外國文物與主體性不合，終究會掉進用英語表達的價值裡面，或是為受舊殖民地母國的價值體系所迷惑，而在最後無法形成自己的衡量尺度。沒有自己的衡量標準，進行的近代化就會流於皮毛，成不了氣候，這是我的邏輯。

粕谷：謝謝。之前我們在休息室談到，日本人接觸歐洲文明，必須以日語來表現歐洲文明時，曾在30年的期間，將希臘羅馬以來的哲學全部翻譯成漢語式的日語。因此起初philosophy這個字是翻成「理學」，中江兆民（1847～1901，江戶時代後期的思想家）等人取物理中的「理」字，稱為理學，但後來還是確定為「哲學」。

戰後經常有人說，日本人在明治維新時只是單純向歐洲學習技術，其實並沒有學到根本的精神，但似乎不是這樣，我們的祖先有一段拚命將歐洲語言轉換成漢語的歷史。日本人接觸歐洲文明時，也花了很大的工夫從正面去看待，並加以咀嚼吸收。

我以前讀過物理學者江上不二夫先生（1910～1982，生物化學家）的隨筆，裡面提道有一個波蘭人問他：「日本人是用什麼語言思考物理學？」他說是用日語，波蘭的物理學家就驚歎道：「波蘭是用英語思考物理學呀。」日語確實具有這種能力。營造這種東西是非常重要的，仔細想一想，就會深切感覺到日語真的成長為包容很廣的語言。

現在最應該防備的是日本人的自高自大，說自己很特殊。這在某方面來說，就是我討厭的國家主義。不過，我們必須正確認識日本文化的基礎是由祖先盡了多少努力奠定的？日語目前做為國際語言具有什麼樣的性格？為什麼日本會成功？這是現在亞洲各方人士都在思考的問題。我想現在經濟成功的原因是，在經濟成功以前日語在明治時期變得很充實。我們應該知道，那是我們的祖先在文化上的優越表現，而不是我們。

日語的發展與日本成為近代國家的關聯，能不能請奧田先生或外山先生提出看法？

單獨使用日語的特性

奧田：最近日語裡面的外來語增加很多，因此有許多人在批評日語的混亂。外來語對外國人來說很難理解，可是日本到現在還是處在非用外來語不可的狀況。如果排斥外來語，日語可能就無法發揮功能。

我們現在仍然大量使用漢字，有一半以上的日語詞彙是漢語構成的。以前漢字進入日語時也是外來語，後來仍繼續留在日語中，雖然不斷有外來語加進來，也有不需要的東西不斷被剔除，但外來語當然仍有可能繼續讓日語更加豐富。

從學習日語的外國人語言背景來看，像印尼學生是使用印尼話，可是印尼話雖然也是國語（共通語），卻像是人造語，一般印尼人說的還是各自部族的語言，並沒有像日本這樣有教國語的傳統。馬來西亞和新加坡也大致如此，沒有國語，而是以多種語言做為官方語言。

就這一點來看，要說日本很特別，確實是很特別。除了愛奴語、韓語等少數例外，通常只會用日語，這一點與其他多種語言的國家相比非常有利。

粕谷：外山先生，您的看法呢？

語言的二元解釋

外山：日本人在明治時代拚命學習外國語言，在無法兼顧發音與含意的情況下，不得不先取含意，努力吸收外國文化。又因為是島國，與外國人交流的機會不多，所以剛開始只想要了解字句的意思，而光是要了解意思就非常困難。

這時也用上了以前念漢文的方法，也就是加上「返點」。這是日本人獨創的方式，在世界上別無先例。這個方法就是在英文中加注相當於返點的號碼，從下面往上讀。但因為有關係代名詞，48、49、50不斷往上加，最後愈來愈麻煩，只好放棄加返點。不過在明治30年前後，不論是莎士比亞還是報紙，凡是外語都能夠翻成日語，也就確立了英翻日的英文解釋法。

由於在這段時期來不及學習發音，sometimes會念成「索美泰姆茲」，neighbor念成「奈基波魯」，因外國人根本聽不懂，才在明治30年展開正規的英語，在表面上兼顧意思與發音。可是發音一直落在後頭。漢文方面也是比較忽視發音，即使能夠閱讀漢文，也達不到與中國人會話的程度。日本人近來學習外語時，仍是以含意為主。這在某方面非常促進了日本文化的進步，例如大學在明治年間開始一律用日語上課。在亞洲當然是第一個（用國語教學）。

但是相對的，會話、溝通的能力就非常落後。剛才提到日語學習者在文化上的學習稍有不足，日本人反而是偏重文學，有文學至上的傾向，對社會的了解還不深，就會談論莎士比亞、彌爾頓（John Milton,1608～1674，英國詩人）或華茲華斯的詩（William Wordsworth,1770～1850，英國詩人）如何。

對於現在來日本學日語的外國人，我們應該以什麼方式讓他們學習日本的語言或文化呢？我想除了對生活有用的語言，就算方式必須與我們之前學外語時不一樣，也要讓他們先對文化感到興趣，同時也要對思想有所涉獵。

目前日本人在實際運用外語時非常辛苦，由於在近代化的過程中優先選取外語中的含意，以至於在口說方面不甚理想。這是因為思想就在文章、書籍裡面的想法已經根深柢固。在外國來學日語的人，也會覺得閱讀的日語和口說的日語不一樣。為工作來日本的人用的是口說日語，來做研究的人則是沉浸在文學或文化裡面，總是在看書，兩者形成二元的情況。這是因為日本人到現在多少仍有二元的外語想法。

粕谷：謝謝。二元的意思就是語言分成口說與書寫，例如日本學習漢文是用返點來決定閱讀順序，離實際的中文有一段距離。同樣的，到了近代，由於所有歐美的文明都變成了日語，雖然日語非常充實，日本人卻無法像英國人那樣說英語，大學畢業了也不會說英語，像我就很類似這樣。這種風氣就是一面製造出偏頗型的人。

以印度菁英來說，我們常會聽到他們說出一口道地的牛津英語，但反過來說，印度的菁英階層和一般人民離得非常遠，而發生兩者非常難溝通的情況。日本則是1億人全部是中產階級，大家都是平均水準的日本人，雖然沒有人特別優秀，但感覺大家的教育水準都很高，都能全部吸納日本的現代文明，運用在生活中，營造出非常特殊的社會。

超越日本特殊論

剛才戴先生也說，日語到目前為止愈來愈充實，但是面對日後的國際化時代，就必須努力與普遍性連結。有很多人陷於一種想法，就是日本人很特殊，日本文化很特殊，所以外國人其實不太了解日本。像三島由紀夫在晚年時，就深深覺得「我的文學是外國人無法理解的」，才會以那種方式結束生命。不是這樣的，日本人的作為並沒有跳出人的範疇，當然日本人是島嶼模式，表達方式非常曖昧，但儘管曖昧，所作所為依然是人的文化，還是具有很多的普遍性要素。這一點很重要。關於努力與普遍性連結，能不能請戴先生更具體地說明？

積極的存在方式

戴：我剛才想到，在三木內閣時期，永井道雄先生在不屬政黨，無議席的情況下就任文部大臣，在文部省設立文明懇談會。永井先生說，自明治政府成立以來，我是第一個擔任政府委員的亞洲人。

我並沒有想要在這裡提到這件事。其實唐納德・基恩也是委員。有一次因為湯川先生生病，我們改在京都開會，事情就是在半路上發生的。基恩先生搭乘新幹線的綠車廂，用日語跟旁邊的紳士攀談。那個人看基恩是白人，就拚命表示他不會說英語。但其實基恩對那個人說的是日語。這是什麼意思呢？就是那個人從一開始就認定外國人說的是英語，而回答I can not speak English。基恩先生就訝異地說：「我是用日語問你啊。」接著放聲大笑。

我可以理解這種學語言時的心理障礙，我自己也有類似的體驗，以前還在亞洲經濟研究所工作時，我曾帶領年輕同事繞行東南亞。這名年輕同事是圖書館人員，花很多心力閱讀，不像我這麼愛說話，因此英語會話不在行。

我在中途發覺這一點，就在通關時故意說：「不好意思，我要去洗個手」，就抽身離開，想要讓他自立。因為旁邊有人外語說得比他好，他就不會開口。如果旁邊沒人，他就不得不設法與人溝通。他就這樣慢慢變得能夠獨當一面，讓我覺得很有趣。

以前日本人把歐洲當成典範認真學習，這種態度值得欽佩，但是也在同時把對方絕對化了。今天王先生提到曾經把店長惹毛的事，我也有這方面的體驗。我在美國待了差不多一年。由於美國是移民國家，與美國白人交往時，我講的英語一次也沒有被訂正過。即使我講得不好，對方也會誇獎我。基本上那個社會的溝通方式是講求誇獎與鼓勵的。

可是日本人到了某個階段，就會說：「戴君，你的日文寫得不錯，可是這裡不對。」我是臉皮很厚的人，當下會說：「謝謝。」可是一般留學生會很震撼。這方面就是剛才粕谷先生所說的，普遍交流的方式出了問題。我在某方面非常幸運，從昭和31年開始，就會積極用日語投書、參加書評懸賞，或是匿名寫稿。

我並不是從一開始就很會寫，而是一直在努力嘗試，寫完就先請前輩審稿。這個過程重複多次之後，錯誤就會慢慢減少。

我想告訴今天在場的留學生，日本人非常親切，外山先生也說了：「請一定要來找我」，要把這個「一定」轉成「真的要來找我」，就必須厚著臉皮去敲門。一般老師是不會這麼說的。尤其是在研究所，也許去美國留學過的老師不一樣，但除非是自己拿問題去問，否則日本老師幾乎都不會這麼說，也不會主動幫忙。剛來的留學生或許會感到不滿，誤以為日本人只是嘴巴上說說，表面上很親切，實際上根本不是。

可是仔細想一想，這種作法從長遠來看才是親切的。無論如何，都必須由自己去發掘問題，然後去敲門。我以前總是在找人幫我修改拙劣的日文，後來發現，在不斷請人刪改的過程中，不僅與朋友的情誼加深，也建立了良好的人際關係。我也會積極地拜訪老師。因為長相不佳，加上名字特殊，到現在德高眾望的老師還記得我，有時還會打電話給我。多虧了他們，我對日本文化或日本人的了解不知道加深了多少。像這樣的人際關係幫助很大。

因此，我覺得就像粕谷先生剛才說的，日本人也該停止那麼內向，大可以採取稍微外向的作法。

我參加大學的教授會時經常在說，到目前為止研究所的入學考試都將英語、德語、法語等視為必要的外語，我認為該是停止這種作法的時候了。這樣的規定對日本學生行得通，可是對於從第三世界，或開發中國家來的留學生來說，第一外語必須是日語。讓他們以日語入學，再以英語為第二外國語去磨鍊他們，才把他們送回國。可是，那些老師一直不肯改變，真是傷腦筋。光是學日語就要全力以赴了，還要顧慮到英文不行或有必修的德文要念，留學生會很困擾的。

繼續這樣下去，日本永遠也無法從學問的輸入國變成輸出國。追求普遍性就是一種輸出。這種普遍性是商品，依我看來就是個性……除非有優良的個性，否則無法變成商品。廉價商店的東西是無法輸出的。要琢磨日語，就要改變之前的作法，在世界的普遍性中進一步琢磨，然後對外輸出。希望日本各位前輩和教授會都能抱著這種想法和留學生接觸。我的主張就是這樣。

說明「日本是什麼」的必要性

粕谷：謝謝。在此國際化的時代，不能只是輸出汽車或電視機，日本人也必須以日本人的身分向外國表明想法。

我從這裡聯想到，我們這一代特別推崇沙特、卡繆（AlbertCamus,1913～1960），或詹姆士・喬伊斯（James Joyce）、格雷安・葛林，對英國和法國文學特別著迷。日本有很多人研究法國文學，可是梅棹忠夫並沒有為法國做什麼，或是對法國文學有何功績，法國政府卻頒給他勳章，而且是比別人還要高階的勳章，為什麼呢？問了才知道，原來梅棹先生曾在法國的學術機構演講，談論日本文明。演講題目取得很高明，是「來自黑洞的使者」。他談的是日本是什麼樣的國家、社會，有什麼樣的文明，幾乎都是歐洲人毫無所知的東西。在那時之前，日本只是學習法語和英語、德語，卻不曾對歐美發布過什麼信息，那邊的人當然不會知道。不少歐洲人才會在看到氾濫的日本商品時，覺得日本人有點可怕。

因此，日本人現在必須清楚說明，日本人、日本文化、日本文明究竟是什麼。梅棹先生就是能夠清楚說明，才會獲頒勳章。由此可知歐美人對日本人的要求。所以我的感想是，與其學習法國文學，還不如把日本的東西正確傳布出去，這一點非常重要的。

還有，日本做為國際社會的一員，為了建立有普遍性的人類社會，現在真正需要的是什麼？尤其像奧田先生所說的，有幾十萬、幾百萬的人想要學日語。這是大量傳播的時代，想學習的不是個人，或少數秀才型的留學生，而是一整個層面的人。在這樣的時代，到底要怎麼做呢？有沒有什具體的建議可以提出來？

戴：剛才粕谷先生的談話令我想到，梅棹先生那次演講據說使用的語言是日語，而且穿的是平常的和服。因此那件事就是我所說的，因為有出色的個性，才能觸動對方的心弦，而不是用法語或英語演講才獲得勳章。總而言之，我認為梅棹先生是因為見解有充滿出色而有個性的哲理，不是向所謂的國粹主義對抗，而是向普遍，對外的主張，才獲得肯定。

粕谷：奧田先生，您的看法呢？

日語環境充實的問題

奧田：雖說世界上有愈來愈多人在學習日語，可是學習者的動機各有不同。像英國的學生平常就可以學到法語、德語等語言，因此有些會想在大學時挑戰日語之類的科目。也有人是因為在旅館工作，或是要做貿易，學習的動機都不一樣，程度也有差異。像美國就不像以前一樣只在大學開課，有些從幼稚園就開始教日語。從幼稚園到小學、國中、高中，剛才也有提到國中和高中的部分，已經從這個階段就開始。日語老師真的很缺乏，以加拿大來說，也有人是以函授的方式學日語，因此需要適合的教材。華盛頓州等地則有衛星播送的日語節目，提供給美國、加拿大因學習日語的人較少而僱不起日語老師的學校。愛荷華州等地有我們日語教育學系的畢業生四個人上任，從今年開始在小學、中學、高中、大學教授日語或日本文化，但明年是否要開更高級的班，目前有這個問題出現。

雖然日語教育的環境在國外愈來愈完整，國內卻一直不夠完整。雖然收容就學生的日語學校一直在增加，我們並不知道裡面實際是什麼情形？教學是否理想？想在未來從事日語教育的大學畢業生真的能夠去這些學校教課嗎？將來有保障嗎？留學生目前遇到的問題可能是要如何學習日語，然後與主修科目結合。以更寬廣的眼光來看，打造完整的日語教育環境真的是一大問題。

粕谷：謝謝。與改善日語學習環境有關聯的，編寫口語文法是有必要的。日本的字典對於懂得日語的人來說很不錯，但是對於才剛開始學日語的外國人來說不太親切，完全沒有用處。最近中公新書出版的《雨森芳洲》成為話題，盧泰愚總統來日本時，還引用書裡面的句子。雨森芳洲是與新井白石（1657～1725，江戶時代的政治家、詩人、學者）同時代的儒學家，也是出仕對島藩的外交官，負責日韓貿易。這個人曾在釜山竭盡全力地學習韓語，還寫出韓語文法。可以說他是一位先覺者，日本以前真的有這麼努力學外語的人。為什麼日語的需求變得這麼大，日本人卻無法寫出基礎或初級的文法書呢？不知道外山先生對這方面有什麼感想或意見？

有需要編寫日語文法

外山：這個問題非常困難，有個原因是日本人自己對語言的重視都集中在單詞，不然就是敬語的使用上。文字、漢字應該怎麼處理？假名怎麼使用？戰後的國語審議會等組織也都只著重單詞的層面。要是有人說單詞的發音、重音不對，就會非常緊張，不然就是批評某人不懂語言，沒有教養什麼的，可是在單詞以上的層次，句型以上的部分，日本人的國語教育就幾乎都含糊不清，國語課也向來只求把文字念對，對文法並不講究。

但是對外國人來說，就不能這樣了。聽說現在各地的日語學校都在往這方面嘗試，卻遲遲沒有進展，原因是很困難。口語文法的編寫連在外國也不容易，這也是沒辦法的事，不過日本現在最需要的是用在學習上的文法，不是詳細說明的語言學，而是只要知道某些部分就能夠大致正確讀、寫、聽、說的日語文法。

高中程度的學校教授的英文法通常也是學習用的文法，內容非常貼切，日本高中生只要念了一年，就可以大概知道英語文法。希望日本也能夠編出類似的東西。

英國在18世紀末時，有一股民間爭相編寫英語文法的風氣。在那之前，英語的文法相當模稜兩可，直到18世紀後半葉到19世紀，各地才嘗試編寫出非常確實的文法。一般認為，這對19世紀英語在外國的傳布有很大的影響。

現在的日本在這方面也必須腳踏實地努力，尤其是必須趕緊編寫出精簡確實的文法。

粕谷：謝謝。編寫基礎文法書很重要，但同時外山先生剛才也說到，與外國人來往時，邀請他們來家裡也非常重要。正如戴先生說的，以前日本有澡堂、蔬果店、肉店等能夠在日常生活中經常接觸的地方，可是現在澡堂、蔬果店和肉店都消失了，社會變得沒有地方讓人溝通。不僅是外國留學生，對日本社會來說也是一大問題。這是無法與人接觸，非常單調無味的情況，雖然機能性十足，但也形成了缺乏人情味的社會性格。在此意義上，關於留學生的生活環境問題，三位先生有什麼意見嗎？奧田先生長期與留學生接觸，有什麼居住、生活上的建議可以提出來？

更日常性的溝通

奧田：外國留學生學習日語時，走入日本人群是非常重要的。但房租很貴，即使大學有國際交流會館之類的宿舍，也只有留學生可以入住，日本人就算想要和他們交往，也很難進到裡面。也許私立大學的情況不太一樣，但每一所國立大學都是把留學生集中在一起。如果所在地交通方便，要外出就很容易，但是以廣島大學來說，現在新建的會館是在西條校區，那裡就像個偏遠的小島，幾乎無法接觸日本人。如果有公車可以搭乘，或許會比較方便，但是這方面還有非常大的改善空間。

我想已經有許多志工在努力邀請外國留學生來家裡做客，如同我向來的主張，對待他們應該像對待日本人一樣，而不是把他們當成客人。我家從很久以前就習慣在過年時請50名左右的日本人和外國人聚在一起談天說地，當成一般的聚會去辦，也是非常好的事。

粕谷：謝謝。戴先生，您的看法呢？

留學生的居住問題

戴：我不清楚廣島的具體情況，但是以東京來說，最關鍵的還是居住問題。

文部省興建會館的作法從以前就有爭議，但實際上日本學生和外國學生的生活方式、經濟水準、飲食習慣都不一樣，要以什麼樣的社會條件讓他們能融和在一起是必須考慮的問題。

日本的所得隨著日圓升值愈來愈高，到了某個階段，已經不可能教日本學生像我在昭和30年那樣，在非常便宜的房間裡念書。日本學生會去住高級公寓，也擁有汽車。也該是改變想法的時候了。

其次，考慮居住問題時可以從一個層面切入，就是有些家庭在小孩離家獨立後，剩下老年人獨自生活。可是兒子或女兒離家後還是會很關心父母親。我的想法是利用家裡空出來的房間。日本人都很愛乾淨，只是我的小孩整天棉被都鋪著不收，看到就很生氣，可是想一想，我自己以前和日本年輕人也是這樣。到了壯年成家之後，就變得講究整潔。這方面可能就要考慮能不能另外設置沐浴間和廁所。東京和武藏野市等地對留學生都有提供住宅津貼。這種作法很不錯，但也可以採取別種方式，例如由地方機關支付改裝浴廁的費用，並由大學校方為入居的學生當保證人，以照顧該學生的明確條件訂契約。留學生可以在家裡幫忙老人，老人也可以把留學生當成孫子一樣照顧，不必一起吃飯，但留學生可以負責打掃，藉以減低房租，形成give and take的互惠關係，也有助於解決日本老年化的社會問題。這就是我一直在建議的方案。

國際化要從庶民階層做起

可是這裡有一個讓人困擾的地方，就是像我這種年紀的人會逐漸國際化，但現在家裡有空房的人都是65歲以上的人，對外國人都有畏懼的心理。就算有空房，也因為不安而無法出租。白人還好，一看到是黑人，就完全不能接受。事情就因為這種心理障礙而觸礁。

因此希望今天在場的各位，尤其是志工團體能夠盡量在舉辦搗麻糬會等活動時，請留學生來家裡，讓小孩習慣與其他人種或民族相處，同桌吃飯。同時也把爺爺、奶奶請來，長期這麼做之後，上了年紀的人也會敞開心胸。這麼一來，就能夠建立互惠關係了。

獨居的老先生、老太太畢竟會寂寞，而且無法使力抬重物，生活有種種的不方便，如果和留學生住在一起，幫助會很大。何況有校方為房客當保證人，留學生既能得到幫助，又能藉著老先生或老太太學說日語，實地了解日本人的生活。有這些積極面可以累積，不是很好嗎？我在東京一直在提出這種意見，目前也還在實驗階段，但可以確定的是，真正的國際化必須從庶民階層做起，才會有進步。

粕谷：沒錯。外山先生，剛才提到家庭聚會，您對生活上的問題有什麼看法？

給一個輕鬆接觸的機會

外山：我們不是針對外國人，想到要準備大餐宴客，就會懶得動。派對主要是讓人見面聊天，其實不必一定要有大餐，如果把派對想成只要準備一些飲料和點心就可以辦，就不難在家裡辦派對請外國人來了。

像我們去外國人的家裡，幾乎都不會吃到什麼大餐，比較有意義的是在那裡碰到什麼人，或是談了什麼話。大家也不妨學學外國的派對，在日本多辦一些輕鬆簡單，不特別準備什麼也沒關係的派對，讓留學生有機會認識有趣的人士。

還有一點是日本人必須注意的，就是要避免讓外國人自成一個圈子。就像戴先生剛才說的，旁邊有人日語說得比較好，就會很難開口，因此要設法讓留學生單獨和一群日本人相處。從這方面來說，學生會館只有留學生居住是很糟糕的安排。最好是五名日本人中有一名外國人，或是三名日本人中有一名外國人，讓留學生在說日語的人群中自然而然地學會。雖然很多事情動不動就會碰到沒有經費的問題，可是在外國人的眼中，日本是非常富有的國家，這點問題應該不難解決。提供場地讓日本人和外國人交朋友是必要的，因為留學生可以在學會語言的同時，與共同生活的日本人建立情誼，而持續國際性的友善關係。

我們雖然知道國內有留學生，但即使念同一所大學，也不知道留學生在哪裡。就算想要見見這名留學生，也沒什麼機會。這或許是因為日本還有點孤立，大家在處理留學生的事務時都是各做各的。我想必須多去考慮如何讓留學生與日本人接觸和交流。

粕谷：奧田先生有什麼要補充的嗎？

微妙的隱私問題

奧田：就像剛才戴先生說的，提供家裡的空房間給留學生住是非常好的事，只是他們對隱私的注重是日本人無法想像的，如果無法確保隱私，可能會發生摩擦。有留學生本來打算在日本家庭住１年，結果才來２、３個月就打消念頭，自己另外找地方住，原來問題是出在日本人這邊是以接待日本學生的方式去看待隱私。就像宗教無法妥協一樣，隱私也非常重要吧。

粕谷：那是過度親切，還是過度干涉呢？

奧田譬如說，從學校回來時，有時候會覺得累得完全不想說話，而且需要有地方可以發洩情緒。剛才提到的浴廁當然是其中一部分，但除此之外，家裡有獨處的地方也很重要。

對日本整體的了解

粕谷：謝謝。快要沒有時間了，但還再多談一點。剛才戴先生說，學日語不能沒有餘裕，許多人連一本小說都沒看過。但不是只有留學生才這樣，現在的日本人都很忙碌，我就覺得近來遇到的上班族都很無趣。而且不只是上班族，官僚也是這樣，每個人都忙得團團轉。外務省就有官員說，他們每天都要加班到晚上9點、10點，甚至12點。大企業的上班族也多半要忙到這種程度，但一到假日就去打高爾夫。說到日本到底有多少人在看小說，我就只想歎氣。

日語教育包含語言和生活、文化和歷史。如果是純粹在技術上學習，就會非常單調乏味。還是要讀讀小說，學學歷史，看看電視連續劇，以多種方式從全面去了解日本。這陣子我也深深覺得，日本人自己也很需要均衡的日語教育，學習日本文化。不過如果留學生看得懂日本平安朝的古典文學，卻不了解現在的日本社會，也是很傷腦筋的事。而如果只是對日本商業有點了解，只把日本的高科技帶回國，我也覺得有點可惜。關於均衡的日語和日本文化的學習，三位先生覺得有什麼要留意的嗎？能否再請戴先生提出高見？

百年大計

戴：國際交流基金會正在東京舉辦電影節，挑選日本有名的電影，請留學生去看。我們立教大學的校地狹小，採取的作法是，由伴隨著戰後男女共學而在昭和20年代末期到30年代畢業，因家中小孩出外求學而開始獨立的女生畢業生（OG）組成女士俱樂部，不僅提供獎學金給留學生，也分組舉辦日本小說讀書會、日本歷史讀書會等活動，邀請留學生，並且幫忙照顧他們，每年還辦一次義賣。我建議說，東西不能免費贈送，至少也要訂100或150日圓的價格。我也請他們全家旅行時帶留學生去，或是帶留學生參加各種民俗活動，盡量讓他們全面性地學習日本。

不過留學生也是很忙的。我憑著自己35年來的經驗講一些自以為是的話，也許在場有些留學生會覺得不快，覺得我只會講冠冕堂皇的話，不過我覺得看好電影是件好事。只是年輕人比較容易被電視吸引，看很多無聊節目，卻沒什麼東西可以表達。除了我們提供的機會之外，留學生也應該多和同學餐敘、旅行。像我在東京參與的獎助財團就在積極地計畫日本人與留學生的一系列研究會，或是請老師來演講，一同討論問題。熊平獎學財團每年都會舉辦一次大派對。東京某地方，在幾個月裡討論幾個主題，結束後，對第三世界有興趣的日本學生也一起飲酒討論。後來還開始計畫出書。我們才剛進行差不多一年，不知道能不能順利做下去。其實留學生也很需要這種機會，只不過他們要打工，時間上也有困難。這方面需要接待和計畫的一方付出相當多的心力。

恐怕要等到10年或15年以後，這些努力才會開花結果。可是這是在培養人才，不能不抱著百年大計的精神去做。所以我期待今天在座的各位能夠一起思考如何與留學生接觸，讓情況變得愈來愈美好。

奧田提到均衡的日語教育，我想也要考慮到說、寫、讀、聽各方面的平衡，同時也要顧及兩種大致的情況，一種是沒有特殊目的的一般日語教育，一種是有特殊目的，然後依學習者的需要去處理。

以六個月的預備教育來說，因為是從基礎開始，教學內容必須非常均衡，有一些也必須考慮是否要把專門知識或與日本文化有關的東西列入課程。

學生的需求不見得是一般日語，如果是抱著特殊目的人進來，就會有非常多缺失。為有特殊目的的留學生考慮是必要的。這樣子日語教育才能配合各種不同的學習者，顯出多樣性。

粕谷：外山先生，最後還有什麼想法嗎？

不只是技術的語言教學

外山：現在有許多人在教日語。包括志工在內，有相當多之前從沒有想過要教外國人日語的人現在都進入這個領域。當然這裡也會有一些負面的情況，但有那麼多人對教日語有興趣是一件好事。

以後的日語教學會愈來愈專門化，教語言的技術性或許非常高，但恐怕會有愈來愈多老師的眼界變小，只在意語言的枝節。教導的人是不是應該擴大對人性的關注和教養呢？

我想現在教學者個人的經歷或素質各有不同，都能夠傳達自然的語言。但隨著環境愈來愈完備，也有可能出現令人無法苟同的專門化現象。日本的英語教育有一陣子就有這種傾向，大家只注意極為枝節的文法，幸好後來有優秀的英語老師出現。現在也是一樣，希望日語方面不要有這種情況。要維持均衡是相當困難的，可是從長遠的眼光來看，外國人學習日語對日本的文化有好處，但我希望不至於發生用六個小時教「私は」和「私が」的情況。

有日本人去外國教日語，卻因為表現不佳而被辭退，當地的批評多半是說，該師的教學非常傑出，就是做人太無趣。雖然很讓人遺憾，可是在初期階段，這種情況很多。我想最近大家已經了解到，人的器量或魅力對學語言的人來說也很重要。

以後會有各種不同需求的人來到日本，為了長期間認真學習的人，希望教學者不只是在技術上，也要具有在語言、文化、人性上的素養給予指導。

粕谷：謝謝。剛開始三位先生提出來的問題，雖然不夠充分，但已經大致回答完。

只是這裡還有幾個由事務局挑選出來的問題，想請問三位先生。詳細內容最好還是請先生自己過目，但簡單地說，想請教奧田先生的是：「廣島有些留學生正在學日語，他們學的應該是標準的日語，但他們與日本人說話時，會被廣島方言混淆。請告訴我們，日本人和留學生用日語說話時，需要留意什麼？」另一個問題是：「關於日語老師的程度，請告訴我們日本人和外國人的現況。」這方面有點敏感。「是只要有會話程度就好，還是必須具備教授明治文學、江戶文學的能力？」現在就把問題交給三位先生，請奧田先生先說。

奧田：在京都學日語的話，一定會說得很像京都方言，而如果在廣島學日語，會講得接近廣島方言也是無可奈何的。在學校裡看的教科書都是接近所謂共通語的日語，但是我們一直鼓勵他們要去外面多學，因此兩種都能學到，不是更好嗎？如果只懂得廣島方言，去別的地方會很困擾，回國之後也會有問題。尤其是想當日語老師的人，如果回國後只會教廣島方言，那就糟糕了，所以兩種都必須學。日語老師如果知道共通語和廣島方言差別，也大可以教給學生。

至於日語老師的程度，今年有第四次的日語教育能力檢定考試。應考的人大概要修420個小時的日語教育專門課程，內容是廣義的日語學或語言學、日本情況，而不是狹義的日語教學。我們希望日語教師具備非常廣泛的知識。

因此不能限定只有會話程度，但是否要具備明治文學、江戶文學的教授能力，就要依學習對象而定。如果是美國、加拿大的國中、高中生，那麼教室管理會比教授的日語內容重要，如果想要在日本國內當日語老師，因為是要以專家的身分教學，就必須能夠客觀地看待日語，同時也要有能力向外國人清楚說明日本文化或報紙上的種種報導。而且在解說時，也要有能力分辨重點所在。我們有日語教育學科，要花四年的時間把這些東西教給主修的學生，剛才提到的420個小時的專門課程是輔修的日語教育內容。

只有教日語的經驗是不夠的。有許多人在日語學校教過，卻在參加教育能力檢定考試時被刷掉。那麼日語教育能力檢定考試真的能夠測出日語教育的能力嗎？我想也是問題重重。

我不知道提出這個問題的人希望得到什麼樣的回答，不過如果老師教的內容錯誤，就很傷腦筋了。我們以後需要的畢竟是能夠先好好用功才去教外國人的老師。

粕谷：謝謝。這段談話非常具體，也很實用。

接著有兩個問題要請教外山先生。第一個是來自廣島大學醫學部的山崎先生，他問：「口語的體系化和建立對外國人的教育法是日本國際化的當務之急，是否有必要在某種程度上統一依不同場合使用的日語？」第二個問題是來自正在教日語會話的村岡先生：「您認為要使日語國際化，要用什麼方法才有效果？請告訴我們您的想法，包括是否應該改變『點的邏輯』這個日語特性。」

外山：關於第一個是否要在某種程度上統一依不同場合使用的日語，我認為這種事不是一蹴可幾的。從一開始就要制定所有依場合而異的細節會有困難，但至少要先確定主詞和動詞、受詞排列的基本句型。我們日本人說話時很少會意識到這一點，因此確定句型只是讓包括日本人在內的人整理說話方式，不見得所有場合都要套用。

只是以我們現在這種各自隨意說話的情況，外國人很難學習。不只是為了外國人，為了日本人自己，也有必要整理說話方式。我認為要馬上編出完美的文法是不可能的，但仍必須往這個方向努力，因為也可以拿到學校，運用在對日本人的國語教育上，不是嗎？

另一個問題是日語在國際化的過程中要採取什麼方法，我想不只是有大量的外國人來到日本，也有許多日本人去到國外，這些人不見得一定得是日語老師，例如也可以請隨著先生去國外工作的太太在各地教日語。

我覺得早在開始把大量商品輸出到外國的昭和30年代，就應該努力讓外國人了解日語了。剛開始從日本去外國的人，都只顧著推銷商品，完全不考慮文化方面的事，對日本的語言也不關心，只用當地的語言或英語工作。可是以後從日本去外國的人，就應該要努力讓外國人了解這個語言。日本人有看到外國人就想用英語攀談的毛病，就像剛才提到的基恩先生的經歷，日本人只想用英語說話是很糟糕的，應該要多使用日語才好。

粕谷：還有一個問題要請教外山先生：「有些留學生的目的是學日語，但是以我學的自然科學來說，有留學生是為了吸收知識，準備將來運用在自己國家或國際社會上，而因為懂得英語，就不努力學日語。那麼在校內是要用在日本也被視為國際語言的英語來對待他，還是要因為這裡是日本而用日語跟他說話呢？用英語對待他真的是親切的作法嗎？還是就算不親切也要請他努力說日語？考慮到漢字的障礙，就不能不多斟酌。」這是廣島大學高橋先生的提問，也許請戴先生回答比較好。

戴：其實我早在昭和30年代的前半期，就在東京大學研究所遇到這樣的人。當時學自然科學的印度留學生經常抗議，日語又沒有什麼用處，為什麼我非學不可？

仔細想一想，我們都住在忙碌的社會裡。可是日本有幾位先生得到諾貝爾獎，中國人也有四個人拿到，這些人都住在美國。其中三人我也認識，與這些人來往時，我發現包括湯川先生在內，他們的自然科學的理論並不是奠基在英語的價值上，而是牢牢地紮根在原生地，從那裡產生自然科學的獨創性。

因此只看表面或形式邏輯，也許用英語就可以解決。像實驗可以用專門術語去思考。可是容我說些冠冕堂皇的話，雖然日本的「工匠」給人正面的印象，可是一個人要成大器，不滯留在工匠的層次，超越技術人員，成為有深度和廣度的人物，就必須珍惜在日本的生活，充分活用接觸日本文化、在日本社會和日本人相遇的機會，在接觸的老師和同學中磨鍊自己。所以，語言在這時是很重要的。

我在日本住了很久，剛才我說沒有餘裕的日語很空虛的，就是來自研究所時代與其他留學生接觸的體驗。那種用專門術語做技術性思考的人，在初期的表現也許會非常好，可是到了最後或隔了十年再見到他們，即使無意貶低，也會覺得不是什麼大人物。所以我希望今天在場的留學生都能夠抱著自信，存著更寬廣的心學習語言。

不要只是把語言當成說話的工具，也要把語言當成結識朋友或與人心靈相通的媒介。把某種文化的價值帶進心裡面，或是把留學生生活的另一個層面當成尋找自我的過程。尋找自我其實就是在種種不同的接觸中磨鍊自己。如果覺得日語對自己沒什麼用處，那大可不必來日本。人生應該不只是這樣。要如何讓年輕留學生了解這一點呢？希望各位日本人都能堅毅地抱持「請真的要來找我」，而不是：「請一定要來找我」的心理準備。

粕谷：謝謝。雖然還有其他問題，但時間已經超出很多了，請在接下來的懇親會上繼續討論。

今天聽了專門的語言學家外山先生、曾經也是留學生的戴先生，以及廣島大學實際在照顧留學生，也非常有經驗的奧田先生三位非常精闢的談話，但願各位留學生能從裡面得到一些啟發，也希望多各位市民能在裡面找到為留學生改善環境的新點子。感謝各位長時間的參與。（拍手）

本文原刊於《留学体験をどう生かすか——シンポジウム「国際交流と留学生」の記録2・第二章》，廣島：（財）熊平奬学会，1991年10月10日，頁219～271

民進黨「台獨黨綱」的衝擊座談會

主辦：《聯合報》

與會：戴國煇（政大歷史系客座教授）

林嘉誠（東吳大學社會系教授）

朱雲漢（台大政治系副教授）

許慶雄（淡江大學日本所副教授）

楊泰順（政大政治系副教授）

主持：高惠宇（《聯合報》副總編輯）

民進黨五全會昨天將經過文字修正的《台獨條款》，正式納入其黨綱。這項條款是否象徵朝野對統獨的正式攤牌？《台獨條款》對於國內政治生態及兩岸關係的影響為何？

戴國煇（以下簡稱戴）：我於8月28日回來以後，觀察台灣政情，發現台灣的政治發展存在著一個奇怪的現象。如果台灣已經進入政黨政治的民主化階段的話，在多黨政治下，一個政黨的黨綱要寫些什麼，根本不需要其他政黨關切。民進黨要有什麼樣的黨綱，執政黨為何要傷腦筋呢？顯然目前台灣的政黨政治尚未完備，市民意識也未成熟。另外，執政黨也表現得太沒把握，一個黨綱並不代表什麼，最重要的還是如何掌握人心的問題。

因此，政黨的黨綱怎麼寫無所謂，問題在於學術界、輿論界能否冷靜而理性地進行客觀的分析？尤其是相關學界能否基於馬克斯・韋伯所倡「職業倫理」的理念，不妥協、不鄉愿地對其未來可能的影響，進行分析？但許多人似乎都不願以客觀理性的態度來進行分析，表面進行溝通，實際上從事桌下交易，表面上朝向民主化的道路前進，實際上這才是最危險的傾向。

有關民進黨黨綱納入《台獨條款》的問題，執政黨反對的主要理由之一，是要避免對中共形成刺激，造成中共的反彈，因而引起台灣內部政局的不安。當然，中共的可能反應必須考慮，但考慮的重點不應是擺在一些枝節問題上對中共的刺激及其可能的反應，而應思考台灣未來如何走下去，而中共會有什麼反應？

但我們對於中共的態度，也不應該誤解，中共政權最重主權與面子，中共在外國面前一貫很注重國家主權的主張。並且，中國為一多元民族的國家，中共必須面對西藏、新疆與蒙古等地獨立的要求。因此，中共在這個問題上不會放鬆，而台獨也不會只是喊喊口號而已。中國大陸雖然窮，但其為政治軍事大國，則為客觀的存在。第一代領導人固執於主權的觀念，是有可能採取激進作法的。因此，台灣最主要的問題應是如何落實民主政治、保障人權等，而非統獨的爭議。

另外，我順便提一點。前一陣子，李鎮源先生靜坐時，胡乃元也去拉提琴，有些立場傾向台獨的媒體，將胡乃元的父親報導為「二二八事件」的受害者之一，這是很大的錯誤。胡乃元的父親是受1950年代社會運動「許強事件」的波及，與「二二八」不同。不論如何，中國人在面對時代的移轉時，常常迷迷糊糊而不能做好歷史的總結，我們社會在從威權體制走向民主體制時，也犯了相同的毛病。這種含糊的立場，往往使得政治的活動走向法西斯的極端上。

統獨問題固然重要，但民眾所要求的卻是其他民生問題上的滿足。安定的生活，才真正是民眾所需要的。政治人物在從事政治活動時，不應僅僅是為了知名度，為了選舉而已，對於上述問題，實應多加思考。

林嘉誠（以下簡稱林）：民進黨所通過的黨綱案，在文字上已經做了修正，應可緩和朝野兩黨的對峙氣氛，在法律層面上也可能失去了法律追訴的要件。因為，修正後的黨綱是根據原黨綱中的自決原則，把建立台灣共和國的問題交由全體住民決定，而不再是由民進黨一黨所決定。這應該是經過朝野協商後，民進黨內部主要派系領導人考慮到原建議案如獲通過，對於朝野對抗、國內政治生態、年底選舉、內部派系平衡，甚至兩岸關係等問題，將會造成很大的衝擊。

民進黨通過這項黨綱案後，所可能造成的影響，主要是在朝野關係、民進黨內部派系以及台海兩岸關係等三個方面。

在朝野關係上，首先，如果照原建議案通過，馬上涉及《人民團體法》中有關分裂國土的處罰規定。雖然，主張建立台灣共和國是不是分裂國土，這屬於認定上的問題；但執政黨一直強調，這就是分裂國土；因此很可能因為《人民團體法》的規定，而解散民進黨，這種可能性雖然很低，但執政黨卻必須馬上面臨是否取消或解散民進黨的問題。

其次，民進黨固然強調通過這項黨綱也可以凸顯《刑法》第一百條的不當性，因為《刑法》第一百條正是把台獨界定為內亂罪之一。但在《刑法》第一百條未修或未廢止之前，若照原條文通過，在高檢署已經表明將依法嚴辦的情況下，大會的主持人、建議案的提案人，和舉手贊成者都可能面臨法律追究的問題。

第三，國內最近有關統獨的抗爭不斷升高，包括李應元案、郭倍宏案、《刑法》一百條問題、黑名單問題、民進黨的憲法草案加入台灣共和國等問題，已使統獨問題升高。現在如果再投入有關《台獨黨綱》的變數，則這股對立將延續到年底國代選舉以及明年底的立委選舉。在這個過程中，朝野之間的政治衝突將會形成兩極化，政治衝突的手段也會尖銳化。就此而言，這是很可惜的，因為台灣經過40年的發展，好不容易在年底資深代表退職後，我們終於有機會建立正規的民主體制，年底國大選舉以及修憲，和明年國會全面改選後，我們有機會重新建構民主政治，但我們反而把焦點擺在國家認同的統獨爭議上，這對於我們要建立正常的政黨政治與民主政體，都會產生負面的影響。

不過，民進黨以修正條文通過後，國民黨就很難用《人民團體法》或《刑法》第一百條來追訴民進黨相關人員的刑責了。這項文字修正，應是雙方讓步的結果。

至於就民進黨內部而言，美麗島系與新潮流系對於台獨的主張其實沒有太大的差異，不同的只是策略與時間上的不同而已；即台獨的主張是否應該如此公開的標明，或者要在那一段時間標明等問題。但現階段對於原建議條文是否馬上列入黨綱一事有不同的意見，如果現在強行列入台灣共和國，將會導致內部派系衝突的加劇，並且可能會使未來想加入民進黨者感到遲疑。但加入修正條文後，經過內部派系的妥協，其條文很快就獲得大多數代表的支持，有助於派系衝突的緩和。

而原條文對於要在年底選舉中吸引選民也可能會形成不利的影響。固然張俊宏強調，要把黨綱拿出來由選民決定，但長期以來的民意測驗顯示，只有兩成左右的民眾是強烈支持台獨者。因此，是否要冒著與中共正面對抗的風險而公開標明台獨，是一個重要問題；許多人可能寧願以獨台的方式，來避免與中共的正面對抗。故民進黨若將原條文加入黨綱，將會對年底選舉的得票率造成不利因素。現在，民進黨通過的修正案，將建立台灣共和國的責任推給民眾決定，民眾的反感程度應會比較降低。

最後，在兩岸關係方面，中共一定會在文字上和口頭上加以抨擊，但民進黨並非執政黨，故中共應不至於立即發生以武力犯台的情形。但如果民進黨在年底選舉或明年選舉中得票率超過50%，則中共反應可能就必須考慮了。亦即，如果民進黨執政，則中共可能會採取比較激烈的反應。

如果，民進黨以原條文通過，中共可能會先看國民黨的反應，若國民黨採取嚴厲的態度對付，中共較不至於認為國民黨縱容台獨，其反應也就不會那麼激烈。現在，民進黨以修正條文通過，對台海兩岸關係的衝擊將會較小，國民黨不可能以《人團法》或《刑法》一百條來處理，其反應將溫和，中共會因此在言辭上強烈批評台獨，並且不滿國民黨對台獨的縱容，但中共經評估可能認為，不論國民黨或民進黨都無意在台海間挑起緊張關係，因此中共對台灣採取武力或封鎖等激烈舉動的可能較低。

朱雲漢（以下簡稱朱）：民進黨將《台獨條款》納入黨綱，是否使民進黨變成與以前不同的政黨，這是不可能。而且民進黨在此次全會中，新潮流系和中間派在中常委和中執委中擁有過半數席位的影響，可能比黨綱修訂更重要。因為誰來解釋黨綱、指導原則的義涵、對個別黨員和文宣的約束力，都由這些領導人士來決定。換言之，黨綱修改後，若使國民黨以及中共對民進黨的政治理念和意圖理解有截然不同的認定，即顯然是因過去認定與現實情況有絕大的差距所致。

由此觀之，國民黨與社會人士所面對政治變局為未來民進黨新的領導階層，究竟在選舉策略、法案、修憲、朝野協商和街頭運動上會採取何種不同的作法，以及對政治理念堅持，會影響他們採何種冒險的策略。

此外，也不能忽視此重要黨綱的修正，民進黨把建國和制憲具體地置於黨綱之中，會使過去統獨、體制內和體制外改革這種對立的立場，逐步制度化。

一旦走上制度化，那將來民進黨在許多重大問題上所採取的立場會愈來愈受到過去決定的約束，而無太多迴旋的餘地。如把《台獨條款》當成是整體政治主張，則下一步建制化，除憲法外，也要有國旗、國歌等一系列的儀式化動作。如此下去，在國民黨和中共有關一國兩制和一國兩區法理上的主張未有共識和釐清之前，在台灣一區內即出現有兩套象徵符號和信仰，所以選民面對的不僅是執政問題，而是國號、國旗、國憲等全面的改變，這是相當兩極化的選擇。

職此之故，對朝野兩黨，選舉的政治得失都是非常高，而結果又涉及中共的反應，等於在未來幾次選舉，社會是在進行一場「豪賭」也不為過，因為所決定的絕不止於席位分配和執政而已，而是達到國家最高層次。

民進黨一步步把建國制憲的主張具體化、明文化，發展出一套完整綱領，民進黨有義務進一步把建國制憲主張向社會逐漸開放和說明。所謂台灣共和國建國的理念和步驟該如何推行，從中華民國現行的體制如何過渡到台灣共和國的體制應有的具體措施，而且這期間又如何不引發中共強烈的反應和流血衝突，這種可能性是否存在？

當然民進黨未必如此激進，那民進黨也有必要向社會說明，如李登輝總統所言：在台灣的中華民國已是主權獨立國家，從這理念來規劃修憲和設計如何重返國際社會的具體步驟和規範。而台灣共和國這套體系和中華民國這套體系的差距，應早日加以釐清，讓社會大眾很清楚明白民進黨的主張為何。如果民進黨進一步衍申和說明後，其實在建國制憲的實質面，可能在中華民國是主權獨立的國家理念中，大部分可以達成，那大家不禁懷疑，那何必一定要冒這麼大的危險？是否因為民進黨認為在中華民國的架構下無執政的機會，所以非得重新建立全面的架構，則執政和建國，何者為手段和目的，我認為民進黨也得進一步釐清和回答上述的疑問，這也是未來一兩年內國內政治辯論的內涵。

國內在民主化過程中應避免不必要的衝突和對立的代價，也不必為中共可能的反應，來考量是否要使用公權力。而是民進黨既然在大選前把台灣共和國草案在大選前擺明，那國民黨可針對我提出的脈絡和民進黨進行公開辯論，這也是無可迴避之事。

當然，執政黨也要把其國家未來發展藍圖、兩岸關係和對外關係，揭示出清楚的理念和預期的成果，跟民進黨主張的差距為何，何者較為合理、可行。

許慶雄（以下簡稱許）：李總統曾說，台灣是一主權獨立的國家，只是國號是中華民國，而反對陣營所提出的也是相同，只是名稱是台灣。所以雙方爭論只是國家名稱不同，這是一個可以由國民理性和平方法探討的問題。而民進黨只要得到選民支持，就可以執政，可是反對黨所要的並非只想拿到政權。

反對陣營建設藍圖，需要大家形成共識

所以，今天反對陣營要求的不僅是要求台灣的國際人格和建立新憲法，更期待是內部社會改造，建立公平正義的社會，對國家未來建設提出建設的藍圖，這需要大家形成共識。

其次，台灣今日所作所為都會受到中共的影響。對此，我提出四點看法：

第一，中共為何對台灣共和國有如此強的反彈和抗議，因為用台灣面對的是國際社會，不需要中共同意，也不跟中共爭中國席位。用中華民國名稱，中共知道這國號根本達不到，所以對此根本不恐懼，而用台灣可能擴大國際活動空間，所以中共才會慎重其事，反應也較激烈。

第二，國家的存在係在維持其獨立自主，並做為崇高任務，任何外力的介入和對抗均應排除。而中共以敵對態度要求我們採

取犯罪立場，那我們應立即表明，這是我國內、統治內部的問題，應由我們自主決定，而不是中共可以干涉介入。

第三，台獨獨立於中華人民共和國之外，是國際社會的常態，而且國際社會也不允許單純地以武力威脅來改變這常態。

第四，來自中共的威脅，基本上，是國家和其國民是否有決心來保衛國家，如果決心愈強，那國家就愈強，而外力介入就必須考慮其付出的成本和代價。若決心愈弱，反而先製造一個更危險的情況出現。

表面上似已趨緩和，實質上問題仍存在

楊泰順（以下簡稱楊）：剛才林教授提到因為原條款修正使朝野的對抗沒有原條文激烈；我不太同意，因為大家的印象是「《台獨條款》通過了」，沒有人真正會去注重修正條文的意涵。

我認為，這是民進黨想在技術上使國民黨處理起來較困難，但在實質上，問題並未和緩。

朱教授認為因為過去大家都了解民進黨的傾向，所以並不會因為這次通過《台獨條款》而使得此間的政治生態發生立即的變化，而是主席人選較重要；我略有保留，因為民進黨並不是很有紀律，而是一個各地反對勢力山頭聯盟的政黨，在這種制度下；不是誰能主宰這個政黨，而是各個山頭有了一個黨內合法性的基礎議題，來做他們的訴求。這個影響可能很大。

其次，我認為執政黨不需要反應過度。因為這是一個言論自

由的範圍。執政黨在處理此一問題時，應把此事與《刑法》一百條合起來看，如果處理得宜，這對現行朝野對抗反而是正數。

視為民進黨內問題，有利處理刑法爭議

現今大家對《刑法》一百條的疑懼是如果和平變更國體是一種叛亂行為，那界限何在？是否包括把台獨列入黨綱？這是不是在《刑法》一百條的處理範圍中？如果此事的處理能形成一種範例，把今天《台獨黨綱》視為是民進黨內部的問題。如果執政黨能這樣看，則在《刑法》一百條的處理上大家比較可能可以有共同的認知，反而有利於此法問題解決。

這次民進黨的作法對於與執政黨的關係應會有相當影響，在今年以前，台獨的主張是和民主化的要求結合在一起的，使得執政黨在處理台獨案時不免觸及民主化的問題，這又牽連到執政黨執政的合法性問題。所以在執政黨不能處理民主化的問題時，也就不能對台獨採取太強硬的立場。

但今天的情勢是台獨已不再與民主化問題相結合，台獨問題變成一個單獨的訴求。所以我的感覺是，民進黨這樣的訴求是王牌出盡；過去民進黨以曖昧不清的態度，可以在很多地方和執政黨討價還價，姚嘉文先生當年提出的跳躍理論就是最有名的例子；以統獨的訴求來逼迫執政黨在公共政策上讓步。但今天民進黨這張王牌打出來了，使得統獨之爭與民主化分道揚鑣。這也使得民進黨和執政黨的關係進入一個「各走各的」階段。

在各走各的階段中，省籍對立色彩會被強化，這對執政黨可

能是明顯不利的。執政黨可能必須在這方面做更大的努力。

兩黨協商在未來的發展中會愈來愈少，因為雙方底牌已全部打出。至於在司法處置上，我希望執政黨不要採取斷然措施，尤其是現在《刑法》一百條狀況曖昧不清，如果逕行加以干涉，反而對執政黨形象有很大的傷害。

溫和民進黨人，可能逐漸轉向而去

民進黨今天的提案，事實上不會對民眾對民進黨的態度產生劇烈的改變，因為民進黨原就是傾向於獨立；倒是使得原本傾向溫和改革和避免嚴重對立的人慢慢脫離民進黨，這在今年年底的選舉中應可表現出來。

至於兩岸關係，我是悲觀的認為，中共一定會採取某些行動，如軍艦巡防過中線等。因為中共今天看這個問題不是以孤立事件的角度來看，他們是以一個趨勢來看，最近三、四年台獨傾向不斷升高，中共早已感到不安；因此中共這個代價，恐怕是我們一定要付出的。如果我們要民主化，那我們一定要尊重人民言論自由的權利，也必須容忍各種言論，但如果因此造成中共的動作，那可能是全民都必須要付出的代價。

另外，我們由於選舉制度的不當，造成一個政黨可以依靠一個不到二成百姓支持而且是嚴重兩極化的訴求而存在，這從美國或一般民主國家來看，是很荒謬的。

重新認定台灣一詞，凝聚共識緩和衝突

許：今天民進黨主張把台灣共和國列入黨綱何以就會造成省籍問題？這是長久以來，對民族教育有所曲解，因而形成的一種意識形態。

民族一辭被用到時，有幾個層次：一為超國家的層次，像阿拉伯民族可以建立許多國家，但不一定要用阿拉伯這個名稱，民族跟國家沒有一定的關係，超國家是很自然的，世界上有很多國家就是由盎格魯撒克遜族所建立的。換言之，一個民族不一定要建設成一個國家，或者一個民族就不能建設很多國家。如果用這個概念來看，新加坡也就是和中華民族有關的國家。如以超國家觀念談民族，一切都是很自然的現象，如你的親戚移民到外國，拿了外國護照，我們也不會因此認為他們不是親戚、兄弟，這是血緣的關係，如果用這個角度來看超國家的民族問題，則根本沒有問題，今天台灣變成獨立的主權國家，怎麼會說是背棄民族？如果是這樣，那移民國外的人不是更數典忘祖嗎？另外，如果民族是屬次國家的問題，是國家內部的次族群問題，也不必然國家就要與民族結合在一起，如東北有很多朝鮮族，如果說中華民族包括了這些朝鮮族，但很明顯的，在南、北韓的朝鮮族就不是中華民族；如果說中華民族不包括東北的600萬朝鮮族，則中華民族究應如何定義？所以，很明確的，當我們提到中華民族、中國人時，必然是跟國家、主權結合在一起的。

今天在中華人民共和國統治之下，其所管轄或發護照的，才可嚴格的說是中國人，這是中華民族與國家、主權連結在一起的

時候必然只有一個國際社會所承認的中華人民共和國，之下而形成一個民族問題。今天我們既然要成立一個與中華人民共和國無關的主權國家，而它也不再是我們要敉平的叛亂團體，我們必然要成為獨立主權國家，在此情況之下，所謂台灣內部的民族問題，應是怎樣團結各族群，在我來看這包括閩南族群、客家族群、原住民族群、戰後從大陸來的中華族群，這2,000萬人都是在台灣主權獨立下的命運共同體，基本上，台灣不再是中國的一省的話，怎麼還會有台灣或外省籍的區別與問題？台灣人是什麼？必須重新思考，居住在台灣，保衛台灣，認同這個國家的才是這個國家的國民，才是真正的台灣人。

林：在民進黨通過黨綱加修正條文情況下，如果能將台獨的政治、法律認定釐清，則解決朝野衝突的可能性還是有的。

李登輝總統已經講過，中華民國是在台灣的一個獨立國家，因此，現在所謂的台灣共和國，事實上指涉的範圍是一樣的，講穿了不過名稱之爭罷了。主張台獨的人認為中華民國在國際上打不出去，但台灣共和國也不必然就打得出去。在台灣的2,000萬人如對維持現狀或以台獨、獨台共合體為共識的話，應可緩和很多衝突，對台獨的認定假如是這樣的話，國民黨對民進黨主張使用台灣共和國這個名稱也可寬心一些，沒什麼大不了的。

法律認定上分兩方面來講，第一，《刑法》一百條的修正所爭取的是，到底主張台獨有無結社的自由？既然有言論自由就應同時給予結社自由，讓其訴之於民，看有無人民支持嘛。另外，現在的判例都認定台獨是分裂國土及非法變更國憲；然而不論是中華民國或是台灣共和國都是以2,000萬人民、36,000平方公里的土地為基礎，因此台獨談不上分裂國土，如果在判例上不再認定其為分裂國土，而《刑法》上又給予台獨結社自由的話，應可降低朝野衝突與爭執。

另外，在兩岸實力懸殊情況之下，如能於台獨、獨台方面取得共分母，亦能緩和兩岸關係，並可使台灣的路途繼續安定平和的走下去。

選民認知不能忽略，一意孤行自毀長城

戴：對我來說，面對國內的政治情勢一直有恨鐵不成鋼的心情。

過去，大家對於國民黨的《國統綱領》缺乏認真思考；目前民進黨的台獨條款出爐之後，可藉此機會提供民眾比較，我認為目前台灣的選民的判斷力是相當地高，政黨不應忽視而做出錯誤的判斷；另一方面，對於《國統綱領》而言，我以為應再強化其階段性作法。

目前國內政治上反對黨要求能夠公平，然而一方面要求公平，另一方面卻又表現不同的標準，如民進黨目前要求執政黨公平競爭，但是當民進黨面對朱高正退黨之後以中華社民黨至各地演講時，民進黨員卻又以丟石頭或雞蛋方式對待朱高正，明顯地表現出法西斯極端專制心態。

朱：第一，對於國民黨而言，每次民進黨對於台獨立場明確化有任何動作時，國民黨就有一些壓力出現；但是做為一個執政黨應正視此種發展，並且應將過去施壓方式，改為向內部反彈壓

力疏導到台灣前途、台灣共和國是否有必要性、而其成本是否合理的辯論上去。

第二，這一決議對於民進黨內部的衝擊。事實上此一議案的通過我想民進黨內部並非全體一致共識的，對此是不需要粉飾。當然短期內不一定會出現任何反彈，不過我想到了年底選舉之後，若是選票大量流失的話，那時候民進黨內部就可能會出現反省的聲音。

第三，對於社會大眾反應而言，我認為全國民眾會觀察兩黨彼此間，在此一行動之後的一些相應措施。事實上，民進黨之所以踏出此一明確的步伐，可能是為了鞏固傳統支持者，以避免讓這些選票流失到台建或是台獨聯盟方面去；但是對於過去民進黨所獲得中產階級支持的選票卻可能因此而流失，因為這些人並非明顯的反國民黨情緒或是歷史情結，而只是為了制衡的目的而支持民進黨。由於民進黨踏出此一步伐之後，使得大家了解它們不僅是做為制衡甚至執政的政黨；而且它們還有一清楚的企圖是對國家結構或是憲政秩序的重整。如此一來，很可能使得過去以制衡立場支持民進黨的中產階級的某些票源，逐漸流失向第三勢力如中華社民黨或全國無黨派聯盟等方面去。

第四，就中共的反應而言，我認為在短期內正如林教授所說，中共大概只會在言詞上強烈反應。但是對於中共因素的考量，事實上我認為不能過度簡化或是籠統思考。我們將來對於一些政治問題的考量與辯論的時候，就不能如過去只是就一些名詞爭執不休，而是必須落實到具體的事實或是情況去分析，這個時候民進黨就不能再像過去一樣，仍然運用一些簡單的邏輯，如要宣布獨立中共亦不一定真的會打台灣；如果說中共有所行動的話就必須要有不惜一戰的決心；既然要獲得獨立的成果就要有付出代價的準備，如果民進黨仍然對於中共的反應如此想，我認為這不是一個負責任的反對黨，同時也是輕視了選民的認知水準。我相信對此問題應做更深入的思考。即使中共使用武力干預可能受相當因素的限制，但是即使是局部性的干預，對於我們而言其成本不可謂不高。

如果說對於這個中共反應問題的思考，可以很簡單的表現為我們正式爭取獨立之後，中共干預成功的話則我們將會陷於悲慘境地；反之，獨立之後中共若干預失敗之後，那麼台灣人民將能享受安樂的生活。對於此種簡單邏輯思考，明白的表示這是缺乏歷史眼光與國際現實的了解，更缺乏長遠的眼光。其實在考量兩岸關係時可能有許多不同的設想，其中一種就是最壞的情況就是最後總是要一戰，只是時間遲早條件成不成熟的問題。若僅是以此種方式思考則對台灣長期發展將是很褊狹的想法。其實還有許多可能性存在。

簡單構思兩岸關係，是最不負責任作法

事實上，我們思考兩岸關係不應只想到獨立之後是否一戰成功或是失敗的問題，而是應該思考未來10年、20年或是甚至50年之後我們與中共的關係應該發展怎麼樣的關係的問題。事實上這也可能是比較接近歷史發展的軌跡。如果不如此想，而僅在決戰點上思考這是一種不負責的作法。民進黨高層如果這麼想，則是

一個不負責的作法。

原則上，在面對中共的因素上，我們應該要跳出此一思考方式，事實上我們與大陸之間的歷史與文化上的淵源也許不是一個負債，反而是一項資產，看我們如何去運用它來選擇我們所應採取的姿態與立場。我們更應該密切注意中共內部的人事發展與社會經濟結構改變，依據這些去做更精細的思考與分析，這樣也許才能提出一個具有事實基礎與務實的作法，這樣才能提出一個符合2,000萬人民的策略。事實上，在目前台灣要維持基本的安全已經有問題，而有效統治台灣的事實亦不存在問題。而目前最重要的是如何使台灣與中國大陸能夠長期共榮存在，這才是一個比較積極的思考方式。

許：今天如果我們認為台灣是獨立的主權國家，中共會採取何種行動應是另一回事。政府過去常誤導民眾對「台灣主權獨立」錯誤的認識，更令人感覺常幫中共講話。世界各國和中共的建交公報中，很少國家承認台灣主權是屬於中華人民共和國。雖然中共有此主張，但各國多不承認。

我主張應整體思考用何種方法解決和中華人民共和國的關係，但卻沒有激進到必然要和中共一戰。

思考中共對我影響，必須應然實然兼顧

朱：對中共因素細緻思考時，不只是應然面，更應探討實然面問題，因為這要付出龐大的社會成本。

設計未來的憲政體制、兩岸政策、重返國際社會，這其中

應有不同的考量和進度。國民黨的國統綱領應是一種不錯的策略——可說不做，有緩兵之計的效果，但你不能說，這違反主權絕對獨立的原則。

事實上，我贊成透過對話，在中華民國的架構下，是否有可能達到實質上主權確立、安全保障、國際空間取得，透過辯論，也許彼此可以找到共識。然後再來思考是否有必要建國、制憲。如果發現雙方理念差距過大，這是社會的無奈，選民只能面對兩極化的選擇，逼得只好選第三勢力。如果第三勢力不成氣候，最後只好用「腳」投票——移民。

許：朝野共同思考中共武力威脅或中共態度緩和的前提下，就不應該壓抑主張台灣主權獨立的任何力量，或國民意識的形成。

年底投票，如有人預測支持台灣共和國連線的人數減少，我認為則反而會鼓舞中共採取冒險、激進手段，因為中共會誤認台灣多數人反對台獨，贊成統一，所以何必去打壓其選票。

中共所介意的事情，並非民進黨台獨化

朱：我認為正好相反。大部分國際政治學者都不會同意許教授剛才的判斷。中共最介意不在民進黨台獨化傾向，而是國民黨執政地位是否明顯面臨危機，到了這點臨界點，才會採取必要反應。

本文原刊於《聯合報》，1991年10月14日，4版、11版。由《聯合報》專欄組策劃整理

輯二

台灣研究廣角鏡

戴國煇：從總體著眼的台灣史學者

離鄉背井36年，以研究台灣史知名的旅日學者戴國煇，今年應國立政治大學之邀，在台灣客座半年。

出生於桃園縣的戴國煇於1955年赴日留學，以《中國甘蔗糖業之展開》論文獲東京大學農業博士學位，目前擔任日本立教大學史學教授。他的日文著作甚多，影響力遍及日本學界、出版界和新聞界。由岩波書店出版的近作《台灣——住民‧歷史‧心性》，因為淺顯易讀，成為日本人了解台灣歷史和現狀的熱門著作，打入日本非文學類暢銷書排行榜前十名，目前為止已印行了十版，一共賣了十萬本，此地則譯為《台灣總體相》問世。

談起在日本的成就，戴國煇毫不掩飾他的自豪，但是至今仍持中華民國護照的戴國煇卻不諱言當年他「討厭日本」，一心想要留美，到日本奠基發展純是因緣際會。由於戴國煇的二哥被日軍徵召入伍，後因台海情勢動盪，再加島內白色恐怖籠罩，戰後遂留在日本經商，他前往探親，未料就此客居他鄉。

從台灣光復到赴日求學，戴國煇在國民政府治下不過九年，和日本的關係反倒深長。可是，他不但終生以台灣為研究重心，民族情感也十分強烈，正如他在《台灣總體相》一書序文中所言：「我既愛我出生之地台灣，又深愛我祖先之原鄉——中國大陸，並關懷它的前途。」

戴國煇治學相當注重史料，收藏的戰前台灣史料頗為可觀。

在遠流出版公司負責人王榮文眼中「聰明、重邏輯思考」的戴國煇，認為自己治史從總體著眼，以「台灣史專家」形容他並不恰當。但是，他在台灣學界和政界的毀譽，卻又和台灣史研究相伴相隨。以往，他主張台獨應有言論自由，倡議台灣命運共同體，許信良、康寧祥等黨外要角都是他在日本的座上客，因此被執政當局列為不受歡迎人物。如今，島內台獨聲浪高漲，他又干犯眾怒對「二二八事件」提出另一種角度的解釋，而且痛批台獨，因而引來在野勢力和部分學者的圍剿，被貼上「統派」的標籤。

戴國煇在統獨論戰中，自許為「求真派」，與他觀點歧異的歷史學者吳密察不以為然，但是認為他「很有個性」，敢獨排眾議表達自己的看法。以學者自居，強調從不參與政治活動，戴國煇卻很難避開政治風暴的影響。

本文原刊於《中國時報》，1991年11月1日，31版。由記者曹郁芬採訪整理

戴國煇治史，獨具隻眼

夕陽照在台北指南山頭，戴國煇穿著一雙中國唐式布鞋，跟政大歷史研究所一群研究生，驅車上山賞夜景、吃土雞，閒話中國的希望。

戴國煇旅居日本36年，講述近代中日關係史，夾敘夾議，頗受台灣及日本兩地學生喜愛。

今年〔1991〕9月，他利用日本學校休課期間，應政治大學歷史系之聘回台灣客座講學。

近代史的課，很多教授可以開；但以台灣做主軸，談論中國歷史，在大學校園並不多見。

「我談文化史，喜歡從人類史的角度全面剖析，包括政治、經濟、歷史、法律、社會各層面，而不是談傳統的文化。」戴國煇說，從人類史的發展看問題，在本質上做思考，不追逐「表相的泡沫」，是他治學的原則，也是寫作的原則。

戴國煇專攻農業經濟，卻在史學上享有權威聲望；尤其是他所寫的一些評論集，如《華僑》、《台灣與台灣人》、《新亞洲的構圖》、《台灣——住民・歷史・心性》等書，在嚴肅中流露人性真情，居住在日本及僑界受到重視、部分著作台灣也發行了中文版。

由日本最具地位的岩波出版社發行的《台灣── 住民・歷史・心性》，目前已出版十刷，共10萬本，是一本暢銷書，中文版書名為「台灣總體相」；戴國煇能應岩波邀請出版專書，是華人在日本的一大榮耀。

戴國煇說，許多人批評台灣沒有制度，其實，制度是被人為破壞了；唐代的科舉制度是世界最先端的良好制度，英國及日本善用這項制度，使國家走向現代化，《紅樓夢》一書卻講科舉制度「可以作弊」，心術不正，制度當然無以為繼。

還有五年，戴國煇就要從日本立教大學退休；他希望在這五年內，將研究領域由邊緣拉回中原，深入探討中國人自鴉片戰爭以來的百餘年，為什麼始終還無法從泥濘中拔出來；他也想了解文化大革命為什麼造就出這麼多「紅衛兵」。

本文原刊於《聯合報》，1991年12月11日，29版，原副題「以台灣爲主軸談中國歷史，台灣總體相一書在日暢銷」。由記者曾清媽專訪

從歷史看未來
——中國人能不能現代化座談會

主辦：天下雜誌

時間：1992年1月11日

與會：費景漢（耶魯大學教授）

戴國煇（立教大學教授）

王作榮（考選部長）

陳其南（香港中文大學人類學系系主任）

美蘇兩大霸權衰退的世界新秩序下，更顯示台灣需要重新認清自己的定位。曾經是全中國最具現代化條件的省分，台灣未來有什麼樣的機會點？耶魯大學教授費景漢、考選部長王作榮、日本立教大學教授戴國煇、香港中文大學人類學系系主任陳其南透過歷史分析，分別提出他們的看法。

費景漢：談到現代化的過程，如果講經濟現代化，就應提出一個人——賽門・顧志耐，其人與王作榮很相像，他是不用數學，卻是世界最偉大的經濟學家，發明國民所得。他贏得諾貝爾獎的時候出的一本書《現代經濟成長》（*Modern Economic Growth*），副題是速度、結構和擴散。據他的說法，現代化成長主要是以科學技術發展，破壞了幾千年以來的傳統農業社會的規矩，這本書談的就是現代化成長的特質，比如說速度，現代國民所得標準提高，人口結構劇烈轉變。從前80％是農人，現在30％。人口加速的成長，是現代化的特質。工業革命以後，才帶來全新的成長方法。

第二個叫擴散，從英國開始的工業革命，向世界各角落擴散，從西歐到北美，19世紀末擴散到東歐、德國、日本，到戰後擴散到現在所謂的新興工業國家。所以現代經濟國家的起飛，實在是工業現代化成長在地域上繼續的結果。

其次來談台灣和中國在現代化發展道路上最大的障礙。如果台灣和中國大陸兩樣都談的話，其現代化最大的障礙，當然是在大陸上的共產主義制度。台灣所以較大陸成功，就在我們採納了一種適合現代化成長的制度。所以消滅共產主義是使中國大陸現代化的一個路。

現代化成長三要素

第三點，台灣在發展過程中的文化問題。顧志耐的書第一章談到文化問題：什麼樣的文化或文化價值適合現代化成長？他從西洋的歷史中提出三個觀念：第一個是14世紀的入世主義，即人對現在活著發生興趣，也是所謂世俗主義。第二個就是16世紀展開的國家主義，是現代化成長的先決條件。第三個也差不多從16世紀開始的理性主義，科學、技術和商業資本主義。這裡講的是理性的分配主義，是說誰工作，誰就得到好處。所以國家主義、理性主義和入世主義是讓現代化發展的三個最主要因素。

過去40年來，世界上發展最好的地區，都是接受中國文化傳統的地區——台灣、南韓、香港、新加坡，大陸是放棄中國文化的地區，也就是現代化發展最失敗的地區。所以我們可以說中國傳統文化非常適合顧志耐教授所說的那四個特質。比方中國人非常入世主義，整個的文化就是為現在活下去。西洋的傳說裡都是戰神、愛神啦！但是中國所有的聖賢，都是跟活下去有關，伏羲、神農、有巢、倉頡、嫘祖，每個人都是跟生活有關係，這和西洋人非常不同。

第二，中國國家主義非常強，2,000年前，中國已有一個大一統政府。在其他地區，像歐洲至今還分成二十幾個國家。中國因為政治統一而成為一個強的力量。為什麼國家主義對現代化生長有助益，因為在這國家裡，大家可以和陌生人取得和諧，在大的文化觀念統治下，可以彼此合作，陌生人彼此可以來往，這在現代經濟發展非常重要。

結合幻想的自由選擇

第三點就是說，中國傳統文化非常適於理性平等主義，就是機會均等，競爭就是公平，大家都一樣。現代化需要的是理性的平等主義，其核心與中國傳統文化特質相合，要不然我們就不會有考試制度，象徵著公平，誰做得好，誰得到好處。

還想要提兩點，什麼是現代化的生活？據顧志耐的說法，現代化的生活是快速度的發展和結構的變化，這是從經濟上看。而凱恩斯（J. M. Keynes）認為，簡單說，現代化生活和傳統生活最大不同，在於現代生活有多采多姿的花樣和日新月異的變化，每天很快地變，就好像女人的服裝一樣。凱恩斯的問題是，這些多采多姿的變化哪來的？答案是結合幻想的自由選擇。

資本主義與科學並馳

戴國煇：我想從世界史形成的觀點先來定位一下日本或者台灣或中國的問題。回憶第9世紀時，全世界有兩個大都市，一是長安，一是現在伊拉克的巴格達，那時的歐洲只是邊陲、野蠻的地點。但到16世紀大航海時代開始，葡萄牙、西班牙、荷蘭一系列的大航海，把新世界和舊世界連在一起，世界的有機關聯比以往更密切。在航海過程獲得的財寶累積之下，西方的基督教文明才創出以後他們的科學技術的發展，然後大大的促進資本主義的發展。很重要的是，資本主義的發展體制一定和科學技術相互並馳。

老大中原觀念阻礙現代化

中國的洋務運動和日本明治維新是差不多時期，開展何以差別如此之大？日本的戰國時代，德川家康之前有織田信長和豐臣秀吉，這三位戰國時代的英雄所作所為仍值得思考。第一個織田信長那段時期，16世紀葡萄牙人過來，帶來槍，後來在澳門居留下來。西歐發明的槍在日本與中國的遭遇顯然不同，因為中國老大，很難接受。但當時織田信長接受了，甚至後來日本的槍可往東南亞輸出。

豐臣繼續搞「太閣檢地」，即土地調查，雖不是資本主義方式的，但可說是為邁向資本主義做準備，整理重疊的土地所有權，同時確定最終的所有權。另外就是蒐集百姓的刀劍，將兵農分開，武士得以制度化。

德川實施鎖國，過去認為鎖國是封閉、是退步，但他不像我們明朝的海禁，他的鎖國是為了向內凝集四個島的力量。但德川家康算是一個英明的領袖，並沒有忘記對外貿易，雖然鎖國仍然和當年的兩個進步勢力——荷蘭和清朝來往。所以德川的鎖國並不保守，西方的資訊繼續由荷人得到，並利用乾隆時期中國的文化，特別是儒家的《論語》變成武士階級的教養。可以說明治維新的主要動力在下級武士，而下級武士不但識字，還有教養，其主要教養在《論語》，在人際關係的倫理道德，武士可以說是知識分子。他們的教養後來變成他們正面的武士道。

另一個是，時鐘大部是外國進來，時鐘大概是德川前後傳到日本。當時日本的時間觀念，是一種農業社會的想法，日出到日落不管夏冬，都把它六等分，其六分之一叫一刻。一刻因夏冬有異，時鐘的到來把日本人這種想法全部改變。時鐘幫他們調整時間，建立時間觀念。所以日本很快便能引進西歐的生產方式。但在中國，時鐘是皇帝的玩具，並未普及至一般老百姓。中國因為大，對外沒有好奇心，一向慢慢擴展，不像西歐可以進行航海、殖民地統治。

還有一點是中國空洞的思考。例如說大一統的概念，實際上勉強的實現可能只有毛澤東那段時期而已。這種思考方式到現在，台灣、大陸一樣。大家有東西、有外匯就滿足了，這絕對和日本人不同。日本一直是求紮實，東京大學很多教授沒有博士學位，他的學問夠分量，台灣我看將來博士學位和垃圾一樣多，所以這種就是只顧表面、只顧形式，對真正現代化發生阻礙。

形式、內涵一致

現代化就是形式和內涵一致的過程，並不只求大家滿足。像是說王永慶先生到大陸投資的議論，說是根要留在台灣，此為一種形式而已。其實台灣往後的問題，不能踩上西班牙、葡萄牙、荷蘭的路子，因為他們搞的只是貿易，僅是一種商業資本。任一社會都有商品經濟，都會考慮效率。但要效率突出而變成一種利潤率考慮時，必須等到產業資本出現。產業資本不但把流通過程掌握，還必然地掌握生產過程，這時不但要考慮到效率，也要考慮到利潤率。但華僑很難有產業資本，當然其一是客觀條件不夠，政權在人家手裡，不安，總想做二房東。不會考慮生產是什麼，不會考慮生產真正的效率是什麼。台灣的經濟就是這個問題。留根在台灣現在是政治問題，其實最重要是台灣將來要真正能掌握生產，不是只裝配人家的零件，否則這樣的經濟將來是沒有多大希望的。

王作榮：所謂現代化應是指一個社會或國家的整體現代化，不單指經濟、政治等個別的部門，但其中應有主從之分，即所謂的領導部門，先從某一部門開始，還不及於其他部門。但一個社會或國家所具備的現代化條件則是各部門共同的。沒有共同的條件，縱令一個部門現代化也行之不遠，例如我國宋朝。

累積社會力突破現狀

歐美與日本的現代歷程不同。歐美是自然成長的，日本是人工加工的。而歐與美又不盡相同。歐是內部自發的，美是主要自外輸入的。歐洲國家的現代化起於人文，先有一啟蒙時期，解放了人類的思想，不受宗教及君權的束縛或限制，於是除了文藝以外，在社會及政治，特別是政治方面，無論思想、制度，都走向了一個開放與民主的局面。另一方面，海洋勢力的開展，對外貿易的發達，以及農業制度與科技的進步，促進了財富與資本的累積及工業科技的發展與交流，大幅提高了生產力，使經濟現代化。而經濟現代化是一個強有力的刺激因素，更帶動了整個社會與國家的現代化。

我們可以說，歐洲的現代化得力於啟蒙時期的思想解放、宗教與政治的改造、海洋勢力與貿易的拓展、資本的累積與技術的進步等因素。總括一句話，也就是人類發展到某一程度所累積的社會力突破了現狀所產生的結果。

至於美國，則為歐洲之移民，無論文化、思想、制度都有移植作用，而經濟發展所需要之資本、技術都可自歐洲輸入，再加上本身之資源及內部發展成長，很自然便成為現代國家。

日本之現代化通常以明治維新為起點，其先天條件有：⑴日本文化容易接受外來新事物；⑵日本有一守紀律、重秩序、負責認真之傳統，容易由上而下推行新政；⑶維新以後，有一威權之統一的中央政府推行新政，全國亦為一大一統之局面；(4)日本為一單一民族，憤發圖強之心特強。明治維新時所具備之現代化條件：(1)日本為全面現代化，包括政治、文化、社會各方面，不僅以經濟為限；(2)知道建立法治與各種有關現代化之制度；(3)當時所採取之政策正確。

建立法治社會與制度

以上各國，日本之現代化經驗最值得我們學習：(1)建立有紀律、有秩序之法治社會；(2)建立與現代化有關之各種重要制度，並認真執行。至於其他因素如科技發展、經濟建設等都屬次要，只要上述二條件認真執行，其他有關現代化之設施都可自然衍生發展，自然會形成一現代化之社會與國家。

至於台灣和大陸現代化最大的障礙為第一，農業社會的文化：(1)只知有家，不知有國；只知私利，不知公益；只講人情，不講法律；只貪便宜，不守制度；(2)文化傳統太久太深，不易改變，不易接受外來文化影響。第二，缺乏強有力的現代化政府，缺乏具有影響力的現代化社會領導階層。

培養現代化生活方式

無論中國和台灣，在經濟不斷發展，教育不斷普及與提高之下，順其自然終有一天走上現代化之路。不過時間落後很多而已。就台灣而言，我們已具備現代化的各種條件，政府及社會領導階層也有促成現代化的眼光、認識與能力，現在的問題是強有力的推動：建立法治，全面檢討現有制度，徹底予以改進，使其符合現代社會與國家的標準。

現代化並無絕對的標準，只是一種適應人類認為要達到的生活境界與需要的過程，而過程是沒有止境。過程進行遲緩，便是落後；過程快速便是進步與現代化。台灣現在的問題是要加速這種過程，而台灣的過程已有相當的速度了。中國大陸則慢得多。現代化也是一種思想觀念，一種生活方式，一種生活文化，需要慢慢培養，需要根深柢固，急不得。可以移植，可以加速，但是不能超越。台灣的現代化尚未成為一種生活方式與生活文化，但已在培育發展中，中國大陸則還談不上這一點。

表面的現代化，特別是硬體方面，並不是一件很難的事，很容易就可跟上西方國家。問題在軟體方面，亦即思想觀念、典章制度，現在還頗有差距。不過：⑴台灣已有良好的硬體設施，做為憑藉；⑵台灣已是一個相當開放的社會，比較容易接受西方文化；⑶台灣教育普及，有能力接受西方文化；⑷台灣有一個相當現代化及較有效率的政府與領導人；⑸台灣政治與社會相當安定；⑹政府領導人與部分社會領導人也都有走上現代化的共識，很少教條與故步自封。在這些優勢條件之下，如果大局穩定，內部較為凝固，政治與社會能繼續穩定，而又能採取較正確的政策與做法，則二、三十年之內，成為一個真正徹底現代化的社會，可能性非常之大。

陳其南：歐美或日本的現代化成功經驗與台灣相較之下，有什麼差距？有什麼共同性？對這個問題，我們都曉得有不同的理論在解釋，我在這裡所要提出的是另外一個大家比較忽略的重要問題：資本主義或近代社會的形成主要來自西歐歷史，而日本是學得最成功的，而美國是西歐的後續發展，一個東方社會、一個西方社會，這中間到底有什麼樣的基礎，提供了日本跟歐洲後來在發展資本主義的時候一些相當好的基礎？

有利的封建體系

有一種說法是，過去日本、歐洲這兩個地區都是封建社會體制，也就是有領主、獨立的城市、社會階級的劃分，而中國屬於帝國體系，與日本、歐洲完全不一樣。這種封建基礎，由某個角度來看，的確使得日本在接應西方的資本主義發展上，比中國更有利。我為什麼提這個問題呢？因為這與我們今天所留下的問題，甚至未來發展的問題有關。

以對職業的心態而言，中國與日本、西方社會就有極大的差距，而這影響到我們未來的發展。

價值單一

中國帝國的傳統一直持續到現在，我們仍受過去的限制，特別明顯的是科舉制度。我們批評科舉制度是批評它的考試方式，可是基本上人事升遷制度及不同職業的轉換方式，我們還是跟過去一樣，只是說我們不再用八股來考試，而用近代化的制度做為考試題目。但基本上都是一樣的，也就是每個人都永遠不滿他現在的職位、現在的工作。為什麼呢？因為這個社會體系直接提供了單一化、一致化的價值標準，而這是從過去的科舉制度來的。

一個農人參加科舉考試可以變成大官，商人賺了錢也可以變成大官，他考不上可以用買的，所有的標準都寄託在做官這件事上。在這種價值觀念體系下，中國人生活得很不愉快，沒有一個人會對自己的工作滿意，沒有一個人會全心全意的要把自己的工作做好，大家覺得都是不得已的才在這個職位上，如果有辦法就跳到別的職位。

而西方或日本國家，即使做個餐廳侍者也是笑臉迎人，很享受他的工作，其實他的待遇很低，也很勤奮地想往上爬，可是他在工作範圍裡是很敬業的。為什麼會產生這種差距呢？因為在他們的社會裡，每個行業裡有獨立的標準。在各個行業裡有傑出的表現，跟一個成功的政治家是一樣的。可是在我們的社會裡還是不一樣，有階層存在。

缺乏維護的觀念

影響台灣或中國未來發展還有一個重要的觀念性因素：西方人或日本人不在乎能做什麼？蓋什麼？在乎的是如何維護它，讓它跟原來一樣。在這一點上，中國是不可救藥的。我們從小坐台灣鐵路局火車，每隔一陣子就有新的復興號、莒光號出來，結果最後什麼號都變成普通號，所有都是廁所髒髒的，座椅亂亂的。

由這一點我們可以比較出來，將來有了地鐵、高速鐵路，若沒持續性觀念的話，什麼都是一樣的，到最後只是台灣人有錢而已。其他如整個精神文明，對事物的看法還是改變不了，而不曉得什麼是現代生活，什麼是現代化，這對台灣人而言完全是物質的東西，但這中間有相當大的差距。

台灣實際上可說是人為災害的天國，一下子到處是火災、一下子到處有車禍，可是報紙雖報導，卻沒有檢討原因在哪裡？例如說要讓飛機不失事，最主要是要一、二十年或三、四十年之中，每一刻不間斷地注意各種細節，鐵路也是一樣，不能有一分鐘的疏忽。

注意內部問題

今天台灣與中國大陸所面對的21世紀的問題性質不一樣，台灣所面臨的除了海峽對岸，還有整個世界、整個東亞地區。台灣從經濟層面來講的話，其實跟珠江三角洲已經差不了多少，而且珠江三角洲發展速度實在驚人，照這種步調走下去，它不久會超越台灣。而珠江三角洲的發展，是整合在香港和外界的關係，就好像台灣是整合在日本體系裡面，換句話說，今後的經濟發展，不是單純本身的問題，而是必須跟整個世界體系、區域體系完全整合在一起。

所以在未來的歷史發展過程裡，只要方向把握正確的話，我們倒是要多關注內部比較長遠、持久性的問題。

本文原刊於《天下雜誌》第129期，1992年2月，頁150～158。由林美玲、梁中偉整理

戴國煇研究血淚歷史

——《愛憎二二八》是個開始

窮三十多年心力致力於台灣二二八事件研究的歷史學者戴國煇，最近甫公開他的學術研究——《愛憎二二八》，雖然這本書與最近行政院、台灣省文獻會及民間研究的報告，都將公開這隱匿多年的悲劇事件，但戴國煇強調，這些公布都不是學術研究的完成，而是「出發」。

從早期避談二二八到今年官方各研究出版品出現，戴國煇走過這段歷史，內心感慨萬千；他表示，從1955年離台赴日迄今，他積極埋首二二八資料蒐集、研究，這些研究原本不想出版，但基於過去有關二二八研究均建構在某種政治立場之上，以致許多二二八討論如同「政治秀」一般，無法透過真正的「學術研究」呈現。因此，他決定「開始」這項工作，希望有一天有人能總結這段歷史，走出過去，迎向未來。

他指出，二二八研究不應只問到幾位當事人，就可以了解真相。他說，即使是資料檔案也不一定正確，訪問者的立場及觀點、資料掌握等都會影響答案。在這本書中，戴國煇蒐羅了各類有關著作、報紙及檔案資料，如當時的《大公報》、《文匯報》及《觀察》雜誌等；另外，他也遍訪兩岸有關人士，像臺靜農、林衡道、胡鑫麟、葉榮鐘、王詩琅、丘念台、吳濁流、楊逵及大陸李霽野、陳碧笙、丁名楠、周青，以及廈門華僑博物館等，討論與二二八相關的人、事背景，書中並有上百幀珍貴照片，記錄事件過程及關鍵人物。

戴國煇的《愛憎二二八》，在沒有政治立場的包袱下，坦然悠遊在歷史的軌道中。在書裡，他透過史實指出，在亂局中大幹出賣、敲詐勾當的台籍人士不乏其人，加害與受害的雙方絕不能簡單地以省籍判然二分；他與監察委員丘念台深談，明白政府與國民黨並非鐵板一塊，其中派系傾軋鬥爭激烈，實非一般不諳中國傳統政治文化的台籍人士所能想見；他說，這本書是以非政府、非中共、非「台獨」的第四立場披露。

在《愛憎二二八》書中，戴國煇與現任華府喬治城大學醫學院研究助理葉芸芸共同發表多年研究，內容分3篇12章，從「光復在台灣」、「勝利・內戰在大陸」、「陳儀為人・為政及治台班底」到事件爆發前後的「省籍問題與語言問題」、「統獨爭議的本質與導向」等，均做詳細分析。他說，二二八問題應歸還歷史。

對一個60年前生在桃園客家村莊，曾手拿國旗夾在群眾中歡迎政府官員到來的戴國煇，面對他去國三十多年來的研究，他沉重地說：「各界應任其給予客觀研究，而不是籠統地以偏差的『社會性記憶』加以指責、批評。我們應保持『恨事不恨人，可恕不可忘』的原則來做好二二八研究。」

至於二二八結論如何，戴國煇說，他在這書中未下結論，他強調，不做總結，並非迴避問題，而是希望大家一起來思考，千萬「不要依據某些判斷來做判斷」；事實上，戴國煇相信，讀者只要看完他的多年研究，自然就會解開疑惑。

本文原刊於《民生報》，1992年2月28日，28版。由記者邱婷專訪

不在日本的一年

——旅美、赴台見聞討論會

◎ 林彩美譯

時間：1992年5月29日

與會：神谷慶治（東京大學農經系名譽教授）

篠原泰三（東京大學農經系名譽教授）

加藤讓（東京大學農經系名譽教授）

齋藤誠（前日本農林省次官）

鈴木忠太（東京大學農經系畢業生）

丸田宗平（東京大學農經系畢業生）

戴國煇（東京大學農經系博士，立教大學名譽教授）

林彩美（東京大學農經系碩士，農經博士課程修畢）

主持；荏開津典生（東京大學農經系名譽教授）

荏開津典生（以下簡稱荏開津）：我，說不上是主持人，不過，戴先生去年整年不在日本，去遊歷美國、歐洲、中國與台灣回來，我們想聽聽他的所見所聞與感想。戴夫人也特地來參與，非常感謝。還有戴夫人親自做的蛋糕與茶，我們等一會兒可一邊聽講，一邊享用。請戴先生開講吧。

旅行緣起：蒐集二二八事件資料

戴國煇（以下簡稱戴）：荏開津先生來電話，要我來閒聊，上次的聚會我們請了磯村尚德〔譯註：NHK的資深廣播員〕先生談張學良〔譯註：磯村與張學良曾在NHK對談〕的事，我想也提及此事來塞責，以輕鬆的心情與會。

立教大學成立國際中心，我當了第一任國際中心長，連續當了兩期，去年便被允許請了一年假。

長期以來我在準備——已以中文出版的《愛憎二二八》（遠流，1992年），送各位可能沒多大意思——總之台灣在1947年發生很大的暴動事件，這件事一直拖個尾巴，國民黨政府視此為禁忌，幾乎不能碰觸研究，有人把這事件說成是台灣獨立運動的契機，在後頭我想以我的看法加以分析。

我的親戚也有人在此事件被暗殺，此後接著又有白色恐怖時代。因此蔣介石政權在台灣，便被定論為以獨裁來實現台灣的經濟奇蹟。台灣現在的總統是鈴木先生、加藤先生都很熟悉的李登輝。他曾經在京都大學念過書，是和我們的專攻相同的前輩。

這個事件剛好今年是45年的節骨眼。我長久以來受神谷老師的關照操心。但其實我在來到東京的第二年便開始仔細地蒐集有關此事件的資料並保存下來。因為這是非常敏感的問題，所以一直不能寫。1983年得到第一次海外研究的機會。在加州大學柏克萊分校當交換學者時，發現有相當多的亡命者在美國，我在那裡做採訪，把自昭和31年以來，以東京為中心所蒐集的資料，匿名以中文在剛創刊的《台灣與世界》連載（〈二二八史料舉隅〉）。真沒想到這麼快就可以出版書，因台灣的民主化急速進展，我每次回去都與李登輝見面〔譯註：李登輝要戴與之聯繫〕，我心想寫書的時機已到，這數年我以美國為中心做採訪，很意外地發現文獻史料也散佚在美國各地。

因事件發生在1947年，所以在日本被保存的資料比預期的少。我以東京為中心所蒐集的資料，大多是香港的，或是偶然出現在舊書展覽會〔譯註：於東京神田神保町〕的，還有是中華人民共和國成立以前的大陸的雜誌與新聞。所以在某種意義上以案情資料為多。

新中國也把此事件看成是台灣人民對國民黨的起義，而做為台灣解放的宣傳使用，而所謂從學界來看的學術研究，至今幾乎未有碰觸才是現狀。

二二八事件在台灣是禁忌，因此不能期待台灣的內部討論。但在外部——最初是東京，再來是美國或擴大到歐洲，搞獨立運動的人，當然把這個反過來利用為反體制運動的原點來吹噓宣傳，總之就是這種情況。我希望能在這關鍵之年，如有可能，計畫在台灣當半年的客座教授，趕忙把蓄積至今的資料整理成文章。

因學制的不同，台灣的學年是九月開始到翌年六月結束，本來可用此形式向立教大學申請休假，但怕給同事添麻煩，所以拒絕一年客座教授的邀約。自去年〔1991〕的三月末，先去美國補充調查，並再做些採訪與確認、佐證，然後有第一次的歐洲旅行，訪問一些人，並在巴黎和柏林的大學找相關資料的蒐集，看看有沒有新資料。

以上研究方面的，另外一個目的是想實地看看德國的再統一。特別是想去看《波茨坦宣言》的波茨坦，所以去了東德與西德。

歐洲與中國之行

另一個問題意識是「歐洲之家」〔譯註：即後來的歐洲聯盟〕的構想正在進展中，我在這四、五年一直在想的是，中國人的國家意識以及中國的近代化問題到底是怎麼一回事。歐洲的民族構想或宗教戰爭的結果所形成的民族國家，在這新的階段，有構築「歐洲之家」逐漸獲得一致的意見。

另一方，史達林以戰車在某種意義是從上面構築的蘇聯聯邦已開始動搖。至少我們在歐洲的時候是動搖了，而現在已解體、完全解體了。

而中華世界卻依然以大統一的國家為目標，因此有台灣與中國大陸的關係，從歐洲立場如何去看的問題意識。

還有我一直在想的是，史達林的血的肅清，希特勒納粹的猶太人屠殺，還有毛澤東的文革，應以什麼樣的形式在人類史與比較史中給以定位的可能。

因有朋友在慕尼黑，便以他的家為基地而嘗試汽車之旅，這是五至六月漫遊歐洲的經過。

六月底經由美國回到東京。然後到香港參加一個會議，接著進入大陸。這五、六年大陸的大學邀我去講學，但我感到政治意圖過濃，每回都婉拒了，這次帶我內人一起，想看看邊疆地帶，所以去了新疆維吾爾族自治區，然後走訪與台灣有關係的廣東、福建。我的祖先的祖籍——數天前「NHK特別廣播」所播放的「客家圓樓」，那就是我的根，我走訪周遭，想實地看看廣東與福建的農村，以之考慮台灣的問題。

此後去北京參加一個研討會，這也是曾經受過幾次邀請，但總是政治性濃厚，所以只答應以觀察員身分列席去觀察觀察。此會議之後，去舊滿洲的瀋陽、長春、吉林。這一方是對張學良的事蹟，舊滿洲國末代皇帝的故鄉有興趣；另一個更大的興趣是，台灣長達50年受日本的殖民地統治，戰後把所謂的殖民地遺產手段化，亦即將之變成自己的東西又更加以發展，連結到新的經濟發展。這事例非常複雜，但簡單地說大概是這樣。舊滿鐵以來，甲午戰爭後的滿鐵到滿洲國，再到日本的敗戰，此過程中日本人留下的舊滿洲的殖民地遺產到底變成如何？總而言之是否成功地手段化與否，還有很想乘坐滿洲鐵路，想看看這滿洲鐵路是在消耗遺產還是在發展中，我是抱此問題意識而去的。

並大致抱著這樣的問題意識走訪大陸的四個地區。在五十餘日間，大致每天都在生氣，我內人在旁邊提心吊膽，替我們做相關安排的是國家民族委員會，他們不做少數民族的表現，總之大致形式上是平等對待少數民族。經由此會的安排，較可以減少台灣的政治色彩為理由。曾有一位維吾爾族的年輕人在立教大學我的研究室做研究，請他做安排，所有交通費、住宿費全部自付，只有一個條件是不住四星級以上的高級旅館，不是付不起，而是住高級飯店以車接送，如此一來恐怕什麼也感受不到，我們的意思是衛生條件不至於生病的話，兩顆星的都行。在上海住三顆星，但是在北京情況就不同了。

從文獻上所知的中國，不實際去看是不能了解的。那是妖怪般巨無霸的國家，真是想不到會那麼大。從數字上的感覺是有，但是實際從飛機上所看到的天山山脈與烏魯木齊到吐魯番的沙漠上，從解放軍退役的司機載我們前往之時所感受到的熱度，無可奈何的狀況，實際體認大陸的近代化真不容易的同時，也更體會到此國家不可能滅亡。

雖是一直在生氣，但還是接受嚮導與歡迎宴會，最後我們也舉辦回禮的宴會，以日本的習慣，或做為一個習慣受招待的人總會講「感謝招待」等謝辭，但是我發現五十多天的旅行中，對我們回禮的宴會，從未聽到一次謝辭。

是很細瑣的事情，但令人感到生活習慣與生活方式的不同。還有就是那麼貧窮但是很浪費的事情，我關察到兩點。

一個是吃飯，本來中國因為貧窮，或是戰亂持續過久之故吧，會彼此問候「吃過飯了嗎？」中國大陸與台灣完全相同。我們夫婦並不是參加旅行團，而是用自己的預算請人安排的，這個場合，早餐根本不必那麼多菜，請他們不必擺那麼多，但是或許是覺得對不起客人，或許不那樣做賺不到錢，你說不必啦，他們還繼續端上來。這樣不說，那麼沒動筷子的請他們收回去，他們也不聽，真是搞不懂，用中國話對答，應有合理的說明，或許把我們當成華僑對待吧，連身為中國人的我都搞不清應酬話與真心話的分別。

偶爾夫婦兩人去飯館吃飯，常看到年輕人叫了很多啤酒在喝，的確各地方有地方產的啤酒，很是浪費。

水也是一個問題。經常聽東畑老師說，對初期的中國留學生問了黃河的事情，回答是「黃河百害而無一利」，治水的問題是非常大的課題。但我發現另一個水的問題，飯店的水的管理很差，這同時也會破壞建築的。最後，要我做些提案時，因我有一年的美國生活的經驗，相較之下我認為現階段的日本的水管理得最好，我提議他們趕緊向日本取經。「水」也關係到各個家庭的日常消費的自來水為中心的問題。後來去了立教大學的姊妹學校——周恩來先生畢業的南開大學。我問了那裡的學者——他們是住在集合住宅的官舍——有無水的問題，「哎呀！你真了不起，這種話從來沒有人提到。」或許是恭維的話，其實常因此家庭與家庭之間會吵架。明知道會讓樓下住戶不愉快，但住樓上的人也無法控制水，因水會滲漏到樓下。

令人吃驚的是，南開大學蓋好沒多久的圖書館發生因水管理不善而崩塌的事件。

從這些小地方去慢慢思考，似乎變成共產主義政權之後，還是有很多不能解決的問題。此中我所感到的是中國人的形式主義。以電腦來說，有了硬體就放心了，軟體的事情完全不一起考慮。再往下思考發現，他們似乎沒有折舊的概念。

有接待客人的像是招待所的機構，特別是福建、廣東等地，以地點與現存的設備來說，可想像一開始是很好的建築物。但現在已老舊不堪了。總之是沒有折舊的概念而不維修，蓋了就好，之後就形式上的修一下。這浪費所帶來的問題是什麼？我試著與他們議論，知道的人說「戴先生請慢慢看再思考吧。」像是被輕輕地閃開了的感覺。

剛才，提到舊滿洲的事情，因人口多、分母大而餅小，結果不能像台灣那樣的殖民地遺產靈巧地在新體制中重組，再將之伸展，並將此做為槓桿來發展。看滿洲地區，直可惜似乎沒有這個跡象。那結構上的問題到底是什麼呢？

看了廣東、福建之後我發現香蕉的品種已趕上台灣，甘蔗也在相當不錯的水準，其他也有相似的田地、圃場，應該可在品種改良及其他方面加以改進吧。

在台灣提出這看法時，他們說有類似農業和平部隊的構想正籌備中。

只是，人民公社已解體，人民有充分的幹勁。在這種情形之下，到底價格體系的問題是怎樣，對農民的獎勵、價格的問題會以何種型態的市場原理發揮作用。至少以全體氣氛來說，農村呈現明朗樣貌。

因此1989年的天安門事件時，日本的媒體一直要求我發言，我不做一切發言，但之後寫了幾篇東西。總之農村不動，就是北京百萬知識分子、學生動盪，中國則是紋風未動。那個時候我就有這樣的看法，特別是興奮的年輕人在天安門廣場，搬出自造的自由女神而得意。這終究是美國電視台等說，如果沒有搶眼的畫面則不能報導，而用種種方式獎勵唆使他們做了此舉，我想，問題是在那裡的——我們在中國近代史中，1919年的五四運動時那條路——某種意義是美國自由女神之路，中國有自覺走不通，所以才有後來中國共產黨的出現，某種意義也是蔣介石被毛澤東率領的中國共產黨追趕去台灣的原因。

在天安門事件騷動的那些人，去年的5月4日我們先去美國從巴爾的摩（Baltimore）飛倫敦，在普林斯頓大學有友人，他們在那裡要舉辦「五四到天安門事件」的演講討論會，要我去參加，我便以觀察員的身分去了。當時所謂在天安門事件很活躍的柴玲，那可愛的女孩也出席了，且實際上與當時在天安門事件報導時所看到的印象完全不同，是個非常神經質的女孩，抱著一隻小狗。為什麼那個時候會成為那樣的英雄，令我深切地感到是電視所造出來的虛像。

而現在，在國外搞民主化運動的一夥所講的邏輯，我們長久生活於自由世界的人，想盡量正面地去傾聽，但感覺上是那種邏輯不足以成為改變中國的力量。他們不會英語，沒有生活的手段。

非常有趣的是，天安門事件發生時，在外的有錢人華僑捐錢給他們。但隨著時間慢慢經過，華僑開始生氣地罵他們。總之「你們是在妨礙中國近代化」，所以住在中國城的華僑一心期望中國強大起來，早日安定。對於在天安門事件時鬥爭過而受評價的那些人，給以金錢援助，可是來了美國那些人就經常吵架，借用生活費，又不做正經事，所以對他們生氣，最近這些人之間已支離破碎。與當時的孫文，或在法國一邊工讀一邊搞共產主義運動的周恩來、鄧小平等的氣氛有很大的不同。

這邊想盡量給予理解，伸出援手，但是天安門流血事件具體如何並不知道，在中國史上，對中國人長年圍繞近代化的遲緩不前、爭鬥、苦悶，到底引起多少漣漪，很悲哀在巴黎也和他們議論了，但是好像不能有什麼期待。

台灣見聞

接著是我在台灣的半年，上次聚會時請磯村先生來，我做了預言——經濟學徒不應做預言，這是危險的——亦即張學良會回中國大陸。這個在〔1992年〕5月1日的《朝日新聞》報導出來，之後《讀賣新聞》也報導，而香港的雜誌《九十年代》在五月號以特訊報導張學良回去中國。有關此事，台灣當局說「那是誤報」。但在台灣大家都肯定他是回去過了。因為年齡那麼大了是當然的。

為什麼會這樣說？因為他首先出國去了美國之後，有幾天的空白，可推論是在那幾天回去中國的。

其實，當初磯村先生在NHK的回顧西安事變節目中，邀請張學良訪談，當時掀起很大的回響，在台灣也是。然而現今時勢的潮流之急速真令人啞口無言。我一年不在之間，世界變了，日本也變了，而台灣的變化之快更令人感到恐懼。在某種意義上，張學良的去與不去中國，在台灣已不是什麼新聞了。總之已不重要。因台灣與大陸的關係已急速地在人的方面的學術交流，文化交流，在經濟面也是，所剩的結果只是政治的部分。

實際上現在，很大的代表性人物去中國交流，以日本的說法就是學士院的院長，亦即台灣的中央研究院，即學術的最高機構，這是總統府直轄，在傳統中國是學會的最高權威。那位院長姓吳，是位物理學家，係獲得諾貝爾獎的中國物理學者李政道的老師。吳院長是特任官，直屬總統府的地位崇高者，現在人在北京。據說完全是私人性的訪問。

獲得諾貝爾獎的李先生夫妻特地到台灣接他去北京。另外一位是與日本多少有關係的趙耀東先生，他當過經濟部長、MIT出身的，以日本來講就類似大來佐武郎〔譯註：1914～1993，東大工學部畢業，大平內閣外相、國際性經濟學家〕的人。學自然科學，親手搞經濟計畫。現在是總統府的國策顧問，但以台灣的中華經濟研究院——民間機構，類似日本的亞洲經濟研究所——顧問的身分參加在北京舉行的有關發展經濟貿易的演講討論會。因地位高有影響力，這種交流頻頻進行著。另一方面，這二、三天日本報紙也有部分報導，有關台灣的國大代表，此國民大會代表是中華民國的特殊制度。

大概是當時成立的時候，中國太大，與其以上院、下院的型態，不如以總統府有關憲法改正時的國民代表大會，像是間接的國會的機構，但另外還有立法院的存在。這國大代表是在大陸的時代所選舉出來的代表們一直留存下來，在去年年末，使之全部退職，正好我在台灣的時候，舉行了選舉。

在這個選舉之前，民主進步黨——以台灣出身者為中心，主張獨立的人們所組成的反對黨——在其綱領要不要寫進台灣獨立建國，在黨內有了一番爭論最後寫了進去。而以此為標語進行選舉運動但慘遭敗選。

選舉時我正在台灣，日本的大報紙以及電視的相當重量級之士與我的朋友都來台採訪。我見到他們時，問他們什麼事這麼大費周章，他們預測有重大的改變。我說：「不會發生什麼事的」

「真的嗎？」實際上什麼也沒發生，事實是令人預想之外的民主進步黨的得票率是比以往更減少。最初的預估是確保四成的票，但實際只得了27%。今年年底有立法院的選舉，已經決定要取消此政治宣傳。街頭示威遊行一時非常盛行，漸漸受市民的批判，因此示威遊行也漸失風頭了。

昨晚我的助理說，好像有有趣的電視節目，因此我也看了，結果是近來不見面的熟人叫作羅福全，現在國連大學研究，羅在電視沒有說，但他曾經在日本滯留過，是在早稻田大學或者東京大學的經濟系我忘了，他已取到美國國籍，在搞台獨，他說要回去台灣。

那個電視節目有趣的是在大陸的Soshikou（音譯，ソシコウ）先生也出現在電視上，我當然未與他見面，他是日本東北帝大的出身，已在大陸很久。那些人也已能回台掃墓，而且戰後從台灣出來去大陸的人也回去過。

到底台獨運動或台獨的綱領是怎麼一回事，這就是中國政治的複雜與費解。特別是研究現代史，真是很難判斷。

我在昭和30年來日本以後，這中間有回不了的情況，後來能回去也只住一、二禮拜，從來就未住一個月以上，這次第一回住了半年。在這半年我旅行、訪問親朋，也想了解民情、觀察選舉，並希望把二二八事件據實寫書，我期許自己盡量克服主觀與偏見來看事物。結果，到底台獨運動，或者過去的反體制運動是什麼。過去的台灣獨立運動差不多以東京為中心。最有名的人是邱永漢，但邱永漢現在卻專門帶領台灣的中小企業或日本人去中國，說是中國才有將來，致力於勸說投資中國大陸是他目前的現況。

八百半大陸網的展開，顧問邱永漢給予相當大的支援，八百半諸位都知道，是靜岡地方的小商業資本。現在新加坡、香港、連紐約也有分店，我去過，吉隆坡好像也有。又把本公司移往香港準備進入中國大陸。大陸當局也相當歡迎。而在台灣，八百半也展開中。我未與八百半的社長見過面，只間接聽說過。

從而在台灣的獨立運動漸趨萎縮，剩下的部分是在美國取到博士學位的人，因美國想在台灣實驗其民主主義。所以讓大陸過來就不妙，因此主張獨立。

大多數的一般庶民在想什麼，大概最大公約數的人們是認為台灣的現狀很幸福、愉快。過去祕密警察的恐怖感已大致消除了，僅限於此事，李登輝所盡的任務應給予高評價。

沒有恐懼感，可自由出國，去大陸也幾乎無限制，只有規定官僚，亦即高考及格的高級公務員某層級以上不能去，國立大學的教授也可去。剛才所提到中央研究院的院長是特任官卻也去了。對在野黨的質疑，當局似乎便以那是「以學者的個人身分」答辯。

大體來說，台灣獨立運動，從宗教層面來看，基督教徒在一定的程度持有力量。但從統計上看基督教徒大概是50萬人，而超過此數目的媽祖信徒，他們去大陸，以日本式講法就是組旅行團去本山參拜。所以把這些整理一下，其實現在台灣的老百姓不希望中國共產黨立即進入台灣，受其政治統治，但希望最好是能自由往來，去旅遊、投資、賺錢。

大陸方面也不明說。總之對美關係或國際關係上，一直主張台灣是中國固有的領土，所以是內政問題。可是如果真正把台灣吸進去，是否能像現在的情形，外幣還能陸續進去也未可知。現在許可200萬人的近親訪問，而大概已有200萬人次去大陸的統計。那200萬人次，除了旅費之外，一人大約帶進去3,000美元吧，依中國人的想法是長久不回故鄉因此要帶錢回去。根據這個來算那是龐大的外幣。

日本的泡沫經濟破滅之後，觀察日本國內的資本動向，對美關係來說就是電腦亦即電子工業的部分以及汽車，而電子工業部分已急速地轉進大陸——以往是以中國大陸的政情不安，承接機構的不健全為理由而躊躇不前的日本企業，現在電子工業相關的產業已相當積極踴躍地在行動了。

台灣在亞洲四小龍中有如今的活力，實在是巧妙利用大陸為腹地之故吧。

我在台灣時，正好有「物產」〔譯註：指日本商社例如三井物產、住友物產等〕的高層代表團來台灣，恰好其中有人讀過我的書，因當地的部長告知我在台灣，所以我也被邀參加宴會。

宴會未被公開發表，是由會講日語的台灣財界人士、政府經濟機關的高官以及台灣與日本合辦企業的十數人聚會，令我意外的是會中物產的高層人士很羨慕地說：「台灣真好，遇到困難就可逃難，或一時避難去大陸，整軍再出擊。」日本正面臨很困難的狀況。從物產的牢騷來看，那內容我不太了解，但很清楚的是，台灣是因工資漲得厲害，所以去大陸投資。也聽到很離譜的風聞，因在大陸設廠，經由香港去大陸，在那裡僱年輕女子，可以為你接電話、洗衣服、煮飯又可陪睡〔譯註：亦即包二奶〕，每月只花費1,000人民幣，而對太太也有正當的說辭。有這種心懷不正的人存在，說穿了就是這樣。

有的例子是如我的侄女婿，他是從東德亡命去美國的高級技師。原本在台灣設立台美合辦工廠，在台灣做不下去，所以在廣東設工廠，他是美國人，我侄女的工作在台北，孩子們也在台北上美國學校，所以不願意搬去大陸住。那麼我的侄女婿怎麼上班呢？真令我吃驚，他是禮拜五的傍晚，從香港乘飛機回台，禮拜一早上乘第一班飛機經由香港去工廠上班，這種狀況是從報紙上了解不到的。

這是從私人關係獲得的消息，總之台灣與大陸的經濟已日益加深，成為相互依賴的關係，現在政府當局非常頭痛，因進行得過快，形成當局無法控制的狀況。如果大陸的政治體制有所改變時，台灣的經濟會演變成什麼樣，有這種危機感存在。

中台關係

圍繞這個話題，最近，台灣當局的總統府副祕書長亦即李登輝的副官房長兼發言人。他以私人的見解說，以東德與西德為例來考量，是否可締結相互不可侵條約的基本條約，先締結如上條約之後，將來再考慮統一即可，現在不是談統一的時機。圍繞此事與大陸之間當然有回應，台灣內部也有議論，所以也有人說，不是締結相互不可侵條約，而是相互防衛條約才是。相互不必立即統一，現在有與菲律賓、馬來西亞、越南之間圍繞南沙群島的石油開發問題。總之共同防衛條約才是最重要的，種種議論正進行著。

大體上的感覺是對三通問題，蔣經國在世時的回應都是「不」。但現實情況是人、文化、學術的交流已在進行，經濟也進行著。現在只剩政治，政治也無止境進行嗎，或保留一半？這是現在的狀況。李登輝在總統府內組織國家統一委員會，做了國家統一綱領，分成三階段，可是以沒有定時間表的狀態在對應。

具體地說，修憲討論在昨天或前天的國大代表大會上，民進黨籍代表幾乎全部退席，以日本的說法就是國民黨的單獨踢球進球門。民進黨的人數也不夠，本來就可通過的，就這樣總算結束了。剩下的就是年底的立法院選舉會有什麼結果。

現實的問題是，蔣介石父子從大陸帶來的舊民意代表全部退職，全換成新的民意代表。那就是說，像我們這樣的人參加政治的機會大，就此而言，希望參政的不滿被消除了。

所剩的是民進黨與國民黨的角力變化。因此，問題是，國民黨的台灣化以何種型態進行。因此在某種意義上，李登輝現在是黨主席，他是否能十分達成近代化的課題，是否能以黨主席身分充分掌控，令國民黨自己脫胎換骨成為近代政黨。而因此民進黨也有所改變，到現在為止民進黨倒是有受鎮壓而得到同情票以擴展勢力之感。因身在學界，我的要求可能稍微嚴格，就因為他們不用功所以我有意見。

現在的民進黨的主席許信良，是我的同鄉。他來東京時我們會見面，與他議論時，他對我說，國民黨的自我變革已不可能，已腐敗透頂了，所以民進黨絕對能奪取權力，他這樣說。但是他不必然是徹底的獨立運動者。總之我們取得政權，由我們來主導與大陸和共產黨，或由我們與可取代中國共產黨的新政治力，協商談判解決台灣問題，他是這樣主張的。不是所謂的絕對不要與中國合併，或不與中國統一。所以他常常被激進派批評為「灰色」的理由在此。

在議論中的我，經由觀察得到：國民黨有分裂的可能嗎？好像也沒有。型態是分為主流派——以李登輝為中心，與非主流派——即保守派與蔣介石一夥一起移到台灣的舊國民黨上層人士。但實際上與蔣介石一起來的人之中也有李登輝的支持者。有這種情況的存在，這是意識形態的問題，或是今後要把台灣導向何方的政見上的不同嗎？好像也不是，總而言之，國民黨是非尋常的利益集團。講明就是，從日本接收時，日本人或日本當局所有的，以不動產為中心的財產或企業，都變成公營或黨營——國民黨營。這讓生存在民主主義社會的人感到奇怪，但現實問題是當時的國民黨是一黨獨裁。在其支配之下，掌控分配；那也是掌握國民黨金庫的人，只要那個人在支配，他便可掌控算盤。除非考慮革命，民進黨是否是革命的，如果不把台灣推翻，要國民黨分裂不容易。從國民黨的立場毋寧說如何分散其不滿，如自民黨那樣適當地分配給派系的形式是個課題吧。在此意義上國民黨的當局、黨中央，很用心在研究國民黨與自民黨，想導入自民黨中派系之類的形式於國民黨，而在派系較量中做制約與平衡，然而在這當中求其活性化，有像這樣的提案，我也被徵詢意見過。我覺得日本有日本的歷史與政治文化，是否能那麼簡單地適用於台灣，是有疑問的。

一般大眾擔心民進黨把台獨綱領寫進，因而觸怒中國共產黨，生怕共產黨來攻擊。總之，中共當局一直明說，如果台灣搞獨立，或有外來帝國主義勢力的介入，便要行使武力。

在野黨認為那只是威脅，中共不可能行使武力。而民眾的想法是，維持現狀最好，何必去刺激中共。

另外民眾之中也有同是中國人的想法的，認為大家都是同胞。有如下的比喻，比如家族中，出現一個優秀的人才，讓他去念醫。其他家族便拚命賺錢供他一人念醫學。等念完醫學，開始賺錢、娶親，之後便想避開窮困的本家。本家也並不是要求他把賺的錢全部拿回來，只希望他分一些幫助弟弟、妹妹而已，如果不聽話就以舊家長體制處以嚴罰。有人想，中共當局是否有這種感觸？

原來台灣有今天是蔣介石為了保護自己的政權之故，將中國大陸的四個銀行準備金的全部外幣運來，與台灣後來的內部力量結合，所以應該說台灣之經濟力並不全是台灣自己的，還有去台灣的中國大陸技術者、專家等，拒絕共產主義而去台灣的人們，也對台灣的今日的經濟發展有所貢獻，這些人不一定說要台灣獨立。現在立刻統一不恰當，但將來條件適當時可統合為一。現在台灣的激進派所主張的急統、急獨的形式都不好。也有這種意見的。

所以最大公約數是不刺激對方，請對方加緊努力；這方也努力於民主化，落實經濟、實施有內實的安定政治，將來的事將來再想就行了。特別是最近日本、美國的經濟情況都不好，這之前台灣的經濟是在鑽日、美經濟的間隙而巧妙地維持下來，但這是利用中國大陸為腹地之故。

現實的問題是，去年經由香港與大陸的貿易大概達到50億美金，與前年度比較增加了40％。現在的狀況是，在4月5日這次從台灣回來日本之前，聽一個專家說：「不！今年可能會超過百億美圓吧。」投資也在急速地增加，他說。

二二八事件

接著要講二二八事件。今天發給各位的，翻譯我雖不喜歡，恰好有書評登出，有譯成日語的，對我的採訪也譯成日語，翻譯是在台灣的日本人留學生做的，原稿沒讓我看，所以不一定正確，今天帶來謹供各位參考。

這二二八事件發生的時候，我是初中二年級。一年級的時候，國民黨政府與日本的台灣總督安藤〔利吉〕——最後的總督簽約，是1945年10月25日。這個事件發生在1947年2月27日傍晚。因為取締走私煙的警察，強取了以此維生攤販的中年婦人的煙與賣煙收入，目擊民眾發出抗議，受抗議而驚慌的警察拔出手槍做勢威脅射擊，卻不慎打死了民眾之一，因此抗議活動便蔓延開來，主要在市區發生暴動、戒嚴令發布在市區。後來大陸的軍隊上陸，開始恐怖行動。很多當時的菁英，如律師、醫生等，以及地方的領導者，未經裁判而被殺，這個事件的後遺症一直持續著。在事件的當中，我親眼目睹了，家父因擔心而把我監禁，所以我終於未直接參加。但在這事件的過程，並沒有出現台灣獨立的口號，全是要求高度的自治與譴責國民黨的貪污官吏而已。

那個時期是難得的有言論自由的時期，當時的台灣行政長官的陳儀，是第一位畢業於日本陸軍大學的中國人，其妻是日本人，是一位非常清廉的人，一位很好的人，但很頑固，是個自信十足者，因相信自己帶來的人與自己一樣清廉。在我看來他是位十足的唐吉訶德。

而台灣的民眾對大陸太無知。因為受了日本50年的統治之間，受日本當局的禁止之故，我們與大陸之間幾乎不能來往。我的祖父去過上海一次，是為了做茶葉生意，手續非常麻煩。所以有一部分人經由日本潛入大陸的例子，從台灣直接去大陸，除非與日本人有特別的關係，不然是幾乎不可能。

因在被阻斷的情況下，對中國大陸的腐敗，或政治文化的互不相同，沒有任何知識。總之戰爭結束了，到此為止，受日本警察與惡毒的殖民地官吏的欺負結束了。從此可以用自己的手經營台灣，能與大陸在一起，沉醉於聯合國四大強國的幻想中，這雖非真的如此，但大部分的人都有此感覺。然而經過一年四個月，情況是一塌糊塗。來台的軍隊是勉強湊合的。因在中國大陸，中國共產黨與國民黨的精銳部隊已開始打內戰。最初來台灣的陳儀將軍很懂日語，對日本情況非常詳細，非常喜歡德國，是位能吏且非常清廉，所以開始大家對他很期待。但結果是漸漸地無計可施，而變成那樣的狀況，所以民眾生氣。民眾為何生氣，現在在這本書〔譯註：指《愛憎二二八》〕我有提及。但在當時民眾搞不清楚，對貪污不愉快，很失望。而且當時的情況非常地反常。例如我是客家人，在台灣是少數族群，大約占人口的13%。在城市，特別是台北所使用的語言是我內人所用的福建南部的語言。我稍微聽得懂但講不好，有客家腔。二二八事件當時我被叫住，因有客家口音而挨揍。總之，從大陸來的，所以不會講台灣的話，不會講日語的人便挨揍、受報復。報復應是對貪官污吏報復。但在那興奮的狀況中，有頭紮頭巾的，有揮舞著日本刀的用日語盤問「你是不是從大陸來的外省人」，我說「不是，我是客家人」、「那麼你唱〈君之代〉看看」殺氣騰騰如上面所說。中日戰爭剛結束，從大陸來的人，當然有做壞事的傢伙，但也有當老師等種種善意的人，被那些狂怒的，揮舞武士刀、學日本人紮頭巾，以日語怒罵「混蛋」〔譯註：馬鹿野郎〕等，一定受到很大的傷害，所以反映在軍隊進來時的鎮壓吧。

我從語言學、社會心理學上做了研究，試著去為當時狀況解釋，歸根究柢是因被剝奪了語言，沒有自己的語言可表達，沒有共同的語言。共同的語言有兩個意思，語言學上做為媒介的語言，另外一個是政治語言，雙方都沒有。政治語言有正面與反面，對方如何出招，一直共同生活的人便能理解，也知道對方的企圖。自己這邊要講什麼對方也會知道，不管正面負面總有聯繫，但是台灣的人就沒有，所講的話不能通，同時也不懂對方的政治、文化。從大陸來的人抱著「日本人可惡，侵略中國又侵占台灣，我們戰勝了，所以取回台灣」的自豪心態來台，但是自尊心與貪污、把錢放進自己口袋並不矛盾，在這樣的狀況中持續了那個悲劇。

使那悲劇更加劇的是，1949年國民黨在國共的內戰敗下來。國民黨撤退到台灣，當然也如越共在解放西貢時潛入很多共產黨分子的例子一樣，大陸的共產黨分子也會潛入。因怕台灣被共產黨推翻，所以施行戒嚴令。這個ID卡就是國民身分證，我們必須經常隨身攜帶，大陸因太大，建立近代國家的日子才不久，所以戶籍制度未被整頓好。但台灣經過日本的殖民統治，所以戶籍謄本整備的非常完整，共產黨員便被徹查出來槍斃掉。這是二二八事件後緊接著發生的，況且是二二八事件時對國民黨失望的台灣的菁英們就左傾。對此經過有位中目〔譯註：楊威理的日本名〕先生在今年《世界》的三月號發表一篇文章，有一位從當時的二高〔譯註：仙台高等學校〕升學東大醫學部的葉山〔譯註：葉盛吉〕先生，光復後回到台灣，進台北帝大的醫學部，當學生自治會的主席，之後成為地下黨員而被槍殺。那部分我相當清楚，但至今不能寫。現在中目先生寫出來引起回響〔譯註：指楊威理《ある台湾知識人の悲劇》，岩波書店。中譯版：陳映真譯，《雙鄉記—葉盛吉傳》，人間出版社〕，這個情況持續著，台灣是因恐懼感而窒息的狀況，所以不滿情緒積存著。

依我的研究，獨立運動是在二二八事件的土壤上萌芽的，而中共政權已成立，不可能與中國共產黨走在一起，對於國民黨就連美國在《中國白皮書》上也要將之棄而不顧。所以對美國抱希望，或許美國會支撐台灣出身者建立台灣共和國，處在這樣的期待之中。1950年以降，在日本建立亡命政府，現在亡命政府的聲音幾乎聽不到。這之後，在日本的滯留很困難之故，比我後輩的人，到美國念自然科學的人增加了，以美國為中心滯留，或國籍取得、人權保障的問題等，是獨立運動移轉去美國的原因。那些搞獨立運動的領導們也從去年陸續地回台，當局也徐徐地解除黑名單的樣子。從此來看，我已在岩波新書〔譯註：指後翻譯為《台灣總體相》一書，參見《全集》2〕上預言過，那些人離開台灣二十數年，處在美麗的誤會之中。好像是自己回去登高一呼，大家都會跟上來，實際上不出我的預言，那些人回去，台灣的民眾也不支持。只是受一部分的年輕人支持。民眾才不理這個，現在的情況是這樣。今年年底的選舉，以及剛才講的李登輝領導的國民黨實質上的改革成功與否，在此連動的關係上，民主進步黨自己是否有發展的餘地。再者是最後台灣獨立運動的發展與否，其實是中國共產黨能提示，鄧小平所說的有中國特色的社會主義，不是喊口號，而是有模型或可能的展望，那麼台灣獨立運動便逐漸地模糊淡薄。但是如果提不出，而中國內部又發生混亂，就會有問題發生。總之，我前年所出版的書上，提示了「睪丸理論」。因找不到更恰當的言詞姑且用了。意思是比喻中國大陸為男人的身體，而台灣、香港、澳門是睪丸。我常常和那邊的學者議論，他們也大體認同我所說的。總而言之，香港、澳門的繁榮沒有中國大陸做為腹地是不行的，只是殖民地而已。

只是，台灣在二、三年前還不太能領會，最近逐漸地能理解我的「睪丸」理論。這個理論的意思是，睪丸這個東西，如果被吸進體內，精子便會死掉而發生不了作用。如果被割離了也不能存活，所以不即不離最好。結果是中國大陸與香港、澳門、台灣的關係是人體與睪丸的關係，這個關係暫時會持續，這是自立，而不是獨立也不是分離，是自立的睪丸但是與身體連在一起，也可說共棲。是自立與共棲的關係。這種狀況要如何使中共當局與國民黨當局的上層理解。我期望海峽兩岸新關係的構築，用日語做了演講，去年在台灣的電視講過，現在正在用中文整理論文快要完成了。

中國大陸的反應我不清楚，但是台灣內部認為這是很有趣的提案。一位極熟識的女記者說「沒有更優雅的言詞嗎？」（笑）可是真的想不出更巧妙的比喻。

很草率地講到此，接下來的時間就回答各位的提問。（拍手）

問與答

荏開津：非常感謝。想質詢的各位請提問吧。

神谷慶治（以下簡稱神谷）：不是質詢，不過蔡kaito（音譯，カイト）這個人你認識嗎？好像是台灣從事海外活動的。

戴：是否是在農大取得博士學位的人？最近不大看到名字了。

神谷：此人向我提出報告。總之是海外活動的報告，關於農業的援助活動的。報告中出現ROC，而且頻頻出現，但沒有說明到底是什麼，查看年鑑是Republic of China。是使用這個國名嗎？

戴：是。是叫作中華民國。

神谷：哦，是嗎，終於了解了。與這個相關聯的，我看了年鑑，國家差不多都是Republic，偶爾有Kingdom的。日本或許從前也是Kingdom吧，日本現在也不加Republic，只是Japan，什麼都沒有，而說明也只有寫日本。那種國家有120至130個吧，或許加拿大沒有。所以就想請問各位，日本到底是什麼？只有Japan，也不能成為Kingdom，也不是State，也不是Republic，到底是什麼？（笑）你們如何想，日本到底是什麼，我想聽聽看各位的意見。

戴：那是非常巧妙的。我想是吉田茂先生的獨創。我們攜帶外國人登錄證，現在已變成這麼精簡的一張東西，國名不是中華民國，也不是中華人民共和國，而只是中國。總之吉田先生要制定《外國人登錄法》的時候，或許讀吉田先生的回憶錄會出現，我與松本重治先生有私交，從他聽到很多軼事，早晚台灣與大陸會在一起。但當時受杜勒斯的要脅或是要求，不與台灣締結和平條約的話，就不讓《舊金山和約》通過，吉田先生沒辦法就去與蔣介石交涉，但在那場合就以中國蒙混。可是有趣的是，現在與北京有國交關係，但依然使用中國。台灣獨立運動者填寫台灣，在入國管理局會被刪掉，寫中華民國也被刪。那意思是神谷老師說的，我覺得日本的法務官僚想的真是巧妙。所以老師所說的Japan，這個問題是老師第一個提出來的吧，普通的人是……

神谷：是這樣嗎？

荏開津：不大去考慮吧。（笑）

戴：老師，現在我想請教，今天所講的，德川家康、幕藩體制與鎖國的話題在整個東南亞之中談到時，我突然發現，德川家康的所謂的征夷大將軍的「夷」，當時有什麼含意嗎？

荏開津：假想敵國是哪裡的問題吧。

戴：是。征夷有內部的夷，但是夷狄以中國的說法就是野蠻人，照現在的講法就是少數民族。家康的征夷就是統一了日本，是指所有周邊嗎？

加藤讓（以下簡稱加藤）：第一個獲得征夷大將軍的應該是坂上田村麻呂，他是去平定東北地方的人。那時是叫作東方的蝦夷。似乎指這個，我小學時是這樣理解的。

篠原泰三（以下簡稱篠原）：應是只有征夷大將軍的名稱留下來吧，坂上田村麻呂所獲得的一直照樣繼承下來而已。

戴：總之是以大和地方為考慮，以大和地方為中心，其周邊則是「夷」。

篠原：坂上田村麻呂去征伐北方。

戴：但是中國人講的是北狄、東夷。（笑）

篠原：應沒包含，德川家康的征夷的「夷」是國內問題。以其說是國內問題，其實是沒有內容的、空的稱號，即沒有實質的。

戴：空洞化的。

篠原：是，我想是空洞化的。

神谷：中國沒有嗎？不是有蠻夷戎狄。

戴：有，可是那四個是可合理說明的。例如說明家康的鎖國時，會說他是征夷大將軍，並問學生知不知道「夷」是什麼，卻沒有一個人能回答。所以，「夷」是什麼，我是以中華思想來說明，那麼大家……

篠原：我想是沒有關聯，應該如剛才加藤先生所說的，坂上田村麻呂所得到的稱號只是一直沿用下來而已。

加藤：沒有天皇那樣的尊嚴，但是有權力，奉天皇之命去鎮壓不服從者吧。當時到底哪裡是最大的叛亂勢力，大概就是東方的奧羽地方吧。

神谷：足利尊氏也是征夷大將軍。大家獲得這個稱號。打仗輸弟弟，也能讓弟弟投降，完全輸了也強，征夷大將軍是這樣

的。（笑）

篠原：戴先生，我想請教，寫信給台灣人時，他們回信寫「日本・東京」，這邊只寫台北或台灣就沒有國名，那麼寫中華人民共和國……

戴：最好不要，否則會寄到中國大陸去。（笑）

篠原：寫中華人民共和國・台灣好像不恰當，怎麼寫好呢？

林彩美（以下簡稱林）：是中華民國。

戴：可是郵差會搞錯，還是寫台灣台北市就好。

篠原：我常猶豫，台灣在原則上是中華人民共和國的一部分，中華民國已不存在吧。

戴：不，台灣說還存在。（笑）

篠原：搞不清楚哪。

加藤：我擔心給收信人惹麻煩，因此我會寫中華民國台灣省台北市什麼的，我想這樣最沒問題。

戴：是，的確如此。只是偶爾會被送去天津或北京，並再送回來。日本的郵差搞不清楚，一看到中華民國就以為是大陸。如果緊急的信就因此耽誤了。

加藤：所以就在下面加寫Taiwan，用英文來判斷的人就不會有錯。

戴：只是，最近這也不成問題了，李先生也說實際情況最重要。

篠原：總之寫台灣就可以囉。

加藤：那麼我寫中華民國台灣省台北市。

戴：這是當局最感謝的。

神谷：政治的事情很難，今天不想去碰觸，但是看世銀的統計，有中國但沒有台灣；看美國的年鑑，便有台灣、韓國；看日本的外國資料，也有台灣。所以為什麼世銀的沒有？還有到底統計中有中國，是否也掌握了台灣，寫著中國的是否也加進台灣。不知究竟如何？

戴：大陸在主觀上是這樣做吧。

神谷：哦，是有加入啊。

戴：是，主觀上是這樣。有趣的是，周恩來先生過世時，他的骨灰從飛機上撒在全國，我可否說，也撒在台灣的上空。（笑）如果被飛彈擊落就麻煩了。所以政治是虛虛實實的。

丸田宗平（以下簡稱丸田）：總結地來說，看世銀的統計，平均個人所得，在世界157個國家之中，中國排第22位約300美金。但是如何單獨看台灣，是更高吧？

神谷：台灣應是屬於高所得國的。

茌開津：台灣現在已經是4,000美金……。

神谷：不，記錄為約7,000美金。

戴：好像是未滿8,000吧。不過，搞不清楚，為什麼台灣人那麼有錢。（笑）

神谷：還有一件事想請教，農地單位面積的人口數，台灣與日本幾乎一樣。日本只能自給自足三分之一。台灣的情況目前如何呢？如果能自給自足將會變成不得了的國家。

戴：最近我對農業沒做什麼調查，但是米是有剩餘，所以主要作物大概是果樹。最糟糕的是檳榔種植的增加。

茌開津：前些時候，我咬了檳榔後不舒服感持續了一陣子。

（笑）這是我第一次試咬檳榔。

神谷：茬開津先生，前些時候，不是說台灣比日本進步多了？

茬開津：上個月吧，我去台灣一禮拜，到很鄉下、相當鄉下的地方，但不管那戶人家都有汽車一兩輛的狀況。

神谷：電視好像也比日本多。

茬開津：的確比日本多，不如說已完全普及，就此來說是完全的已開發國家。

神谷：又加上農業能自給自足，會變成世界最好的國家。

茬開津：這點我也很想做調查。米的價格，韓國的以國際價格換算成美金，大概已和日本差不多，然而台灣卻還很便宜。但是台灣的工資水準卻比韓國還要高。這是為什麼，很難理解。台灣米便宜很多，幾乎一半以上……。

齋藤：當然米是自給吧。

茬開津：沒錯。

丸田：當然是與日本一樣的短粒種〔譯註：指蓬萊米〕，不是長粒種〔譯註：指在來米〕吧。

茬開津：是吧。真想調查為什麼便宜的原因，但還沒做。

神谷：日本也買進相當多的農產品。

茬開津：向台灣買蔬菜等。

丸田：鰻魚是全部從台灣輸入，所以經濟水準非常高。大概與韓國差不多吧。

茬開津：比韓國高。

神谷：月薪寫的是12萬圓。所以是我們在東大時稍微高吧。

和戴君在東大一起研究時的日本差不多吧。（笑）

戴：總之為什麼台灣人那麼有錢，問大家都沒有一個合理的說明。

齋藤誠（以下簡稱齋藤）：神谷先生，現在的台灣總統是在日本念農業的，您知道嗎？

戴：是京都的，京都帝大的農林經濟學科。二年級的時候學徒出陣吧。

鈴木忠太（以下簡稱鈴木）：是的，去習志野，在那裡當兵。

齋藤：最近，請前國際食糧研究協會的所長約翰・梅勒（J. W. Mellor）寫稿。在文章中提到李登輝。李寫日本把台灣殖民地化時，建立食糧生產技術的基礎，一直持續到今天。那篇稿子說那本書很好，可說是傑作。

戴：應該是他的博士學位論文，是在康乃爾寫的吧。

鈴木：有《李登輝全集》，三省堂本的。

齋藤：日語的嗎？

鈴木：不，中文與英文都有。中文一冊，英文兩冊。很厚的書，不方便隨身攜帶。

齋藤：在農業關係上也有一定指導力吧。

戴：本來入閣時是擔任農業的。他1972年入閣。

鈴木：一直在農復會從事農業相關研究，後來變成政治家。

神谷：好像近來……，以前的人也說台灣很暖和，把它想成是日本的理想國似的。那麼現在，看看資料也真是覺得是理想國。去過感覺如何呢？

荏開津：是蓬萊之國吧。（笑）

神谷：真是變得很好了呀。工業也發達到某程度，農業也很穩固，這麼好的國家已經沒有了，剩下的只有政治問題。

齋藤：荏開津先生，這次去台灣是看農業嗎？看發展得很好的台灣的農業。

荏開津：不，我以前就去過台灣，只是都在台北，這次第一次去其他地方，大概老師們也認識的羅明哲君做嚮導，一半是觀光旅行。我覺得農業的水準很高。但是令我驚訝的是，去到阿里山很高的地方，阿里山的日本名是新高山〔譯註：阿里山並無日本名；新高山係指玉山〕。去看種茶的村莊，本來那個村以種竹在生活，也就是說很窮的村莊，但是現在房子也非常好，大家都有汽車，已經沒人坐機車了，真是非常富裕。令我驚奇的是，跟從前的日本一樣，約20位婦女集在一起，戴著斗笠在採茶。這種狀態怎麼能夠製出有人肯出價買的茶呢？茶價是相當高。可是那茶真的色香味俱全，好極了。我也喝了，真是香純馥郁。

丸田：綠茶嗎？

荏開津：不，是烏龍茶。在中國所謂的熟茶。只是在日本已經不再花費那麼多工夫了。但是台灣還是和從前一樣，婦女集在一起採茶。這種情況還能產生買得起汽車的經濟力，真搞不懂其結構如何，米的情況也一樣。

神谷：米是一年收穫兩次嗎？或者變成三次了？

戴：普通是兩次，南部是三次。

荏開津：也看了酪農，因氣候熱，我以為乳量少，但是乳量也有6,000至7,000公升。與日本一樣，技術上是很高的酪農。只是牛是美國的牛。

齋藤：是荷士登（Holstein）〔譯註：荷蘭原產〕種乳牛吧。

茌開津：是荷士登種，但荷士登種是從美國來的。只是今後也要從十勝〔譯註：北海道地名〕運來，但十勝寒冷，適應的問題不知怎樣，說是要在十勝的夏季運過來，屆時與日本的酪農也會有所往來。青菜、水果價格太便宜了！

林：牛奶的價格比較高。

茌開津：牛奶還很貴，因為量太少，不過米很便宜。

戴：是的。

茌開津：為什麼會那麼便宜？

齋藤：因為工資便宜吧。

茌開津：不，工資也不低，台灣已經算很高了。

丸田：其實是日本的米太貴。

茌開津：但是韓國米也很貴呀。

丸田：是，現在變貴了。

茌開津：就此意義來說，台灣的經濟水準提升了，國民所得水準也約8,000美金，感覺上是已經有1萬美金。然而農產品的價格相當地低。

齋藤：沒有補助金吧。

茌開津：沒有。

林：有休耕補助金，也就是讓其休耕。

茌開津：哦，有那種補助金。

加藤：糧食局現在還存在嗎？

戴：有。

加藤：是糧食局在掌握使米價便宜吧。

戴：現在應該很難操縱吧。

荏開津：像貼現率差額的作法嗎？

加藤：是。

荏開津：不，我想不是那樣。

加藤：可是，不知是否為了預防政治上發生暴動，所以確保最低限的食糧生活價格，沒有這回事嗎？

荏開津：不，我想已不是那種水準的經濟吧。

戴：曾經是這樣。

荏開津：很早以前是這樣吧。

戴：糧食局長是我很熟的人，可是最近他對農業不關心了。總之，台灣經濟最令人不能理解的是，經濟的成長那麼大，不知荏開津先生發覺了沒有，有很多女孩子進入餐廳工作，日本是絕對看不到的現象吧。

荏開津：所以剛才也說了，採茶為什麼還有女人在做。

戴：究竟是為什麼？

荏開津：日本是做不到了，工資貴了。

神谷：會變成與日本一樣嗎。那就糟了，希望不會。（笑）像日本這樣就不好了。

戴：有趣的是，現在沒人要當家傭，家傭都來自泰國、菲律賓。然而餐廳，極端地說，酒館就有好多女人。所以去銀座，酒吧中的女孩子不是來自台灣就是上海。可謂國共合作。（笑）但是沒有日本的女孩子。

為什麼中國人富裕之後，也不離開那種職業。

丸田：薪水高吧。

戴：不，不，總之，我想把日本的「恥的文化」帶進來，恥是……

丸田：還是有專業問題為主因。工業相當發達，但是專業的一面相對變小了，不是嗎？

戴：我有經營工廠的朋友，因為女工不夠，所以要去大陸發展，可是另一方，如同剛剛跟荏開津先生講的，餐館有很多年輕女孩子。那些女孩子為何不去工廠，她說「沒辦法」。因為工廠輸送帶的工作單調無趣，到餐廳可以聊天，還可以拿小費，這樣比較好。

齋藤：日本也一樣，完全一樣。

戴：真是悲哀。日本化的，昭和35、36年以後，由女傭人而變成家務助理，然後不確保四疊半〔譯註：指給家務助理用的房間〕就漸漸沒人當。但是台灣沒有這個情況。一方面是女大學生的人數的百分比往上爬升得很快。這種狀況如何解釋？

最糟的是，人家請客。台灣的餐廳可以從外面帶進來，那麼大家都帶XO。後來我著急了，這些是不是假酒，因為不管誰請都抱XO來。日本沒有這種情況，以白蘭地的XO乾杯，還加冰塊，法國人看了會生氣的。

篠原：因為酒的稅金很低吧。日本直到最近，XO是非常貴重的。

戴：5萬日圓，不然也是2萬日圓總要吧。

林：很多人出去海外旅行帶回來的吧。

篠原：因為稅金的關係。

鈴木：戴先生，關於中國的政治問題我有一些想請教。

戴：好啊，今天都講政治的話題。

鈴木：中目先生在《世界》的三月號寫的。中目先生是我二高的後輩，他在別的地方寫道：「現在的中國與清末一樣」。

戴：中目先生我認識。

鈴木：他這樣說，你的感覺呢？他說與清末沒有兩樣。

戴：滿洲王朝的清。

鈴木：是。與清朝末期沒有差，我在想是什麼意思呢。

戴：我想他的挫折感很大。現在不說他的背景，他從二高升學東北大學醫學部，畢業回到台灣，又進入台灣大學的醫學部，然後以第一屆的大陸官費留學生去了北京，在北京大學不學醫而去學經濟。總之我想是追求馬克思主義的青鳥吧。最後他受衝擊應是那天安門事件。我聽到的是，如要出版是不大妥當，天安門事件時他也參加造勢遊行。所以是受這次事件衝擊吧。特別是受了日本的菁英教育，對毛澤東寄以很大的期待，而無可奈何的中國狀況，那麼龐大，總歸只能徐徐地變動吧。所以好像能夠領會「亞洲的停滯論」。

鈴木：是個人的情感嗎？

戴：這種台灣出身者增加中，台灣又持續變好，這也有關係。

鈴木：還有一點，戴先生之前說過「不變」。中國人變成那樣，也不變嗎？民主革命的時代也會發生嗎？或者投資一直往那邊去，與這個的關聯而變好。

戴：不是，我說「不變」的意思是那個國家不會滅亡。（笑），怎麼樣都可以存在。但是投資——是渾沌的狀況是泥潭，被泥潭吸進去的話，便不能自拔。

只是，唯一我認為有可能性的是，黃河與揚子江。無論如何要把中國問題做為世界問題的前提，發起世界性土木工程的投資，將水力好好利用到灌溉面，首先使中國農村形成正的循環，人口就可自然抑制。現在人口怎麼做紙上的計畫來壓抑，下面不聽話，也只有束手無策。要生很多小孩是為了有所保障，本來分母就大，所以愈來愈大，這樣是無法解決農業問題。然而依舊有8成的人住在農村，8成之中有2億5,000萬的文盲，那是很困難的問題。

鈴木：邱永漢已移住香港吧。寫的是把根據地移置那邊。總而言之，中國將香港化，所以咱們也到那邊。

戴：就是要與八百半合作吧。

鈴木：八百半啊。

戴：我猜想是吧。

鈴木：歸根究柢，此類投資愈來愈增加，就如剛才所說就逐漸自立這個道理吧。

戴：所以如鄧小平說，一個香港不夠，需要17或18個香港當拖拉車來牽引。

我的「睪丸」理論，其實是從那裡來的，吸進去就糟了。（笑）所以以不即不離的型態，讓他人與自然都可生存。如果不理解這個理論，想著只要進來就好，總之蓋房子就滿足了。去北京看看，所有旅館，或許因亞洲運動會的關係，旅館之大令人瞠目結舌。我想中國人應該向日本學習。之所以蓋得非常的大，是因為不擔心，因有社會主義計畫經濟而安心，旅館才有存在的可能。要是在普通的資本主義國家，則可能一下就倒閉了，成為偉大的浪費，已經很貧窮卻還如此浪費。

還有一點是華僑。我去了梅縣，是我的故鄉，但沒去大溪。在電視上出現的嘉應大學我去了。我的感覺是華僑資本沒有被活用。最近是稍微變了，從前的華僑是，沒有國家意識與國民意識，有的只是鄉土意識。總而言之要衣錦還鄉，衣錦還鄉是要有形的、看得見的東西才行，所以就捐獻蓋學校，其他就是把自己的家新蓋成三樓很氣派，可是沒有住人，是那種投資。

民國初期，有人想把華僑資本變成生產資本，但在半途都被官僚吃掉而不能動彈。所以去年去的時候，我和負責華僑的官員說，不想辦法不可以，不能瞎騙，蓋那樣的建築物有什麼用，把那資金如何編入生產才是重要，但是全體的社會、經濟的諸條件沒整備好也不行。

那裡的人是每個人官很大所以放心，有官僚的位子，不做事，講黨的好話就有飯吃。謊言積留了才有蘇聯的問題、東德的問題，不是嗎？

鈴木：像是樂觀論與悲觀論。

篠原：電視放映「客家圓樓」，看了不覺得怪嗎？攝影得很好嗎？攝影者有誇張之處，或者有偏見嗎？有沒有那種感覺。

戴：圓樓本身的確是那樣。為什麼蓋那種圓樓，其建築技術我認為是很了不起。

篠原：目的是為了防衛，它的作用如同要塞。

戴：是啊，大概是三、四樓的建築，非近代建築而可以蓋成那樣，現在哈佛大學的建築學科正在專心進行調查。日本藝術大學好像也去做調查。其實基本上是客家從北方流浪到南方，語言不通，選民意識又特別強，為了自我防衛，而造出那種住宅形式。

篠原：聽說裡頭是一個社區。

戴：是。住著的彼此都是親戚。但NHK播報的圓樓是已經分家又分家的，變成非常龐大。

篠原：裡頭很大吧？

戴：是。可是沒有進去，只是經過。

篠原：你說的成功者回鄉，蓋了大學，是你說的嘉應大學嗎？

戴：是，我去了那個大學。

篠原：印象中是很好的建築。

戴：只有建築物不錯，後來似乎要求我捐款，我只好說這次不是來尋根的，勉強逃掉了。

本文係爲未刊稿。由梶菊枝記錄整理

話說華僑與華人

——吉田實vs.戴國煇

時間：1994年5月17日

對談：吉田實（1931～2010，出生於東京，幼年時在台灣生活。畢業於東京外國語大學，專攻中國語和國際關係論，1956年進朝日新聞社。歷任過駐新加坡支局長、駐北京支局長、駐香港支局長、亞洲總局長，1990年5月起擔任朝日中國文化學院學院長）

戴國煇（立教大學教授，詳歷略）

編者按：談論和研究華僑和華人，如今是一個比較熱門的課題。5月17日傍晚，我們特地請來了研究華僑問題並出過多本專著的戴國煇教授和在東南亞當過多年特派記者的吉田實先生，以二位對談的形式，就東南亞華僑、華人問題進行了一場熱烈的討論。現將部分內容摘錄如下。

司儀：謝謝兩位先生百忙之中進行這次對談。今天對談的題目，用一句話來說就是：華僑。有統計指出，目前在全世界有大約5,000萬人的華僑。這個數字接近於日本人口的一半，而且，據說，華僑的經濟實力已經占了世界GNP的6%，成為不可忽視的巨大經濟力量。今天，透過兩位先生的對談，希望能對我們的讀者了解這個議題有所幫助。

吉田實（以下簡稱吉田）：華僑原來指的是暫住在外國的中國人。但是，現在，以東南亞為中心，很多華僑都已經成為居住國的市民。早在1968年，當我還在新加坡做記者時，就有很多新加坡人對我說，自己是定居在新加坡的華人，而不是暫住在新加坡的華僑。我也認為他們是華人，而不是華僑。

戴國煇（以下簡稱戴）：對這個問題，有必要整理一下。

現在，可以說是華僑熱。但是這裡說的華僑是帶引號的。準確地說，應該是「華僑・華人」。因為其中牽涉到國籍問題。剛才提到，這些華僑・華人一共有5,000萬人。其中的80%至90%集中在東南亞。第二次世界大戰以前，他們大多持有中國國籍，而戰後，很多人加入了當地的國籍。戰後，東南亞國家相繼獨立，但是真正的民主主義制度在這些國家並沒有確立，因此，民族問題十分嚴重。再加上十分微妙的國與國之間的關係等問題，很多華僑不得不表明自己是華人，不是華僑。1960年代，新加坡的李光耀等領導人出於其立場必須強調做為新加坡人，而不是中國人的那一部分，在1965年印尼的九三〇排華事件時，很多印尼的華僑也面臨過同樣的處境。

還有一個問題為，在華僑・華人中也存在著代溝的問題。第二代或者第三代的華僑沒有受過正統的漢語教育，說自己是中國人反而會有麻煩。所以，他們中的很多人認為，自己就是當地的居民，而無所謂華僑非華僑。另外，日本等國有些新聞報導說，印尼經濟的70％是由華人控制的。這種說法往往缺乏證據，弄得不好，反而會被當地的國粹主義分子利用來鎮壓華僑和華人。

吉田：戰後，統治東南亞國家的宗主國先後撤走，而華僑卻留在當地。於是，這些國家的國粹主義有所抬頭。例如，在印尼發生了大規模的排華運動。當時，中國政府採取了對抗的態度，主張血統主義，認為有中國人的血統，就是中國人。而當地的人們則主張出生地主義，認為在哪裡出生的，就是哪裡的人。但是後來，中國的政策發生了變化，主張華僑應該遵守當地的法律，和當地人民友好相處，在當地生活下去。居住國的政府也逐漸開始理解到，排華運動對當地的經濟發展並沒有好處。因此，逐步消除了這種對立。

從我在東南亞各國採訪的經驗來看，華僑和當地居民的關係有時顯得十分緊張。1969年馬來西亞的五一三人種暴動和1965年印尼的九三〇排華運動時，華僑都受到了很大的損失。由於有這種經歷，華僑們在經過痛苦的選擇以後，加入當地國籍，成了華人。我認為，這也是他們的一條路。

戴：在議論東南亞的華僑·華人問題時，我有一種看法，就是應該考慮到整個國際形勢，尤其是美國對亞洲政策的變化。我們可以把這個問題分成尼克森衝擊之前和之後兩個階段來加以考察。

所謂尼克森衝擊，指的是當時的美國總統尼克森在1971年指示季辛吉開展的祕密對華外交和停止美元與黃金的兌換這兩件大事。尼克森後來親自訪問北京，同毛澤東握手，實現了美國與中國大陸的和解。這反映了尼克森的亞洲政策。

在尼克森衝擊以前，美國的東南亞政策是防止中國革命對這個地區的滲透。美國對在中國大陸發生的革命感到十分恐懼。美國認為，在1954年有關越南的日內瓦會議結束以後，中共的革命經由越南來到了東南亞，而當地的華僑就是中共的間諜。事實上，當時的馬來亞共產黨中的確有很多人是華僑。另一方面，戰後剛剛擺脫殖民地統治宣布獨立的這些國家，經濟發展面臨許多難題。在這種情況下，對當地政府來說解決國內矛盾最行之有效的辦法就是搞民族主義。這種先例在歷史上也是有的。例如，希特勒的納粹德國，由於經濟發展水平落後，很多生活在底層的德國人都認為自己之所以貧窮，都是因為有了猶太人。所以，對猶太人有了一種反感。希特勒之所以殘殺那麼多猶太人，其中一個原因就是當時的日爾曼民族德國人有很強的反猶太情緒。這種情緒使納粹的殘暴行為成為可能。同樣，在東南亞，華僑的生活水平處於中等狀態，容易成為一些當地居民發洩不滿的對象。再加上剛才提到的國際大環境，就出現了當時的那種情況。

那麼，在尼克森衝擊以後的情況又是怎樣的呢？美國在1970年代初決定從越南撤軍，隨之，與北京言和，給台灣海峽帶來和平。1972年，中國和日本也實現了關係正常化。其實，正是在這之後，所謂亞洲四小龍才取得了很大的發展。中國人是很會審時度勢的。比如，尼克森和田中角榮去了北京，中美、中日先後言歸於好。這件事在台灣被認為是美國和日本拋棄了台灣。但是同時，這也意味著台灣海峽不會再發生戰爭。於是，蔣介石開始搞十大建設，大力發展經濟。民間人士，例如台塑的王永慶等也都是從那時候起開始起步的。另一方面，中共也慢慢地停止了意識形態領域的鬥爭，結果，馬來共產黨已經解散，菲律賓的共產游擊隊也失去了來自中國的支持。正是因為中共停止了對東南亞國家共產勢力的支持，當地華僑才有機會和條件使自己的經濟力量得到大發展。美國當然也不說華僑是中共的間諜了。關於華僑・華人經濟力量的增強，到目前為止，至少我還沒有看到過和我一樣的這種說法。

另外，我還想強調一點。現在在美國和日本，有一些學者極力主張搞大中華經濟圈。我認為，這些人忘了東南亞的實際情況和當地華人所處的環境。美、日等國，民主制度已經比較健全，人人都可以受到法律的保護。但是，東南亞國家的民主制度才剛剛起步。現在，經濟發展比較順利，大家友好相處；萬一將來發生經濟蕭條，很難說情況發生何種變化。如果發生當地居民和華人的對立，受害的不是在美國高唱大中華經濟圈的人，而是居住在當地的普通華人。所以，我不贊成搞什麼大中華經濟圈。

我認為，華僑・華人應該努力為居住國的經濟發展做出貢獻，要注意不能因為有一點錢，就耀武揚威，還必須有為當地人著想的態度。

吉田：我同意戴先生的意見。多年的經驗表明：現在沒有什麼問題，但這並不意味著將來在東南亞也不會出現華人和非華人之間的對立。華人和非華人必須相互幫助、互相關心，才能避免發生這種對立。如果只是一味地強調大中華經濟圈，很有可能引起當地人的反感。在東南亞很多國家，華人裡的上層人士和當地政府關係很好，而下層華人就不同了。一旦有什麼問題，遭殃的還是這批華人。

下面，我想換一個話題。

近年來，人們的一個熱門話題是所謂亞太新時代的到來。這個亞太新時代究竟有什麼背景呢？我們不妨來看一看。

戰後，在亞洲和太平洋地區的國家中，美國和日本處於經濟領先的地位，隨後就有所謂亞洲四小龍，也就是亞洲的NIEs，接下來是東南亞國協各國。這就是所謂的雁型發展格局。

為什麼在1980年代，人們開始提出亞太新時代的說法？中共在1978年12月舉行的11屆三中全會可以說是一個很大的轉機。大家都知道，在這次會議上，中共提出把工作重點轉移到經濟建設上來。很快，在1979年，中國就決定在廈門、深圳、珠海和汕頭建立經濟特區。很明顯，中國是希望通過這四個經濟特區來吸收華僑・華人的資金和外國的先進技術。這四個特區各有所指。廈門是針對台灣的，深圳是針對香港的，珠海是針對澳門的，汕頭則是針對東南亞的廣大華僑・華人的。

到了1982年，中英兩國開始就歸還香港的問題進行談判。當時，鄧小平在這個問題上的強硬態度曾經使香港股市的恆生指數一再下跌。很多香港人感到不安，其中包括一些著名的學者。當時，我是駐香港記者站的負責人。對這些香港朋友，我只送他們一句話，那就是「不識廬山真面目，只緣身在此山中」。香港是一個好地方，但是，生活在香港的人們有時卻看不到這一點。

在那之後，鄧小平提出一國兩制的方針，中國表示，在恢復對香港行使主權以後，香港的資本主義制度將保證50年不變。於是，中、英之間就香港問題達成了妥協。

不久，台灣也開始發生變化，解除了實施多年的戒嚴令。

由此可以看出，中國大陸的變化引起了其鄰近地區的巨大變化，進而使亞太新時代這種說法得以成立。

戴：關於儒教的問題，我要指出的一點是：日本和中國都被認為是儒教文化圈，但是，日本的儒教是活的，而中國的儒教是死的。在日本，很多企業家都讀《論語》，學習儒家理論。但是，在台灣我曾經問過很多著名企業家，企業經營和儒學是否有關係。他們都異口同聲地說，沒有任何關係。日本明治時代的實業家澀澤榮一，曾經寫過一本書叫《論語和算盤》。我把這本書介紹給台灣的企業家時，他們都感到很吃驚。《論語》講的是人和人之間的五種基本關係，而算盤則是商人的工具，有時甚至是用來騙人的。這兩者之間能有什麼關係呢？他們感到不可思議。然而，實際上，日本人運用儒家理論來從事經營，也就是說，他們把儒學活用了。但是，我們中國人，往往只是死記硬背《論語》中的一些片斷，卻很少把其理論用在經營等方面。

歐美的一些學者認為，NIEs是儒教經濟。但我認為，NIEs不是儒教經濟。過去，歐洲的一些先哲分析指出，儒教造成了東亞社會的停滯不前。但是，在東亞地區唯一趕上了歐美的日本，從明治維新時代起，就從儒學中提取了很多東西。這就證明，這些先哲的論斷並不一定是正確的。當然，我們不能責怪他們。因為他們當時沒有到過中國等東亞國家，不了解中國的情況。

那麼，到底中國社會為什麼落伍了？從歷史上看，康熙、乾隆時代的大清帝國可以說和歐洲列強是不相上下的。但是，遺憾的是，中國沒有出現培根（Francis Bacon），也沒有笛卡爾（René Descartes）。自然科學沒有得到發展。在那之後，中國和列強之間的差距愈拉愈大。英國曾經稱霸全球，但是，我們知道，英國人在吃的方面是很儉樸的。相反，清王朝則是有了錢就大吃大喝，窮奢極欲。這只是一種消費。無法使生產得到發展。

另外，在日本，有各種「道」，武道、柔道、劍道、茶道、花道等。日本還提倡一種商人道，要分清可以賺的錢和不可以賺的錢。在日本，做什麼事情，都講要「道を極める」〔譯註：究極之意〕，對自己的工作、事業要精益求精。這也是日本經濟得以發展的原因之一。

在家族制度方面，中國人只相信自己的兒子，只願意把自己的事業傳給親生兒子，不管兒子是不是有這方面的才能。而日本人則不同。日本的不少大企業家和著名政治家都把自己的事業傳給女婿。女婿可以挑選，而兒子是無法選擇的。

總之，日本人很善於把儒學理論按照自己的實際情況進行重新組合，有利於其經濟發展。東南亞的很多華商，之所以能有目前的成功，是因為有了近代化的各種政治、法律和社會制度。這些客觀條件在這裡起到了很大作用。對儒教，究竟是把它活用起來，還是使其成為死本本，結果是完全不同的。

吉田：很多人都認為，日本和韓國是儒教國家。就中國而言，不僅僅有儒教，道教的思想也占有很大的位置。中國的歷代王朝強調儒教，是因為儒教的「克己復禮」等思想有利於鞏固自己的統治。其實在中國，尤其是中國南方，莊子的道教對人們的影響是很大的。道教產生了各種各樣的思維方式。這種現象也可以把它稱作「表儒裡道」。因此，我不同意把中國看成是一個儒教國家。

從中國歷史來看，離朝廷愈近，儒教思想愈強。道教告訴人們，任何東西都沒有絕對的，都是相對的。認為自己的想法是絕對正確的，並且強加於人，就會出問題。無論是台灣的國民黨，還是大陸的共產黨，都存在這種問題。我希望他們能盡快拋棄這種認為自己絕對正確的觀念，要互相看到對方的長處。我認為，道教的這種相對性理論可以為我們帶來思想上的活力。

表1　世界的華僑人口　（單位：千人）

地區	人數	百分比
全世界	25,584	100.0%
亞洲	23,202	90.7%
美洲	1,613	6.3%
歐洲	544	2.1%
大洋洲	148	0.6%
非洲	77	0.3%

資料來源：1981年發行《華僑經濟年鑑》。

表2　太平洋地域的華僑人口（單位：千人）

國別	人數
日本	79.4
韓國	29
香港	4,967
澳門	272
越南	1,589
寮國	5
柬埔寨	100
泰國	4,800
緬甸	600
馬來西亞	4,664
新加坡	1,856
印尼	4,400
菲律賓	500
澳洲	100
新西蘭	12.5
南太平洋諸島	35.5

資料來源：1. 東南亞調查會發行《東南亞要覽》1980年版。
2. 中華民國僑務委員會發行《十年來華僑經濟》，1981年。

本文原刊於《留學生新聞》，1994年6月1日，2、3版

輯三

透視台日・兩岸政治

論李登輝與台灣政局

——土田真靖[*1]訪戴國煇

◎ 陳進盛譯

對中日台關係的看法

戴國煇（以下簡稱戴）：「台灣擁有2,100萬的人口，而且有強大經濟力，應該讓它重新回歸國際社會，中國為什麼要對此說三道四呢？」等議論，最近經常被提出來。但是，現實的情況是，中國革命的第1.5代領導仍然執著於國家主權，而且台灣未來走向何方不是很清楚，台灣有可能走向獨立，但是如果與大陸加強交流，也有在該基礎下透過談判而統合的可能性。

台灣的民意主流是維持現狀，當然也有要求與中國迅速統一的聲音，不過也有基本教義派的台灣獨立聲音存在，不過這兩種聲音今後應該會逐漸變小吧。

儘管如此，「台灣共和國似乎可以建立起來」等幻想卻從奇怪的地方竄了出來。而看到蘇聯解體或是中國文化大革命及天安門事件等悲劇的一部分人也開始說「中國不行了，台灣希望獨

*1 時任日本《每日新聞》評論委員。

立，讓台灣獨立不是很好嗎？」類似的輿論聲音開始出現。

然而實際上，台灣居民所真正想要的，並不是獨立或不獨立的意識形態之類，他們想要的是，希望能保障他們至今所擁有的日常生活型態，而且能夠讓生活繼續獲得提升與改善。然而，問及民進黨是否能給人民這樣的保障時，答案卻是令人懷疑的。至於國民黨的自我改革能否順利地持續進行，外界仍在密切觀察。由目前的情況看來，在李登輝的努力之下，已經相當順利地掌握領導地位，而且相當程度地一步步吸取並消除民眾的不滿情緒，看起來似乎很巧妙地扮演著國家領導人的角色。

土田真靖（以下簡稱土田）：李登輝正要把台灣帶往哪一個方向發展？

戴：現階段的李登輝，有些事情可以說，但也有一些話是無法說的。我在岩波新書裡〔《台灣總體相》〕對於1988年階段的台灣情況，曾指出台灣面對著一個如何統合暫時性台灣地區「國民意識」的課題。李登輝對於這個課題的努力還未成功。

但是，李登輝因為曾經在京都大學念書而且能說日語，許多日本人都以他是一個傑出的總統而大為高興。不過他是否為傑出的總統是要由未來的歷史來判斷、決定的事情。目前的日本大眾媒體對此有錯誤解讀之處，應該以更為冷靜、客觀的態度來看待。

李登輝雖然對日本人講出那樣的話，不過他在島內還沒有能完全掌握台灣民眾。12月上旬的選舉將會對此做出最嚴格的審判。只有等到這個審判結果出爐之後，李登輝所考慮的方向才會明朗化吧！

10月3日《亞洲華爾街日報》所刊登的訪問談話，就像是關於這個方向的一個預告篇。這次的訪問談話應該要與他和司馬遼太郎的對話一起看。

他在與司馬遼太郎的對談中的一些甜言蜜語，讓所有日本人感到高興，不過幾乎所有的日本人都沒有注意到，李登輝在對談中所說「我或許會去一個大家都無法想像的國家也未可知」這一段話的重要性。「無法想像的國家」指的是哪裡？如果與這次的《亞洲華爾街日報》的訪問談話結合起來看的話就會知道，這正是政治的表面與內部，我想他的處境中有許多難言之隱。

日本人不可以忘記，台灣居民中能夠說日語的都是高齡者一事。看到《週刊朝日》對談內容的日本人很高興，不過，在台灣讀到相同的對話而贊同的人卻非常少。雖然如此，日本人錯誤地接受那場對談內容，而把李登輝在對談中的所有發言都當成是他心中全部的真心話。我想其中有很大的認知差距。

土田：大陸與台灣彼此都說「一個中國」，並且在沒有爆發熱戰的情況下長期相互對峙，不過從數年前開始，雙方開始有大規模的人員交流往來，經濟上也緩慢但逐步地進入共存共榮的關係。這與冷戰時期雙方相互敵視的情況比較起來，確實是很大的進步，這是朝鮮半島等地方的對立關係中所看不到的中國人智慧之展現。接觸持續並加深的話，彼此的相互理解也會加深。或許彼此的不信任感無法消除，甚至也可能產生新的不信任感，不過可以確定的是彼此的了解會加深。從這裡可知，不是應該要避免立即獨立或是立即統一，而是維持現狀，並致力於維持與擴大雙方的交流活動吧。

另外，由於日本與台灣有過一段50年的特殊歷史關係，對台灣最好不要有異常舉動。一旦日本有異常舉動，中國在警戒心下恐怕會出現過度反應的行動。在周遭的亞洲各國裡，日本的行動必須最為謹慎。李登輝說，最終的目標在於美國與日本，不過我認為把日本設定為目標是一種不智的作法。如果李登輝把維持台灣現狀與維持繁榮與發展設定為國家目標的話，則把日本捲進台海關係是最不智的作法。

戴：台灣的中華奧委會主席張豐緒八月底到中國訪問並與江澤民總書記會談。雖然李登輝最初說「他不知道該事的原委，一切都是張豐緒個人所為」，但最後台灣方面對此事還是給予承認。

大陸與台灣之間也有認知的差距。大陸方面一直對李登輝是否做得太過火而可能導致台灣走向獨立感到憂慮。確實，我對於李登輝何以會在他與司馬的對談中說出那樣的話〔參見《全集》5・台灣近百年史的曲折路・第五章〕感到奇怪。如果是在此之前，李登輝應該不會說出那種程度的話。對於那一席談話，連在台灣內部也有反對的人，而中國與香港方面也因此對李登輝展開全面的攻擊。

在台灣確實有一股勢力試圖去肯定日本對台灣的殖民統治。其中最大的一股勢力是握有日本廠商代理權或是靠著與日本產業關係吃飯的人。但是日本的大型廠商深知台灣的市場已經接近飽和狀態，現在正試圖尋找建立對中國的關係。

最近美國中央情報局介入日本政治的事情曝光，各主要報社的社論都要求事實調查的透明化。然而關於日本一部分的政治家以不同方式手法向台灣收取政治獻金之事，大眾傳媒卻沒有認真確實地追查報導。

我認為李登輝想要重編整頓蔣介石時代的舊關係。因為以前舊的反共關係無法與現今台灣所持續進行的內政改革配合。雖然是這麼說，想要順利切斷既存關係也非容易的事。大陸也說：「新朋友重要，但老朋友也重要。」由於大陸缺乏資金，也許會以某些利權交換台灣的資本投資，不過在這種發展下，今後台灣將面臨嚴重的財政問題。

李登輝先前就曾以財政困難為由，拒絕支持民進黨所提出的老人年金主張，但現在為了選舉勝選考量，也在老人年金問題上有所回應。以前選舉中只要適當的打出台灣獨立口號就可以有相當選票支持，現在選舉中候選人多不再如此做。原因是台獨口號可能招致中國的干涉，引發台灣政局不安。

一般民眾對於國民黨所抱持的怨恨也正在慢慢消除。因為現在不只已經能夠參與政治，而且總統是台灣人，政府中的大多數重要職位也都由台灣人出任。一部分接近基本教義派的台獨勢力雖然還在拚命高喊台獨口號，不過到了選舉期間，所有的候選人都在苦惱要如何隱藏台獨色彩。

在此條件下，李登輝也表示要發放老人年金，這實在是一次非常危險的走鋼索嘗試。今後的財政問題要如何解決呢？李登輝雖然掌握著台灣島內的民意動向，但同時也面臨著必須統合這些民意的重大課題。

外界或許會說，因為大家都是台灣人，應能以台灣意識或是台灣人意識順利運作，不過問題卻不是這樣。台灣的一般民眾如果真的想要與大陸絕對敵對的話，在台灣偏向獨立立場的報紙經營狀態應該會更好。事實上許多人都前往大陸，雖然稍早時還發生了千島湖事件，但台灣的大型企業也都幾乎以各種型態到中國投資。既然到中國投資，雙方的關係就不可能是絕對對立。

李登輝如果真的在認真考慮獨立問題，應該就會對前往中國的投資進行嚴格的審查控制，事實上他並沒有這樣做。最近還有許多代表團訪問中國，並會見了江澤民國家主席。而江澤民也說，如果有適當的機會，他願意和李登輝會面。前述的代表團主要成員都是在台灣有相當地位的人。對於這樣的活動，日本的大眾傳媒的報導必須要有很好的平衡處理。有時會出現偏向中國大陸立場的發言，對於民進黨的內容不太明白，卻裝作一副都知道模樣而大寫特寫的年輕記者正在逐漸增加，我希望他們要更努力做一些準備的功課。

在為台灣是否要與中國在一起還是獨立的問題喧嚷之前，應該要先客觀地站在歷史經驗上，再來追逐炒作也不遲。

土田：關於日本應該如何因應的問題，就日本政府與國家的立場而言，其可能的選擇已經確定——就算台灣宣告獨立也不能加以承認。因為如果日本承認台灣獨立的話，就意味著與中國大陸的斷交，結果將只是引發台灣海峽的緊張而已。當然，如果中國大陸若因內戰陷入四分五裂的狀況則要另當別論，只要是中國大陸維持統一的局面，日本在「一個中國」的大架構下，除了北京之外，根本沒有其他的選擇餘地。

其中，日華議員懇談會會長藤尾正行等曾經對過去戰爭責任問題與殖民統治發表過爭議性發言的人，在兩岸關係中都以親台人士的姿態行動，雖然日本的國家立場沒有選擇承認台灣的餘地，而這些人站在台灣立場的舉動，（可能引發中國的警戒心或是過度反應）我認為其結果對台灣反而是負面的。

大陸與台灣事實上在過去一百年來是個別獨立生存的，兩者之間互不信任與互不理解是當然之事。一部分親台人士在這種狀況下採取支持台獨的行動，結果不就是變成對台灣的「幫倒忙」嗎？

戴：以長遠的眼光來看的話確是如此。然而不只是反共的關係，其中也有牽涉到現實利害的部分。那是一種無法言宣的關係，一旦攤開來的話，可能觸及日本的法律問題。另外一個關係面，則是幾乎所有的日方退居到第二線的人物在某種意義上都在欺詐台灣。

李登輝想要慢慢改變這種台日的舊關係，不過包括與日本關係中的貿易平衡等問題，想要予以徹底合理地加以改變並不是可以輕易達成的。雖然試圖統合台灣的「國民意識」，最終的演變會如何並不知道。在這種情況下，只注意到眼前利益的人在一旁敲邊鼓，是非常危險的舉動。

土田：日本應該要怎麼做呢？

戴：日本應往如何負起它對台灣殖民統治的責任做思考。要負起這種責任的話，做哪些事比較好？或是哪些事不應該做的？日本人自己應該都很清楚。然而現在又有新的問題產生，也就是包括李登輝在內的一部分人，似乎開始出現一些有意接受給予日本對台灣殖民統治局部肯定的議論。殖民統治有正面與負面的遺產，負面的遺產就是讓人墮落，因而培育出類似邱永漢之流的人物。

如果真正是以獨立為目標，就應該要推展具有獨立性與主體性的獨立運動。如果只是一味的想要依賴美國與日本，不然就不能主張獨立，這樣的獨立運動是行不通的。

對於日本殖民時代在台灣的基礎建設看法如何呢？表面上看來是日本所留下的正面遺產。雖然說是遺產，如果繼承者沒有能力的話，根本不可能將遺產轉化為正面積極的功效。例如，一個小孩從父親繼承了二、三千萬日圓的遺產，如果不能活用這些錢的話，再多的遺產也會很快就花光，最後很可能落得不知何去何從的困境。這二、三十年來我就經常這樣說，以往雖然有不少日本人聽進我的這種說法，但日本人最近似乎漸漸得意起來，這也是無可奈何的事情。因此，最近我就改在台灣出書，因為不想再與日本人說這樣的事。

土田：我的意見有不能認同的地方嗎？

戴：從長遠的角度看的話，你的意見確實是正論。既然是正論當然希望您們朝正論的方向努力，但是從日本的整體的民意氣氛而言，卻不必然是如此，另有一股大潮流存在。我回台灣獲邀演講時，即曾提出「台灣如果做得不好的話，有可能出現類似德國威瑪共和時代末期的狀況」的警告。

我於1991年後可以到中國訪問，並獲邀進行演講，當時我曾對大陸方面這樣說：「你們可能會認為台灣獨立的問題是台灣自己所引發的問題，這完全是誤解的想法。」「台獨問題其實是你們的問題，大陸方面如果能夠真正努力上進，到底誰會要去搞什麼台灣獨立呢？」

接著是寫出來會教人困擾的內容。我在八月出席北京的一次會議，會中的人最為在意的是司馬遼太郎與李登輝的對話。當時我曾問起：「你們是否有正式翻譯的對話全文？」結果才知道，他們都只是根據偏向獨立的台灣《自立晚報》與《民眾日報》所登載由同一個人翻譯的文章來批判李登輝。這篇譯文的邏輯結構雖然與原文相近，但這些人根本無從知道司馬遼太郎這一對話邏輯的始末。由於當時李登輝是中國當局的統戰對象，這些人的批判遂說李登輝並不壞，壞的是司馬遼太郎這個日本人，是他製造這個陷阱讓李登輝來跳。因此，我當時就對他們說，在做這些批判之前，應該要先研究研究司馬遼太郎到底在想些什麼的問題。

那篇對話翻譯有三大問題。首先是翻譯者不了解日本的教育制度，因此把戰前舊制的一高、三高翻譯為第一中學、第三中學，這是全然錯誤的翻譯；第二是完全沒有哲學素養，因此對於「場所之悲」（「場所之悲哀」、「場所之苦」）的哲學用語一無所知；第三，司馬遼太郎自始至終一貫說的都是武裝中立，卻被翻譯成非武裝中立。

因此，我對他們說：「想要批判別人的話，先自己好好的將全文翻譯出來！」「大陸有那麼多的人，各地的大學也拚命設立台灣研究所，難道連好好的翻譯也做不到嗎？這麼墮落的共產黨行嗎？」在說出這些話時，我還憤慨地敲打桌子，把對方嚇了一大跳。這些並非發生在公開會議的場合，而是晚上對方一行人到我下塌的飯店房間聊天時的事情。對方是一些學者，因為是在那種體制之下，也應有些體制方的人混在裡面吧。之後一些年輕的學者晚上又來告訴我說：「教授，您的說法真對。」

土田：在對談中，司馬遼太郎曾說，日本殖民統治台灣時給予台灣居民兩年決定去留的緩衝期間，是人道作法之類的話，李登輝對於這些說法的幫腔隨聲附和很令人難以理解，這些並不是特別值得評價肯定的話。

戴：確實是這樣。我在二、三十年前就已經分析過這個問題。李登輝應該也詳細看過我的書，為什麼他會那麼說，我也無法理解。

中國大陸雖然口頭上說統一台灣是第一要務，這完全是謊話。台灣其實是一個小問題，最重要的問題是要順利維持政權與發展經濟。

土田：鄧小平似乎急於要統一台灣，不過江澤民等新世代的領導人似乎不急於處理統一的問題。

戴：如果合理計算的話，可以知道中國當局即使能讓李登輝一人進入它所設的局也仍然是行不通的。

土田：我在北京當過三年半的特派員，當時我曾對中國朋友說：「暫時不要去想統一的問題，中國要先好好的做好自身的工作，如果經濟獲得發展，政治也更為民主化，統一的問題將自然獲得解決。」那些中國朋友也都說：「確實如你所言。」

戴：大概是那樣吧。中國幅員遼闊，2,100萬人的台灣比福建的人口還少。只是今天台灣擁有財富。中國經常把美國拉出來，講些令人難受的話。

雖然我想中國方面也該有可以把台灣切離的大氣魄，不過卻不太可能這樣做。比台灣問題嚴重的是新疆，毋寧說新疆對中國而言才是最為可怕的問題。

土田：台灣問題不能看成只是台灣的問題。中國有很多少數民族聚居的地方，這些地方的人屆時可能出面說，如果中華民族居住的區域都可以獨立的話，我們少數民族的地方為什麼就不能獨立呢？

戴：的確如此。一旦失去了新疆，接著又會怎樣演變呢？太過危險了，這也是沒有辦法的事。

土田：除了鄧小平之外，中國方面都認為只要台灣不獨立就可以，像今天這樣，雙方加強交流已經是中國方面的主流思想。但只要是訴諸獨立的舉動，不論哪一個國家都會引發戰爭。

戴：是的。《一九九五年閏八月》今年成為台灣第一名的暢銷書。九月上旬一個住台北的富翁朋友打電話給我，「喂！不回來嗎？」、「嗯！要回去。」一回到台灣，到機場接我的這位朋友說：「先看看這本書吧！」第二天要邀幾位朋友要聽我的意見。我嚇了一跳，一看根本是沒有什麼實際內容的書，但就是成為台灣的知名暢銷書。我的這些朋友們都是有錢人，他們對於獨立或是其他根本沒有什麼興趣。「如果被這樣整理的話，就不可能不掛心。」雖然書的內容是任意拼湊的，但就是暢銷流行。

土田：有人說那是統一派的陰謀。

戴：獨立派的人雖然說「統一派的陰謀」等的話，不過他們自己踏實建立了獨立邏輯了嗎？沒有，那些人一到大陸去，就要求江澤民總書記的接見。至於像我，不只批判中國大陸，也批判國民黨與民進黨，好像是把所有的人都當成敵人一般。不論是哪一黨都很奇怪。因此最近我開始對這些事逐漸感到厭煩，所以決定什麼都不說。

土田：「台灣獨立是當然的」的聲音最近在日本開始大了起來，這是危險的事。

戴：是的，台灣的一些人也因此得意起來。以前，日本也曾以為把清朝最後一位皇帝帶往滿洲建國是一個好主意，這是與此相同的邏輯。滿洲確是滿族人的發源地，但是當滿族人入主中國建立清王朝之後，清朝自己就把滿洲給忘了。從當時的日本角度來看，中國並不是一個獨立的國家，而滿洲原本就是滿族人的地方。因此，日本認為將辛亥革命退位的皇帝帶回滿洲，並在當地建立滿洲國，邏輯上大致是講得通的。然而，他們沒有考慮到，事實上已經大量定居在那裡的漢人的想法，這件事被他們給全忘掉了。與此相同，在與日本人接觸往來的台灣人當中，確實有些人有親日的意見。而經歷文化大革命等運動的中國，今天正處於亞當・史密斯階段的欲望暴露的狀態，大家都「向錢看」。一些有錢的台灣人帶著大筆鈔票到大陸買春或養小老婆等，一副闊大爺的樣子，好像把大陸人當傻瓜，以為與日本人交好的話一切就可以天下太平一般。

不過現實並非如此，日本的大企業雖然擔心中國市場的無底洞，不過仍然視大陸市場是延長日本資本主義經濟生命的依靠所在。台灣的大企業也都是這樣看。

在如此複雜的狀況下，日本人竟然又像以往一樣插嘴於獨立或統一。不要對他國的內政事務插嘴，應該是一個基本的國際往來原則。而更為嚴重的問題是，幾乎沒有日本人在認真研究台灣。我拚命寫出關於台灣研究的書沒有獲得肯定。雖然曾經有幾次成為某些獎的候選人，最後都不了了之。從台灣來的人很不容易在日本獲獎。在這樣的環境下，也只能聽其自然了。

總之，住在台灣的人在想什麼？以及想要什麼？才是最為重要。只和一部分曾到日本留學或是與日本有利益關係或是用美國式近代主義思考的台灣人接觸，就寫說今天在台灣有一股將要獨立的氣氛，這是一種誤導。結果將是如同滿洲事變與盧溝橋事變以後幾乎所有的日本各大報記者犯的錯一樣，再次犯了同樣的過錯。當時還可以辯稱是有《治安維持法》或是有特高警察制度存在所致，今天根本沒有這樣恐怖的制度存在，問題完全在於大家不去努力學習。只要對方稍微請一下客……。因此，在這裡要請多加努力一點拜託。拜託。

司馬遼太郎和陳舜臣

戴：1988年我到中國進行為期一週的訪問，這是我第一次到中國大陸。德國統一之後的1989年夏天還到歐洲與美國，並分別在那裡停留二、三個月，之後〔1991年〕又因為拓和提（Tohti，在立教大學留學的新疆維吾爾族人）的關係，經由國家民族委員會的幫忙又訪問了中國，並到新疆做跨越天山山脈的旅行。為了能確實掌握中國的真實狀況，1993年又兩次造訪中國，今年〔1994〕也再次前往。

土田：根據在這裡的中國友人說法，中國在1992年之後似乎有了很大的變化。

戴：不論是資本主義還是共產主義，終歸還是人所創造的。在殖民地被教養長大的我1955年來日本留學，這樣的我一直對社會主義有所期待。學生時代認真用功的人，不具有社會主義傾向是很奇怪的事，這如果是在台灣的話會是一件危險的事。（中略）現在由中國大陸到日本來的人，大體都屬於知識分子或是上層人士。對於拓和提，劉彩品曾介紹說：「因為是一個優秀的少數民族，是否可以幫我們邀請他來呢？」因為碰巧我當時是立教大學的國際中心長，就愉快的答應她，但之後卻因發生天安門事件而無法出來。……後來他到立教大學留學，我帶他一起到美國的時候，大陸方面似乎就很擔心他可能會逃跑。（中略）

在決定是否參加週日對談之前，有件事情我必須先說明在前。

我和李登輝有長時間的交往，所以非常熟識。

另外，到現在為止，我一直主張身為一個台灣人，不只要確立如何評價日本的殖民統治，並確立要如何來與之對決，而且也必須確立自我的身分認同。而且我也一直明確主張，應該要與國民黨對決。李登輝雖然讀過我的這些主張，然而還是和司馬遼太郎做了那一場對談。到底是怎麼一回事呢？我也認識司馬遼太郎，在他的那系列作品中也曾提到我（朝日新聞社，《街道を行く 四十・台湾紀行》，頁194）。

土田：司馬的該系列作品，似乎是從基於日本殖民統治並沒有一般想像那麼壞的思想為出發點而創作。但是，因為實際的採訪經驗以及讀過各種書籍之後，似乎也漸漸知道過去的那段歷史存在的種種問題。

戴：最大的問題在於陳舜臣。他雖然沒有出面，但是如果沒有陳舜臣的關係，司馬遼太郎可能不會去台灣。只要讀司馬的一系列作品就可以知道，能讓他產生浪漫情懷的是滿蒙地方。日本知識分子的浪漫主義情懷在於北方，對南方抱持浪漫情懷的屬於少數，文學世界也是這樣。

土田：司馬遼太郎本身對於國民黨獨裁統治下的台灣沒有什麼興趣，因為李登輝擔任總統以及台灣的逐步民主化，讓他燃起了對台灣的興趣，這是他寫台灣的意義與動機所在。

戴：不過，那只是事後說明的正當化解釋而已。司馬對中國文明抱持著尊敬之心，不過他不接受漢民族對蒙古統治，他認為內蒙古與外蒙古應該統一。不過外蒙古的卻是處於這麼一個狀況下，240到250萬的人口，連中國與舊俄羅斯在物質基礎薄弱的條件下，為追求馬克思主義理想的實現而處於艱困情況裡，司馬在社會科學方面未有認識，他所有的可能只是浪漫的情懷。不管他想說什麼，實情就是外蒙古的人想要到內蒙古來從事商販貿易。

然而，陳舜臣受到天安門事件的震撼，讓他自文化大革命以來一直猶豫不定的取得日本國籍問題，做出了決定，並接著帶司馬遼太郎到台灣。總之就是他認為現代中國不行的結論。在此之前，一直以來他從中國獲得了許多利益，他的父親從事與中國有關的商業，他的妹妹們與他自己也都受到中國政府的優待與禮遇。但是因為天安門事件而受到大震撼，我想今天他的這些作為，是為了讓他自身的世界能夠持續維持下去。

因此，那次對談沒有站出檯面的是陳舜臣。如果不做這樣的解讀就完全不合適。也就是說，當陳舜臣變成那樣而李登輝也變成那樣之時，司馬遼太郎才會有了這樣的轉變。他像是昭和時代的德富蘇峰，是一個立場忽左忽右，能夠左右通吃的人。

我與司馬遼太郎因為一同到一橋大學演講方相識，他還是日中文化交流的理事。我想，如果不是陳舜臣說中國共產黨不行的話，他是不會有這樣的轉變。如今陳舜臣回台灣也不能說出這樣的話來，那是因為他還有妹妹等親友在大陸的關係，也因此他沒有在這次站出檯面來。

陳舜臣他自己想要怎麼變都是他的事情。陳舜臣以前曾經邀我與他一同造訪北京，但遭我拒絕。這是遠比我首度造訪中國還要早的事情。當時他有點生氣地說：「戴先生，難道你討厭中國共產黨嗎？」然而這並不是喜歡或是討厭的問題，只要中國變好就打算去，這是我們兩個人基本信念的差異。在他的文學世界裡，擁有虛擬的小說創作的可能性，但在我的社會科學裡卻不是這樣。

因此，我認為日本的殖民統治是很恐怖的。因而產生了這樣的假知識分子，邱永漢自始就是一個沒什麼內涵的胡鬧者，但連陳舜臣也變成了這樣，實在讓我感到震驚。

在他獲得大佛次郎賞〔譯註：1976年陳舜臣以《敦煌の旅》得獎〕時，我應《中央公論》之邀，以筆名撰寫批判他的論文〔參見《全集11・陳舜臣》〕。後來因為這篇評論收入書中而知道是我寫的。他的太太還為此以驚嚇的口吻說：「真的是戴先生寫的嗎？」從此之後我與他就沒有再見過面。

我在當時就認為，陳舜臣如果持續那樣下去的話就太不妥當了。做為一個文學家，是不可能不去寫深入觸及人的精神靈魂的東西的，但陳舜臣卻一直在迴避。對於教科書問題，韓裔作家一直堅持與日本對決的態度，陳舜臣則從未對此發過一言。他還獲得日本的各種文學獎。對此我一定要好好的提出來，這個人這樣下去會很反常。

日本的現代文學具有的緊張感，是因為有像李恢成等韓裔作家那樣追根究柢、鍥而不捨的寫作態度而形成的。他們給予日本純文學的刺激，成功扮演了日本文學的制衡角色。陳舜臣在這方面繳了白卷，在陳舜臣的作品裡，華僑遭到屠殺以及華僑中也有壞蛋等，正反兩面的問題都沒有寫過。關於日本的題材只寫漂亮的一面，還因此獲得各種文學獎。在此我要批判這到底是怎麼一回事呢？（中略）

歷史性的問題與現在的問題混雜在一起變得很難整理。從歷史性的脈絡來說的話，由中國共產黨發動的革命運動，因為國際性的因素而在台灣海峽中斷的事實。而現在讓大家煩惱的則是，存在著前蘇聯的解體、中國的文化大革命失敗，以及文革後呈現出對中國革命的幻想等這些非常不容易理解的世界狀況。

對於歐洲世界向非歐洲世界的擴張情勢，而非歐洲世界到目前還沒有成功形成明確的挑戰反擊。這個問題如果沒有從歷史哲學的角度來加以探究的話，恐怕有可能被捲入非常危險的泡沫現象之中。

前蘇聯的解體不能說就等於是以美國為代表的資本主義勝利做為這段歷史的終結。儘管從一般的觀點而言，許多人認為相對於前蘇聯的解體，美國資本主義與日本資本主義還是比較行得通，但現實上，日本與美國都面臨著包括政局在內的激烈變動期。但是因為前蘇聯解體的衝擊實在太大了，因而使得一些人產生了日本與美國如果照老樣子持續發展下去或許還走得通的想法而已。

另一方面，人們看到了亞洲新興工業國家的四小龍與東南亞國協等亞洲國家的經濟快速成長，而且也看到了中國大陸的經濟改革開放的順利推展。不過這只是幻想而已。經濟數字上確實是在高速成長。大眾傳媒必須追逐的仍是北韓金正日書記是否出現，以及鄧小平可能何時過世等現象，歷史長河是無法扭轉的。毋寧讓我們擔心的是，中國大陸的改革開放政策能否在有主體性條件下，推動超越清末洋務運動的改革理念，以及這些改革上軌道之後能對人類提出什麼樣的問題。

馬克思所挑戰的資本主義生產方式已經有了相當大的修正。在俄羅斯革命挑戰之下，資本主義曾經歷了不斷的修正。另一種型態的修正是以法西斯主義與納粹主義的型態出現。這個問題現在也還沒有被恰當地整理釐清，而只是以希特勒是一個壞蛋的形式做為終結而已。但是，不論是希特勒、當時的日本還是德義日三國同盟，只不過是列寧、史達林的社會主義與古典資本主義之中間的一種事實存在，一種做為人類嘗試修正實驗的存在。這個實驗在進行過種種屠殺之後，因為失敗而被安上「賊軍」的名號。做為人類悲劇的遺產，這個問題是否已被適當的整理和釐清仍然令我質疑。

今天，包括蘇聯問題都被以史達林是壞蛋的方式加以解決處理。但是，即使是在戰後扮演世界憲兵角色的美國，自己也對政治與道德之間的差異沒有充分的了解。包括海地問題在內，美國正面臨著各種的紛亂問題。

李登輝的困局

戴：大家都不知道李登輝所處的情況。一般本省人對李登輝的期待是，希望他能整頓國民黨的一批惡棍壞蛋。至於台灣人對李登輝與司馬遼太郎的對話內容失望一事，我們不可以輕易忘記。如果我們認為台灣人對此感到高興的話，將是大錯特錯。在那之後，我曾會見過他。

土田：李登輝會見日本人時，表示過他對於曾為日本人的事情感到懷念，而且也對出席京都大學同學會表示期待，而且經常被報導成好像他是一個極親日派一般。

戴：因此台灣內部對此也產生「李登輝到底是在幹什麼」的疑惑聲音。

土田：會不會李登輝是對自己的專門之外的事是搞不清的那種學者呢？

戴：簡單的說應該是他沒有可以談真心話的人吧。以下的事情本來是要絕對保密的，我曾經問他：「那場對談的內容是否有請人過目？」結果他說：「實在太忙了，還有，你認為除了你之外，我還有什麼可以談話的人嗎？」

李登輝確實有一種知識分子的自信與傲慢。由於周遭都是一些不怎麼看書的人，這些人讓他很瞧不起。如果他談起一些西田幾多郎《善的研究》問題的話，我能與他對應，他的周邊並沒有任何可以與他深入對話的人；如果談起海德格也是。

土田：像現在，為了打破台灣所處的國際孤立情況並拓展國際活動空間，李登輝推展所謂的務實外交，其最終的目標設定在美國與日本。然而，如果是東南亞國家或是美國大概都沒有問題，唯獨若是鎖定日本為目標的話就大有問題。首先，日本的國家政策不可能有捨棄大陸而選擇台灣的可能性。而且由於有過去對台灣殖民統治的歷史之故，日本對台灣的一舉一動都可能引發中國的過度反應。易言之，其結果可能是沒有任何益處。

戴：接下來所談的內容，發表前如果不再讓我看一遍並適當修正的話可能會造成一些困擾，就是重返聯合國並不是他的發想。由於民進黨不直接喊台灣獨立的口號，而改提出重返聯合國的訴求，李登輝如果不搶先喊出這個口號，可能面臨政局失控的困境。

土田：但是，不是可以對民進黨加入聯合國訴求的邏輯矛盾進行批判嗎？因為中國做為安理會的常任理事國，對任何國家加入聯合國議案擁有否決權。而代表權問題之爭需要有許多國家的支持，現在台灣加入聯合國的機率為零。南北韓與東西德的情況，因為原則上有雙方都受各國雙重承認的現實，因而可以實現雙方同時加入聯合國。

戴：這個問題若太過認真去思考的話還真是麻煩。台灣的新聞媒體與國會的水準太低了，如果和他們談邏輯可能變成雞同鴨講。大陸的情況也差不多是一樣。總之，中國人講的是現實利益，必須以行動持續地秀下去。

李登輝對於現在台灣沒有可能重返聯合國心知肚明。讓他感到困擾的卻是他又非得這樣做不可。他身為台灣2,100萬人民的國家元首，跑到京都出席同學會恰當嗎？如果認為他確實這樣想的話就錯了。他周遭的人一再講一些他想來日本的話，其實他自己並沒有對這個問題有過什麼發言。

他的政敵隨時在蠢蠢欲動，一有機會就想為難他。年底的選舉也好像是他在選。前此的立法委員選舉受到了挫敗，因此今年的縣市長選舉他必須站上了第一線。接著的台北市長、高雄市長與省長的選舉，實質上也都是他的選舉。因為現在的情況是這一切都得要靠他來操盤。他對於聯合國的運作非常清楚，如果他不主動倡導重返聯合國的議題，這個議題可能被民進黨所完全搶走。

關於亞運大會的問題，台灣中華奧運會主席張豐緒何以會到北京？如果沒有李登輝點頭的話，張豐緒的北京之行應該無法成行。

土田：李登輝在《亞洲華爾街日報》上所說那樣，在廣島亞運或是在APEC上會見中國領導人的構想，中國方面應該都不會接受。

戴：他對於雙方首腦會談並沒有發言的立場。因為他還沒有能完全掌握台灣內部的意見，因此沒法在首腦會談上做有力的發言。首先他必須先在年底的選舉獲勝，接著再於另一次選舉中出馬吧。如果能順利當選首任民選總統的話，將展現他有前往「讓人驚訝的國家」──中國的可能性。如果不是這樣的話，根本沒有必要那樣說。

土田：如果是這樣的話，就更應該沒有把日本扯進的必要了吧！

戴：在他目前所處的情況下，首先必須處理的是台灣內部的政局問題。包括這個政局問題在內，李登輝在務實外交等問題上著力甚多。有時也做一些相互矛盾的事情。因為他現在正處於非如此做不可的處境。

李登輝不會認為目前台灣有重返聯合國的可能，也不認為他有出席廣島亞運的可能。如果不是這樣的話，張豐緒就沒有必要前往北平會見江澤民了。關於張江會談的內容，目前外界所知依然不多，民進黨也一直將此當成政治問題而加以追究。

與司馬遼太郎對談之後所引起的社會反應，《聯合報》等對他展開了批判；香港與大陸當然也在大力指責他。他對於這些批判與指責是否做了什麼回應？大家都沒有能確實掌握。

另外我希望大家了解的一點是人所具有的弱點。讀了在芝加哥的前毛澤東主治醫師*2所寫的書時，讓我有了這樣的想法。書中對毛澤東在臨終前後對於汪東興、江青、葉劍英、華國鋒與張春橋等人的行動有相當寫實的描述。但是英國廣播公司（BBC）卻只擷取了書中以張玉鳳關係為始的性生活中的政治問題大做文章，對於這樣的報導法讓醫生深感震怒。

李登輝會見許多的日本人，但各種會見裡獲得單獨會見禮遇的只有《讀賣》與《產經》而已。為何他所會見的日本知識分子或是文化界人士都對他褒揚有加呢？最讓人感到震驚的是《中央公論》的編輯長粕谷一希。因為他在見過李登輝之後對我說，「他真是一個了不起的人」。粕谷是一個相當自傲的人，曾會見過各式各樣的重要人物。他出生於昭和5年，曾擔任過五年的東大法學部長。是與《朝日新聞》社長中江利忠等同時代的人。

---

*2 即李志綏，著有《毛澤東私人醫生回憶錄》，台北：時報文化，1994年。

事後我想，日本的學者幾乎都不會見政治家。新聞記者則是因為工作的關係當然必須見政治人物，但自始就認識政治的污濁面，一般認真於學術工作的學者，大多與自民黨沒有什麼關係。當然有些人是私下保持不對外公開的關係。然而，這樣的人如今到台灣去。日本人士很重視一宿一飯的人情世故關係。因此接受他的邀請訪台，在台灣接受他的款待並收下禮物，這樣的日本人會對他說出不好聽的話嗎？李登輝在台灣幾乎是四面楚歌，他的周遭都是政敵。與他會見的人根本沒有中間人士，不是阿諛奉承他的人，就是剩下反對他的反主流派人士，也就是一些要拉倒他的人。

還有一點也不可以忘記。就是司馬遼太郎自己並沒有進入代表名門的舊制高等學校就讀，因此有一種自卑感。這在對話中以很有趣的方式呈現出來。

日本的政治家經常在為選舉忙碌，有時間閱讀的政治家大概只有像在京都選舉中被大平先生打敗的前議長前尾繁三郎等極少數的人。前尾繁三郎是福田赳夫的一高同期生，是池田派的實力人物，為人溫文敦厚，我的東大老師常與他相約在神保町的舊書店相會。日本的政治家如果是官僚出身的話，官僚時代還會看書，之後根本沒有時間看。

然而李登輝還沒有真正從事選舉活動過，之前的選舉只不過是跟著國民黨到台灣的一些人所搞的選舉而已。既然是沒有從事真正的選舉活動就登上了今天的這個位置，他當然會有很充分的時間可以來讀讀西田哲學或是海德格的作品。如果談到這些，日本人會先驚歎的說：「啊，海德格嗎？啊，西田幾太郎嗎？」接著又接受招待。然而，他即使是沒有時間也會與有名的日本人見面，或許這是人之常情不得不如此做的。

對於會見的美國人對象，李登輝會做相當的選擇。

我們最好不要將他即使沒有時間，也會設法會見日本人的心情，直接理解為是他肯定日本殖民統治的表現。因為是在搞現實的政治。

土田：但是李登輝是台灣的元首，他不是有必要對自己的言行可能引發的外界反應有所思考嗎？

戴：在那種意義下，他或許確有你所說的見樹不見林的專家一般的特質。不過他並沒有這樣的官僚經驗，就因為沒有這種經驗，他才能登上那個位置。

土田：我們知道李登輝有許多問題待處理，不過他鎖定日本為目標可能是最壞的作法。台灣與大陸這一百年來是在各自分離獨立的狀況下發展過來，彼此之間有不信任感。我想戴先生對於中國人也會有不信任感的存在，但是我曾在北京生活了三年半，與中國人有日常的具體生活接觸。雖然是所謂的紅衛兵世代，不過他們資質優秀且富有人情味，是比一般日本人優秀的人。他們雖然曾被下放到農村當農民，但之後又努力回到大學，這個世代的人非常清楚中國的現實情況。

台灣人對於大陸也不是很清楚。但是會有不喜歡與那樣貧窮的人一起生活的想法，這種想法與台灣人遭受外省人政權壓迫的不滿有關。國民黨雖然對台灣人嚴厲對待，共產黨則因為歷來的反右派鬥爭、文化大革命與天安門事件等而在台灣人心目中形象惡劣。而且在最近的改革開放政策下，出現各種像往年台灣國民黨政權的貪污腐化現象。萬一與中國統一的話，今天雖然說是要保障「一國兩制」，但是既然是在中華人民共和國的主權下，根據法律精神，全國人民代表大會具有決定一切的權限。一般人多不喜歡統一，因此如果中國不以武力犯台的話，寧可保持現今獨立狀態的台灣人是占多數的。

在這裡要強調的是，一百年來彼此分別發展的事實。如此狀況下互相有不信任感也是無可奈何的事情。然而，在大陸推動國家事務的菁英並不是台灣人所想像的那麼笨或沒有人性。在我實際深交的中國人當中，令人不愉快的一個都沒有。

現代中國考察

戴：你能這樣說實在令我感到欣慰。然而，我認為不論是台灣人對中國大陸的誤解，或是中國人對台灣誤解的認知差距正在急速縮小，理由是雙方的往來非常頻繁。

以下是其中的一個例子，我一個很要好的朋友原本非常痛恨國民黨與外省人，學生時代就一直主張台灣獨立。他的父親是個醫生，兄長到日本東京醫科齒科大學留學後，為了繼承父親事業而在畢業後隨即返台，不料卻碰上了二二八事件，因此，他們家又馬上移民到加拿大去。但他在留學考試中落第，而我卻及格……。

1983年我到美國柏克萊的時候，他的妻舅還在柏克萊攻讀博士學位，因此我們偶爾會碰面。雖然已經有30年沒有見面了，我知道他如今已經是一個有錢人。我1984年回到了日本，在此之前的14年間無法回到台灣，所有的著作在台灣也都成了禁書。1985年美籍華裔作家江南被暗殺，1986年的同學會時我才又與他在台灣重逢並一起喝酒。

我們在別墅徹夜暢飲聊天，這位原本的台灣獨立派對我說：「戴兄，我以前就一直對你不以為然，因為我認為你一直是一個大中國主義者。不過現在已經逐漸了解你所說的事情。我真是所謂的井底之蛙。」他批評台灣的《新新聞》並說：「那樣的刺激中國難道是好的嗎？民進黨與台獨派根本是不負責任的一群人。那些人一天到晚喊著台獨、台獨，或真的是想著要台獨。不過大陸的彈道飛彈相當的準確，如果對台灣發射個二、 三顆導彈的話，你想台灣的股價會變成怎樣？我變成一個有錢人，什麼時候我都可以讓你使用配有司機的賓士車，我也是必須照顧旗下企業近二千名員工生活的人。如果是這樣的情況，應該怎麼辦才好呢？」

這位朋友因為有錢而可以到世界各地旅行，因而能夠認知到台灣的經濟與他的企業所處的地位。他接著說：「並不是開玩笑的，台灣這樣程度的經濟發展，有什麼值得自大的呢？」其實，我的這位朋友並沒有想接受中國共產黨統治的想法，不過至今他也還沒有申請美國的綠卡。

這些人的聲音並沒有在新聞媒體中出現，不只日本的年輕記者不知道有這樣的聲音，若林正丈也不知道這樣的聲音。因此，曾經是我學生的若林等人，認為好像台灣就要獨立了，不過聽說最近若林的主張已經在逐漸改變。

不論怎樣的時代都有得意忘形的人，不過這是不負責任的態度。泡沫經濟就是這種情況，當泡沫經濟達到高潮時，許多人都在說什麼「日本經濟力量太厲害了」，如今又怎麼樣了呢？

船橋洋一從中國大陸出來時似乎曾經遭逢中國方面不給面子的待遇。這是從與他接觸交往的民主化人士那邊聽來的。由於日本人被認為沒有信用，因此當他從北京機場出境時，曾遭到全裸搜查的待遇。雖然船橋洋一能夠從民主化分子那裡獲取情報做為寫作的材料，不過卻被民主化分子所痛恨。

若林前往廈門大學後準備離開時，也受到全裸搜身的待遇。雖然他沒有對我講起，不過他似乎從那時起成為台獨與民進黨支持者。全裸搜查當然是有問題的作法，但如果遭全裸搜身者沒有可疑的地方也就不會遭到這種待遇吧！

我在這裡要說的是，希望日本的大眾媒體能夠冷靜、客觀的行動。另外一件重要的事則是要記取歷史教訓之事，不要被巴結奉承一下就變得得意忘形。在此並不是說中國沒有問題存在，因為是一個龐大的國家，我們可以看到其中的公害蔓延，以及一大批人隨時就要把國家吃垮的情況。在中國大陸到底有多少人在工作上努力認真？是否有1億人？

土田：昨天才臨時返回日本的一位朋友說，他曾去會見拓和提，不過發現他的事務所裡的年輕職員似乎都因為忙於副業而沒有在上班。在猛烈通貨膨脹下，大陸變成了一個努力於職務者將無法過活的地方。

戴：人們必須創造出讓正直者不受傷害的社會。雖然在中國做壞事的話有可能一下子就遭到槍斃，不過這種槍斃好像在某些地方都可加以通融。人民對這樣的政治自然會產生不信任感。日本當然也有為惡之人，但是為惡者一旦被捕，其一生就無法再於社會出人頭地，在中國情況就不一樣。

因此，我曾經對中國的朋友這樣說，我1955年來到了日本，在研究所入學時曾向學校提示台灣的畢業證書。之後在日本長達近四十年的時間裡，從來就沒發生過要向人提出畢業證書的事情。通常都是向對方提出自己的履歷書即可，相信大家應該都知道日本社會的這種情況吧。當然，日本也有人以假造學歷或是以假履歷書獲取教授職位的，但都是在事後真相暴露後受到嚴格的社會制裁。不過這樣的人應該不到10％吧！90％以上的人都在認真從事自己的工作。中國的情況正好相反，在這種情況下，一般的民眾怎麼可能會努力於自己的工作呢？

這一次我僱車從內蒙古到大同，接著又經由河北省的易水到北京，不過一路上就是不給我看農村的情況。我帶者妻子與女兒到了山西省五台山的山頂時，可以隨處看到乞丐。

經過了一個多月的旅行之後終於知道了。中國人真是令人操心的。台灣也是如此，民進黨與國民黨也都一樣。常有人說，中國是個人治的國家而不是法治的國家，但我認為這種說法有誤。人治與法治的區別在哪裡呢？中國並不是沒有制度，而是有制度的。以科舉制度而言，英國與日本還引進這種制度再加以改良，而創造出現代化的制度。然而發明該制度的中國人，如今卻變成這個德行。

法治國家是由三個層次的因素所構成：首先是立法。如果創立的法律沒有前瞻性，而且又不具有時代精神的話，人民就不會確實遵守法律。然而，中國傳統的立法作為，卻是以設立嚴格的法律來束縛人民的發想為立法的出發點。因此一開始就不容分說地認為人民不會聽話。因此這樣的立法，不論是立法的是中國的全國人民代表大會的代表、台灣的立法委員還是日本的國會議員，或者是所謂的官僚立法與議員立法，都必然存在一些立法內容的問題。

其次是關於行政上法律的執行問題。中國大陸任何地方的名勝古蹟都有禁煙的規定，但是管理人員都可以在這些地方公然抽起煙來。我到山西的懸空寺時，就碰到這樣的情況。當我對接待的山西省政府的年輕職員問起「在這裡抽煙是否會有危險」時，對方竟然答稱「沒事」。之後我再次就這個問題問了省政府的另一個人，對方答稱：「我們也是每天在生氣。」連接待的人都已經麻痺沒法可想了。立法與執法都是這樣的作假蒙騙，人民怎麼可能會守法呢？

1991年我到中國的首都鋼鐵公司參觀。那一天的《人民日報》正好刊出一則有關首都鋼鐵一家分公司的黨書記因為貪污近四百萬元而被槍斃的報導。在被譽為模範的首都鋼鐵公司一名分公司黨書記貪污一筆小錢就被槍斃，我實在想知道這麼做到底是為了什麼？結果被我問到的人都一副表情困惑的樣子，沒有人能清楚告訴我為什麼。我為此忿忿的說：「是因為貪了四百萬元供他的兒子去留學嗎？這並不是一大筆的錢啊！」

最近北京好像出現了一些專偷部長樓的所謂義賊，但是被偷的人都不去報案。他們都怕自找麻煩而惹禍上身，因為報案的話很可能會被調查，被偷的那麼多錢是從哪裡來的。

土田：前深圳市長家抓到試圖闖空門失敗的小偷時，就引起市長家為何會有那麼多錢的種種社會議論。

戴：在資本主義成熟的美國也是社會道德淪喪。要搭紐約地下鐵的話一定要小心，因為隨時都有可能會發生什麼事情來也未可知。另一方面，在中國不只有社會主義到哪裡去了的問題，而且已經造成了人們的彼此互不信任。像我這樣的人一直都在為照顧留學生的問題努力，但最近面對這些人時，開始有了身心不支的感覺。

土田：我對於紅衛兵世代一直有所期待。我所認識的這類人都非常的優秀。雖然一般人認為那個世代的人都是不行的⋯⋯。

戴：不，並不是那樣。只不過現在中國不行，中國的問題太過嚴重了，但也有像世界銀行那種對中國發展給予正面分析的報告，這是兩種極端的看法。

土田：雖然有些紅衛兵後來認為文化大革命是他們被毛澤東欺騙的結果，不過我所認識的一些先前的紅衛兵，至今仍然認為文革的目的是正確的。他們說當時毛澤東所要改造破除的官僚主義與腐敗情況，確實是非常嚴重。不過他們這些紅衛兵世代在鄧小平的時代裡都不願意講出自己的真心話，一旦說出真心話可能會被當成「三種人」*3看待，因此他們都保持沉默。然而，將來鄧小平一死的話，很可能變成由他們推動中國前進的時代。我期待著那時他們能將中國重建設成一個更為努力認真的國家。青春時期認為是正確的理想，並不會那麼輕易就把它們全部都給忘記。

---

*3 指在大陸文革時期曾「打、砸、搶」之人。

戴：最為重要的問題在於中國共產黨能否從內部完成自我變革，中國大陸目前沒有任何可以取代中國共產黨的勢力。在台灣則有國民黨、民進黨與新黨等勢力。話雖這麼說，台灣的經濟是以中國市場彌補，這是不可否認的現實狀況。

最近台灣的四家主要報紙刊登的選舉新聞，揭發民進黨屏東縣黨部主委涉嫌使用麻醉藥品犯罪事件，情況是一片混亂。

我不只對日本的大眾傳媒失望，也對台灣與中國大陸感到失望，再過兩三年我就到了屆齡退休的年齡，因此……

土田：如果是到大陸定居的話，或許會變得更喜歡大陸人也未可知。

戴：不，如果進到中國，就被淹沒看不到我了。

土田：前琉球大學教授郭承敏曾經感歎地說，中國對於到大陸的台灣人也不是很信任。

戴：如果把中國當成一個世界來考量的話，中國的這種情況還算相當正常。請看歐洲的情況，德國人與法國人之間的相互不信任感持續了多久呢？德國與今日奧地利的不信任感已經毫無辦法處理了。朝鮮人與日本人之間的相互厭惡感也很嚴重。中國雖然經常成為一個國家，但實質上那是一個世界。在這種意義之下，我在此不願對在大陸遭受歧視的台灣人多作辯護。

今天我收到了前中國中央編譯局楊威理寄來的一封信，信中抱怨他所寫的文化大革命時代的回憶錄《養豬的日子》（《ブタを飼った日々》）賣不出去，還說「日本人對於文化大革命已經厭煩了嗎」。我能體會他的失望之情。戰前他二高畢業後進入日本東北帝國大學醫學部就讀，戰後回到台灣後又繼續在醫學院念書，之後到北京留學，後來放棄從醫的志向而改念經濟學，接著參加革命，並成為共產黨員。他所著的《雙鄉記——葉盛吉傳》（《ある台湾知識人の悲劇》）一書因為我的關係而由岩波書店出版。原稿全部由我為他核對的。不過我對於書中最後的一部分內容無法贊同，那是假託逝者的話來談他自己的事情。本來想告訴他這樣安排不好，但因為他是我家鄉的前輩，而且其境遇可憐，我最終並沒有說出口。

楊威理先生因為參加了天安門事件的遊行示威，之後經由倫敦而流亡到了日本，經過四年之後取得了日本國籍。因為我介紹的關係，目前他任職於新潟產業大學。我一名學生的父親與左派的華僑總會有關係，而認識楊。後來經過他介紹，才知道楊是我的同鄉前輩。

在此我想要說的是，包括李登輝在內的台灣知識分子的根柢太過淺薄了。只要讀一讀《養豬的日子》就可以知道這一點。他們抱有自己原本就有濃厚的日本舊社會菁英的意識，而且經常用這樣的眼光來觀察中國。他們投身中國革命而遭受嚴酷對待，但是受到嚴酷遭遇的不只是他們，彭德懷與劉少奇也受到了殘酷對待，好像他們把這些都給忘了。楊威理因為醫學院沒有畢業，無法在日本當醫生，但因67歲還可以在新潟產業大學找到工作，所以非常感謝我。

《養豬的日子》賣不出去並不是日本人對於文革的厭倦，而是因為這本書太沒有深度。在接到他寫信來問時，我建議他去閱讀張戎所寫的《鴻：三代中國女人的故事》〔譯註：英文原著：Jung Chang, *Wild Swans: Three Daughters of China*〕一書。雖然我並不認為《鴻：三代中國女人的故事》是完美無缺的作品。

土田：在《鴻：三代中國女人的故事》中有關現代中國人的部分，就像是完全配合西歐人的標準思考模式而寫的一般。

戴：應該是作者受到她英國籍先生影響的結果吧。她先生的前一任妻子是日本人。（中略）雖然稱不上是偉大的作品，至少不是像楊威理那樣，只以自己為受害者的筆調來寫作。然而，楊威理的著作是在說通曉八國語言的圖書館長遭受殘酷待遇的故事。

文革是不能以個人的體驗角度來思考的問題，這就像是俄羅斯革命一樣，和東西德問題……。

我為了思考台灣與中國未來的問題，1991年前往德國波茲坦與柏林，並在1993年參加了中國社會科學院的姜殿銘所安排的會議。當時我是受到姜殿銘所長邀請而到台灣研究所去演講。在對方同意我所提出演講不對外開放，以及演講內容不以文字對外發表的條件下，我進行了兩次演講。其中一次的題目為「從兩德關係看台灣海峽」，姜殿銘一開始很不安，因為他擔心我要講的是當時國民黨所倡導兩德模式。不過我演講的兩個重點卻是：第一，外界都在說台灣人企圖搞獨立，那麼我又是何許人呢？第二，台獨問題不是台灣自己的問題，而是中國的問題。

創立東德的那些人原本是德國人當中最為努力與納粹主義、希特勒戰鬥的一批人，不過到了東西德統一的階段，他們原本的道德卻沒有留下任何痕跡，東德被西德所徹底吸收合併。為何崇高的反納粹主義的道德遺產會完全變成零呢？我說，希望他們先對這個問題加以研究，再來考慮台灣的問題。

在東西德，人口是西德占優勢。但不論是從大陸與台灣的人口或是面積而言，台灣都只是非常微小的存在體。我警告他們說，儘管這樣，如果你們不好好努力、不能防止自我腐化，是有可能淪為與東德相同的命運。

在與司馬遼太郎的對話中，李登輝之所以沒有對司馬遼太郎所說日本給予台灣人兩年緩衝期決定去留的說法加以反駁，一是因為司馬是客人，另一原因是李登輝可能在自己盤算，究竟要如何對司馬遼太郎的到訪加以充分利用。司馬遼太郎是一個沒有政治目的意識的人，他偶爾到台灣去，因為受到很好的禮遇，心情就跟著清爽愉快起來⋯⋯。

土田：司馬遼太郎如果以往也以這種筆調在寫的話，實在是令人失望。

戴：德富蘇峰最初也是為人高尚，後來並沒有堅守原則。就好像是毛澤東罵知識分子是臭老九一般。我對於毛澤東說的許多事情不必然都是贊同的，但對於他說知識分子是臭老九的事情，由於自己非常的了解，加上存有自己也可能是如此的恐懼感⋯⋯。現在坦白說，如果取得日本國籍的話會過得更為輕鬆愉快，不過我就是無法做出這樣的事情。如果我是這樣的話，那我不就成了邱永漢？不就成了陳舜臣了嗎？我常被說是反日派，被說是對日本近代持批判態度的人，曾多次成為日本知名文化獎項的候選人，但最後都沒有獲獎。

蔣經國曾經以三顧茅廬之禮請我回去台灣，那是我34歲取得博士學位的1965年的事情。如果當時我下定決心的話，有兩條可能的路讓我來走：一個是遭到槍斃，另一個是成為部長級官員。

甚至有人還說，如果當時我回台灣的話，今天在上的可能不是李登輝而是我。不過，這不是我這種性格的人所能做到的事。即使擔任部長職務，從自己的良心來說的話，也會是很悲慘吧。最近三、四年來，即使是日本傳媒邀請發表意見也都沒有執筆，其理由是一樣的。雖然還不願意對此絕望，但面對著這樣的社會時，也是無可奈何的事情……。

李登輝是一個優秀的人才，他有過加入共產黨的經驗。他取得碩士學位的過程很順利，但返國後長時間無法再出國，過了四十餘歲之後才從康乃爾大學拿到博士學位。他與我相差八歲。

關於岡崎久彥

戴：做為一個知識分子是應該要說出可以留諸後世的事情。至今我仍有那麼一點小小的自負，就是我一定會對自己所寫的負責，而且不寫一些陳腐的東西。但是一想到今後台灣與中國大陸的關係……我知道你的好意，對談企畫的意圖也知道，但將我的理論邏輯全部攤開是否確實是好的呢？堂堂正正擺開辯論戰陣是否真的是好呢？

岡崎久彥在韓國擔任參事官時，曾以筆名寫了一本《在鄰國思考的事情》〔《隣りの国で考えたこと》〕。現在該書是以作者的本名在中公文庫發行。只要讀一讀該書就可以理解，只是我對於該書的道理（現在）何以會變成這樣感到不解。他對於韓國的寫法很不一樣。他與我只差一歲，曾經嘗試去了解韓國。為何韓國人與日本人會如此的討厭對方？是當時的岡崎久彥所努力在問的一個問題，他並透過歷史的脈絡，客觀理智地觀察韓國來尋求理解。雖然是這樣，他對於台灣的事物幾乎是未曾做過任何的研究，就說出一些像刊登在《讀賣》上所說的話來。說的是全然不同的話。

岡崎受李的邀請我對李提過

戰後日本因為在美國核子傘保護下而全力發展一國經濟主義，今後則會不一樣，而外務官僚的岡崎久彥對戰略論則正好有所研究。我對他最近所寫書的內容雖不是全然同意，不過在外務官僚中，他確實是很用功努力的人……。李也邀請了船橋洋一，但船橋不是我的推薦。

我以1991年在日本的演講稿為基礎，今年五月用中文寫成《台灣結與中國結：睪丸理論與自立・共生的構圖》一書在台灣出版。書中主張香港與澳門是一顆睪丸，而台灣是另一顆睪丸，中國大陸才是本體。而自立並不是獨立或分離，而是自助（self-help）。中國如果急迫尋求統一的話，因為中國仍然處於渾沌、泥濘般的狀態，如果將睪丸吸入體內，其過高的體熱將使睪丸喪失生殖能力。鄧小平重視香港，因此說出了需要17、18個香港的話。還為此提出了一個國家兩種制度的安排，並保證50年不改變，不把香港吸進中國。而香港因為與中國的聯繫才得以開始繁榮起來。如果背後沒有中國的廣大腹地，香港是無法保持其繁榮的。然而若是因為中國共產黨的橫暴腐敗而導致中國無法變好起來的話倒是一大困擾，這是其中的一個問題。

其次的問題是，今天的台灣民眾似乎還沒有能意識到他們與中國大陸的經濟連動關係。

在這次演講之前，三井物產組織了一個代表團訪問台灣，當時正好回去台灣的我在日本人會演講。辜振甫等台灣財界人士也都在場。當時三井物產的會長發牢騷說：「台灣真好！有問題時可以利用大陸市場做為調節，由於沒有這種可供逃避調節的地方，日本的經濟的維持是很艱辛的工作。」

土田：辜振甫顯然在推動台灣與中國大陸經濟關係的發展。

戴：並不是他，我們應該認定是李登輝請他擔任這樣的角色，與中國完全切斷關係是行不通的。現今的李登輝明顯面對著這個講不出口的問題。

土田：但是如果是戴先生所說那樣，也就是說如果多數台灣人所希望的是維持現狀的話，李先生不就沒有必要掩飾任何事情了嗎？各家報紙經常寫道：「今天已經不是國民黨獨裁的時代，在選舉中揭舉台灣獨立口號的民進黨勢力逐漸擴張，李先生如果也想要在選戰中獲勝，也必須考量民意……。」

戴：如果認為民進黨所有的人都主張台灣獨立的話就大錯特錯了。

土田：確實如此，在上次選舉中，民進黨就沒有把台灣獨立當作主要的選舉議題，而是靠社會福利等民生議題爭取到更多的選票。但是在最近李登輝論述務實外交時，也正是主張台灣獨立的民進黨勢力擴張的時候，為了與民進黨對抗，李登輝也只能如此做。如果民意不支持台灣獨立的話，李登輝應該不會這樣做吧！

戴：台灣的民眾現在不可能立即對統一或獨立問題做出抉擇。即使是這樣，多增加一點台灣國際活動空間卻是一般台灣民眾的感情。民進黨掌握住這點，而且對此展開各種運動，而民進黨也不認為這個很簡單。

土田：許信良在擔任黨席時訪問日本期間曾對我說過：「台灣獨立並不是一個現實的想法。」

戴：許信良前往大陸時曾要求與鄧小平見面。許信良與我住在同一個農村，他是我哥哥的學生。以前也曾經在台灣一起演講。他並不是說台灣民族論，而是說新興民族論。

土田先生為我們擔心實在難能可貴。不過讓我來為你的擔心做解釋的話，應該是擔心日本，台灣海峽圓滿解決，中國雖很困難，不過，如果中國發展步上軌道，並克服文化大革命的一些後遺症的話，中國雖然是很大，不過其領導可不是全都是傻瓜，不管怎樣總希望對人類共同體做出一些貢獻，是這樣吧。就此意義而言，是與我的想法相通的。

土田：民進黨系的記者楊憲宏曾說：「如果1895年割給日本的是其他島嶼的話，今天的台灣會與中國大陸有這麼大的經濟差距嗎？」

戴：那是邱永漢說的話，司馬遼太郎也引用過，對此我遠在1970年代時就進行過批判：「那假設是誰也不知道。不過我要問的是，那種發想成什麼體統？如果是要搞獨立的話，就要建立獨立的主體性。」

關於出席京都大學同學會的問題我只對你一個人說，我曾對李先生說過這樣的話：「雖然有了這樣的報導，但是您位居一國元首，如果是受邀出席京都大學百年校慶也還可以，出席同學會做什麼？」

土田：當然不能偷偷摸摸地去。關於出席廣島亞運的問題，台灣島內就有「如果去的話，當然必須被依照國家元首身分來接待才行」的議論。

戴：岡崎久彥自己都說，馬上就要進入21世紀，舊的國家主權問題不只開始出現無國界的經濟問題，無國界的政治氣氛也開始出現。然而這只是各先進國家的自我中心主義的表現，第三世界國家目前還在為建立近代國家而努力。只有你們先建立近代國家，在壓榨、剝削、侵略其他國家之後，開始高唱什麼新的時代而要推展所謂的無國界經濟與政治，這是絕對不能接受的事情。蘇聯在社會主義國家集團倡導的限制主權論來干預東歐國家的內部事務，現在你們這些在資本主義世界卻以相反的意義來加以倡導。雖然因為蘇聯解體而使得共產威脅消失，讓國際間出現了倡導無國界經濟與政治理念的氣氛，但這是絕對不能被接受的說法。因此我認為，如果李登輝強行前往廣島的話，中國方面會抵制廣島亞運。

土田：如果中國明確表示將會抵制的態度，日本政府可能不會同意讓李登輝訪問日本吧！

戴：李登輝現在的身分是政治家而不是學者。政治家有層次階段之分，我可能是對二二八事件做過最詳細研究的人，而民進黨的台獨集團只是以它做為政治炒作的材料而已。李登輝擔任副總統時，我曾經與他討論過如何處理這個問題。1991年行政院成立了二二八事件研究小組，本來我是最應該受邀參加該小組的人，但最後並未獲邀參加。因為李登輝與我相識，而且他知道我對該事件有最詳盡的資料與調查研究，也最有可能從我獲得意見，但不知何故還是沒有找我參加。當研究小組還在處理該事件過程中，李登輝與我相見時說道：「戴兄，實在不好意思，在二二八事件處理過程，請不要從正面作太認真的追究。」這裡是做為政治家的他所面對的苦惱。政治與學術是有所不同的，我如果從正面認真的追究，他想將事件做個適當的政治處理就會有所困難。

為什麼有必要談到這種程度呢？因為從日本式的學術立場來說的話，我原本是應該以學者的良心為依據進行戰鬥的……。

在多次造訪中國大陸時，我曾注意的一件事情，就是鄧小平後來在談到處理關於「四人幫」問題時所說，是不是可能有其他更好的處置方法？今天我對此仍然銘記在心。

彭德懷當年如果沒有在廬山會議上對毛澤東逼迫太甚不是很好嗎？很多人都認為周恩來是個好人，但是當我們讀完李志綏所說的話後，就會知道周恩來是一個左右逢源、八面玲瓏的人。他說，如果他真的與毛澤東對立的話，就應該會被從位置上趕下來。或許這只是一種意見吧！我並沒有完全同意李醫生所說的一切的意思。您真壞，把這角色推給我，我正想悄悄退休。我在煩惱如何報答您的好意。

……一方面，我想到有為未來的10年、20年發展說一些話的必要。另一方面，李登輝現在正為年底的選戰努力，我也期待他在選戰之後，能以長遠的眼光看歷史，以前瞻的遠景來和平處理台灣海峽的問題。

土田：這個問題的基本是台灣的所有人要能夠維持目前的和平安心的生活。台灣不是香港般由外國人所統治的殖民地，是一個由相同的中國人、中華民族所統治的地方，現在沒有任何理由急著要收回統一。

戴：而那就是李登輝與司馬遼太郎對談中最大的失誤所在。因為他說國民黨是外來的政權。李登輝是由「外來政權」的大老闆給予職位，由「外來政權」帶來的人選他擔任總統。如果真要說這樣的話，也應該是先辭職之後再來說。

土田：《聯合報》社論等對於這次的事態表示憂慮，認為這是刻意煽動台灣內部的外省人與本省人的對立。……

郭承敏先生批評日本人現在又開始把中國人當笨蛋，以高高在上的姿態在說文化大革命是中國人幹的笨事。

戴：在評斷文化大革命是好是壞之前，為何不先好好研究一下為何中國會在那種情況下發生文化大革命呢？以事後諸葛亮在那裡說東說西或加以批評都很簡單。然而，為何中國發生文化大革命呢？為何俄羅斯發生史達林的肅清政敵運動？這是研究者所必須追究的問題。現在大家都不去做這些研究，只是以事後諸葛亮的姿態隨便說說而已。在一國社會主義的時代處於資本主義包圍的嚴重環境下，被希特勒攻打的那麼慘，對此所產生的反彈面……，總之有各種的情況，要對這些事情下判斷，有必要先定位結構性原因。

土田：以毛澤東的情況而言，當時他面對著必須與美國與蘇聯對決的環境背景。文革時期的紅衛兵、造反派曾批評彭德懷訪問蘇聯期間，曾摒除所有中方隨員來與赫魯雪夫舉行祕密會談的問題。至於此事的真相如何，由於事後沒有特別的研究而無人知道，好比美國CIA，如果說是赫魯雪夫使盡各種手法企圖削弱毛澤東周遭勢力，其可能性卻是無法完全被否認的。

戴：結果，大家都只是敷衍隨便地批評批評而已。就像是電話中所說過的那樣，如果真的有到死都要好好推動獨立運動的決心，那也是好的事情。但是相當多的日本人只是針對特定的地方來迎合他們的胃口與需要而已，說得直接一點的話，就是他們根本只是把台灣當成他們的犧牲品在操縱而已。政治獻金也是一個例子，以下是千真萬確的事情，就是岸信介在世的時候，安倍晉三、岸信介的女婿〔譯註：即安倍晉太郎，安倍晉三之父〕在向國民黨敲詐勒索金錢時，都會有意無意地暗示北京一直在向他們招手的話，這種作法實在是太過分了。說真的，不值得尊敬的日本人還真是相當的多。正因為有這樣的關係，蔣介石最為信任的日本人是賀屋興宣。賀屋先生金錢關係清白，岸信介的金錢關係污濁，反共只是他的政治手段而已。賀屋則是真心反共，而且全力支持蔣介石。

前些日子的雙十節晚會司儀是藤田一郎，為何林金莖代表會迂腐到這個程度呢？為何一定要找一個日本人來當司儀呢？

我認為基本上沒有獨立的可能性，在我看來，今天獨立運動人士的運動方法只是不實際的虛構而已，那是一種沒有獨立精神的獨立運動。

如果彭明敏代表民進黨參選總統的話，李登輝必較容易代表國民黨參選。彭明敏回台灣想要創立基金會，原本希望籌集2億元，但實際只募集到4,000萬元，其中的1,000萬元還是無法動用的基金會法定基金。最初是想要辦雜誌以宣傳他的政治理念，而民進黨內與他較為接近的是許信良。雖然在美國的台獨運動人士大多是他的子弟兵，不過他們之間幾乎都因爭吵而無法合作。

關於這一點，我在彭明敏返台前與他一起吃飯時就向他提出了忠告。提醒他如果還是抱持著從三高到東大時期的那種青澀理想主義返台從事活動的話，後果將會很不好。

其實，彭明敏也不是認為台灣是要絕對的獨立。他說中國大陸是一個無底的黑洞，必須阻止台灣被它吸進去。不過我認為中國不是黑洞而是一種渾沌的狀態。

彭明敏返台已經兩年，他應該已經開始了解自己在台灣處於怎麼樣的位置。

康寧祥原本有可能代表民進黨參選台北市長，正好碰上日本的泡沫經濟，台灣也因泡沫經濟而出現土地與房地產價格狂飆現象，他遂出來開辦《首都日報》。我認識的一位外省朋友，也為了辦該報出了5,000萬元，結果在所有錢被花光之後關門大吉。該報是分裂主體的無新聞的報紙，有的只是由上強押給觀點的新聞而已。耗損高達2、3億的錢。相信都是那些幫康寧祥抬轎的人刮走的。

從東京回去的台獨運動人士也包括張超英的親戚許世楷在內，不過現在幾乎都看不到什麼他們的形影。許世楷雖然在《中央公論》上把自己寫成是何等的偉大一般，不過在台灣誰也不這麼認為。美國的台灣獨立聯盟人員返台也拿不到什麼支持選票。為什麼會這樣呢？因為他們的任何一個人都與國民黨沒有太大的不同。他們只是在國民黨利益分贓系統中因為分不到一杯羹，因而抱怨的人而已。現在國民黨由李登輝領導，台灣人逐漸成為社會領導主流，原本訴求的問題已經不存在。現在好不容易才當上了國會議員，而跟隨國會議員身分而來的是利權。

從日本與美國回台灣的台獨運動人士常常裝出一副很偉大的模樣，不過原本留在台灣運動的人也擺出「我是坐過牢的人」與「我去美麗島（指綠島）留過學的人」的態度以對，根本不把他們放在眼裡。

中國大陸也好、台灣也好，本省人也好、外省人也好，都是非常現實，所謂有錢好講話好辦事。像邱永漢那樣大力參加獨立運動，那麼大陣仗宣傳台獨，為何會與谷牧結合而到大陸去做生意？為何會那麼輕易地就去拿日本國籍？陳舜臣的情況也一樣。

以前的話，國民黨一定不讓台灣人當駐日大使。不過後來前有許水德，後有林金莖，都先後出任駐日代表。聽到林金莖的那席國慶日講話實在令人感到悲哀。已經被提升到那個位置，竟然還不能說出與那個職位相稱的話來。（在眾人面前掛著美味的神戶牛排）那幽默到底是什麼？而且還叫一個日本人藤田一郎當司儀，這不就叫台灣成了日本的殖民地了嗎？這實在是令人不愉快的經驗。在那裡連一點點的形式與格調都沒有了，如果要獨立，那就應該堂堂正正的獨立。實在是悲哀。

岡崎久彥在關於韓國的論述上很用心認真，但不知何故，到了台灣時說的卻是全然不同的東西……。韓國人對於日本人的怨與恨，都能大大方方的講出來。聽到這些聲音的岡崎久彥，為了給予回應而努力研究相關的歷史，但是一到台灣去，聽到的盡是一些阿諛奉承的話。日本人心情好了起來……，明確地說，日本人在某些地方有一種傾向，就是認為中國太大了，而台灣的人喜歡與日本親善交往，因此有一種台灣如果獨立的話是很好的心情。美國比較清醒，它在與中國做交往遊戲中，台灣是它珍藏的一張王牌，在美國的國家利益考量下。日本人不常將國家利益掛在嘴上，台灣人講日本人愛聽的話，這讓日本人感覺到台灣人實在是可憐。我因而感到非常困擾。

土田：拓和提認為：「美國視中國在下一個世紀將成為足以與它對抗的超級大國，因為擔心中國成為它的最大競爭對手，因此試圖製造中國的分裂，也因此美國要對中國的台灣問題或西藏問題插嘴干預。」

戴：岡崎久彥在他最新出版的《亞洲太平洋時代》〔《アジア・太平洋時代》〕一書中提出警告，日本必須確認堅持美日同盟關係，要不然當中國建立起伊斯蘭合作關係時，情勢就很難應付。這真是一個獨具慧眼的警告，確實是有那樣的動向。

我雖然未曾對拓和提說，不過中國漢民族的種族沙文主義確實是一大問題。例如像是華僑的問題，華僑乃是前往海外的漢民族，然而實際上卻不只是如此，維吾爾族人在中東等地也以一定的方式聚居存在，哈佛大學甚至有維吾爾族人的教授。關於這些在外的維吾爾族人，我們甚至沒有讀到過中國當局注意到他們存在的問題。

1992年我到北京時，我曾對中國方面的人說，你們的華僑政策很奇怪，我甚至不知道你們是在做些什麼。像是東京的游仲勳等人說一些流行的華人經濟圈等觀念，那樣的事情你們要是真去做做看的話，東南亞可能又要發生華僑、華人慘遭殺害的悲劇。如此的話要由誰來負責呢？那些華僑學者為了賺取稿費，自己躲在最安全的地方，寫一些看似偉大的東西。然而，在印尼也好，在馬來西亞也好……，馬來西亞的馬哈迪總理因為馬來亞共產黨解體而急速地與中國接近，試圖據此抗衡美國。當然他也考慮到與印尼及越南的關係。只是這樣，無非就是要運用中國的這張牌。如果在那個時時候，中國當局糾集印尼的華僑試圖建立所謂的華人經濟圈，結果會怎樣？我這麼說並不是為了中國共產黨，那是因為我擔心那些貧窮而且沒有其他地方可逃的老華僑。有錢的人隨時都可以搭飛機逃離，要不然也可以用錢進行收買，以確保自己身家性命安全。

說得極端一點的話，台灣的所有有錢人都持有美國的綠卡。從美國回台的許多民進黨人士也都以雙重國籍來蒙混人。由於美國不景氣，因此為了獲取台灣的職位而跑回台灣來，這一次輪到我來接掌，回台灣的盡是這類人物。

接著我談的是關於在國外的維吾爾族人問題。中亞地區幾乎是一個伊斯蘭的世界，在蘇聯解體之後。在那裡，有的維吾爾人在擔任大學教授，有的維吾爾人則在造訪當地又返回老家。因為我在東京也從事華僑研究工作，因此一直在拚命研讀相關的文獻，但卻沒有在任何地方看到任何的相關記載。那些人不是非常重要嗎？中國政府當局或許一直在擔心新疆的維吾爾人想要獨立也未可知，不過若是能反過來思考的話，也就是說中國政府當局能擁抱這些人，則考慮石油美元等的任何互惠關係下，不就有可能發展新的關係了嗎？當我向他們說出這些話時，對方都嚇了一跳。顯然他們當中沒有任何人考慮過這樣的事情。

但是，岡崎久彥已經漂亮的寫出，如果中國與伊斯蘭世界建立合作關係，日本將會被排擠出去的預言。在這種意義下，這也是他具有戰略發想的一種展現。從這一思考出發，他不就會認為台灣應該要從中國分離出來比較好嗎？當然他也可以明確知道，這絕不會是僅止於台灣獨立就結束的想法。就日本而言，應該會認為這樣子比較好吧！

接著有些事我希望能夠不要寫出來比較好，雖然我不知道中國當局是怎麼想的，我認為台灣與大陸有可能逐漸經由聯邦國家的階段進而結合在一起。究竟是走獨立國家聯合的邦聯或是走聯邦國家的問題，國家聯合的邦聯制有蘇聯解體後的實例可供參考。不過邦聯式的國家聯合制度是否能解決包括台灣、西藏、新疆維吾爾自治區與內蒙古等的問題？如果處理的不好的話，中華人民共和國可能為之解體也未可知，如此一來的話，我相信應該會走的不是邦聯制而是聯邦制。

土田：但是，聯邦也有蘇聯解體的先例存在。

戴：蘇維埃聯邦是人為強制編造出來的。中國在漫長的歷史經驗中雖然存在種種問題，但是在少數民族問題的處理上，中國與蘇聯是大不相同的。

台灣人在日本

雖然一直在研究歷史，但結果得到的是歷史仍只是依照其步伐行進的感覺。但是一讀過你的東西就知道不可以那樣，再次體認到不論在什麼地方人不努力是絕對不行的道理。在這種狀況下，我本身一直有所煩惱，其實昨天我打完網球後，是一邊喝酒一邊在議論與此相近的問題。一些人讀司馬遼太郎《台灣紀行——街道漫步》時發現我的名字，他們來與我聊關於司馬遼太郎與李登輝對談的各種問題，其中包括相當知名出版社的部長級人物。我是在這麼多種連鎖關係情緒下回來，心中真的有複雜的感觸。對於沖繩大學郭承敏的那種心情，我頗有同感。但要問起理解這些的日本人是否增加的話，答案是並沒有增加，甚至應該說是在減少。我以前認識交往的新聞記者們，最近也都因為年歲增加而漸漸離開新聞工作的第一線，讓我產生了一種無力感。另外是社會主義中國也有相當的責任。

……我自己本身存在一些疑惑，另外還有許多沒有談到的事情。特別是我的情況，如今在日本持續寫東西的台灣人幾乎都已經轉為日本籍。不過因為我自己有忍耐孤獨並孤軍奮戰的意志，因此即使是這種情況持續下去也無妨。實際的問題是在於日本方面，也就是原本就與你不同的日本人，對於這種情況有些幸災樂禍的樣子。連陳舜臣都已經是那樣的情況，楊威理也已經取得日本國籍，因為是在這種情況下，誤導了一部分的日本人。在這種意義之下，與其說是日本人不好，毋寧說是這種誤解是被台灣出身的在日知識分子的不爭氣所造成的。不過，個人轉換國籍原本就不是我個人能夠指三道四的問題，只是就結果來看，真的是很奇怪，為何至今日本人到台灣去會遇到那麼多台灣人的親日反應？為何在日韓國人是如此激烈的挑戰日本人，而台灣出身的人卻是……，一想到這裡，好像我已經在不知不覺中變成了一個與眾不同的特殊人種。即使是這樣也無所謂，不過一問起大家是否尊敬那樣的台灣人時，日本人心中也認為這是愚笨的作法，不過這是因為他們（入日本籍的）不知道那些才會自鳴得意，因此感到很討厭，最近也幾乎沒有來往，這次特別因為有你的招呼，因此才來相見……。

土田：確實，原本雙方都應該是由日本人來對談的，不過因對談的出發點是岡崎久彥論文寫到台灣人都希望獨立的論點，因此認為有資格對此進行反駁的大概只有台灣人，因此……。

戴：這個判斷完全正確。選擇我為對談人也是正確的決定。問題在於為何我會對這次對談有所遲疑的問題。

土田：是因為結果挑起你對這二、三年來的厭煩情緒……。

戴：是有這一層的意思，不過也有一部分是因為我對於現在是否為適當的戰鬥時機的疑慮。我在想，如果時間是更為後面一點的話是否更為適當。明白說的話，包括日本傳媒在內對於戰後50年的態度，像《朝日》就發表了一系列的社論，不過從我的觀點來看，似乎大家對這個問題都在裝聾作啞。好像是在做沒用的抵抗一般……，另一方面，其他的情況也仍在進行。那些社論，明白一點說的話，就是幾乎沒有人去讀，只有我們這些少數的人才在努力的讀它。雖然如此我知道您們還是須要努力的情況，但是我看，如果沒有泡沫經濟後更深刻的情況到來的話，可能也是沒有辦法的事。泡沫經濟破滅是一大震撼，但是還有中國市場可供逃避，不過看了昨天《產經新聞》頭版的報導就會知道，該則新聞報導江丙坤經濟部長會見日本的通產大臣橋本龍太郎的消息，《產經》大幅刊登這則報導的新聞判斷很奇怪。江丙坤本人也應該很清楚，從客觀的全體狀況來看的話，台灣經濟部長現在會見橋本本意為何？這件事的意義為何？實在是因為還有一些人把台灣當作欺詐的對象而不自覺。在這種時候我對於是否是由我出來一爭勝負的時機有所猶豫迷惑。實在是很對不起你的盛情、好意，從今天凌晨兩點我就一直在想這件事，就是這次對談還是要請你另請他人，時機是否適當的問題，涉及了客觀的狀況以及我個人的主觀狀況。

土田：對談的對手以台灣人為佳，有沒有其他的人選呢？

戴：對談會有選舉的問題，雖然不是這次的選舉可解說一切，但至少會占有七成。如果這個未清楚的話，對於目前的情況，恐怕沒有人會出面冒險一試吧。如果這個有願意出來冒險一試的台灣人知識分子存在的話，台灣一定比現在還要認真努力，獨立運動也應該會更為認真。我想最終來決定獨立或統一問題的是大多數的台灣人。對於這些大多數的台灣人，如果他們真的決心要與中國在一起的話，並不是李登輝說些什麼或是誰說些什麼，就可以任意加以強制改變的，如果沒有這樣的心，就算中國透過強制手法進行統一，結果也只是在自己背上加上一個大負擔而已。不過非常遺憾的，雙方陣營都一樣，統一派只是想依靠中國的力量來進行統一，獨立派也只想依靠美日的支持來尋求獨立。因此我長久以來對兩方的作為都維持嚴厲的批判。幾乎已經不存在像我這樣的人了。大家都選擇當一個討人喜歡的可愛的人。因此，有時我也會認真地自問：「為什麼我非得這麼認真不可？」在面對各種情況下，我之所以必須發揮自我能力與技巧並尋求表現的改變，是因為當我用心看時，發現台灣知識分子盡是一些不值得被稱為知識分子的人。最近我開始專心用中文寫作，並把書在台灣出版。由於最近很少在日本傳媒上出現，大眾傳媒界的朋友都關心地來問我到底出了什麼事？反過來說，現在的我有了這樣的想法，就是日本人的問題要由日本人來努力思考解決，而我要好好地對台灣與中國提出建言批判，只有這樣迎向即將到來的21世紀，除此無他。

土田：對於岡崎久彥，應該要如何向他說明您的情況無法配合的問題呢？如果沒有適當的說明，恐怕會造成對方認為戴先生不敢出席對談的印象。如果對方還產生「是這樣啊！原來台灣人不敢和我對談辯論」的想法就令人氣憤……。

台灣獨立與台灣自立

戴：關於台灣的問題，岡崎久彥去年提出的是「禁忌觀的克服」意見，今年提出的是「同盟是中國的上策」主張。除此之外，我想《在鄰國思考的事情》是他最早的一本書吧，我不只看了中公文庫出版的版本，事實上在他以筆名長坂覺在《諸君！》雜誌上連載時，我就已經開始讀它了。之後，我就經常注意岡崎久彥寫的書，而且也都相當用心的閱讀。坦白說，當我知道長坂覺就是岡崎久彥時，我對於身為日本外務官僚、高級政府官僚的他，竟然能如此努力用心的研究、寫書出版感到驚訝，而且我也對岡崎久彥在該書所表現的謙虛與勇氣給予肯定和評價。

不過從那時起讓我稍微注意到的一點是，岡崎久彥所會見的人以及談話的對象，幾乎都是韓國的菁英階層人士，如果不是我誤解的話，這本著作讓我感覺到他似乎欠缺對一般民眾的注意。

無論如何，他在《在鄰國思考的事情》一書中曾多次鼓起勇氣，嘗試以日本人之身對日本進行自我批判。其中之一是提到必須填補長達36年的日本殖民統治歷史的空白。不過所謂的空白顯然只不過是外務官僚的空白而已。因為在日本學界裡有相當多在日韓國人知識分子存在而有相當的緊張感，儘管他們之間或許有因為是南韓支持者或是北韓支持者的差異而有不同看法，不過我想他們都是很認真、專心地在從事研究。

與此相比的話，坦白說台灣問題在我於亞洲經濟研究所時，當時只有小小的集團在默默研究的程度而已。就這點而言，最近關於台灣的書與報導開始接連出現，台灣出身的我對此感到很高興，不過同時我也有一種不安的感覺。雖然說之前不太關心台灣而現在急速關切起來是一件難能可貴的事，不過我對於日本人關心台灣的性質與方式卻有無法認同之感。

不論是國與國的交往或是朋友間的人與人的交往，就像莊子所說的「君子之交淡如水」一般，應該要有一定的規則存在比較好。

然而在日本似乎有相當多一廂情願的善意的人，不過問題是這樣的善意是以怎樣的型態被別人所接納。目前為止的日本情況，也有善意反而招來惡果的例子，日本人內部也發出了類似的批判。

我在日本學界將近四十年之久，特別是亞洲經濟研究所的十年裡。該研究所是以亞洲為中心的第三世界為主要研究對象。在以外國為對象的研究情況或是針對外國的發言場合裡，研究者有必要謹守一定的規則，有必要為自己建立一定的倫理規範。也就是說，我認為研究者必須對於學術性分析與發言，在自我的內心建立實踐性的原理。

就這層意義而言，岡崎久彥的論文最為令人感到驚訝不解的是，包括《在鄰國思考的事情》在內的一連發言都非常慎重，而且可以看到作者做過努力研究的跡象，但是如果只以這次的兩篇論文為限的話，他似乎只去了兩趟台灣，並在訪台期間會見李登輝總統、行政院的內閣官員與一些民間人士——想必是上層的民間人士吧。除此之外，我不知道他還曾做過哪些可以增加認識台灣的事情。他在台灣所會見的人員是以社會領導菁英為主，這點與他在韓國的情況存在相同的問題。

不過與韓國的情況不同的是，他非常武斷地認定台灣的現狀就是他所認為的情形。特別是像民進黨就等於台灣獨立黨的判斷，從熟悉台灣政治情況的人看來，對於像岡崎久彥這樣一個法學部畢業、曾研究戰略論的外務省高級官僚，為何沒有保持該有的邏輯嚴密性，而說出如此武斷的話來，一定會感到不可思議。

如果善意解釋的話，或許可以說岡崎久彥之所以會有這樣的印象，是因為他在台灣所會見的是一些主張「我們是台灣人，與中國人不同」的人，或是對他說「我們是台灣的中國人，與中國大陸的中國人不同」的人所造成的。我自己也知道，事實上台灣確實存在一些能與岡崎久彥這種想法起共鳴的人。

但是，「所有台灣人裡面沒有任何一個人反對台灣獨立」的論斷，如果是做為岡崎久彥戰略構想的政策建言的狀況判斷或是情報分析的話，恐怕是嚴重的缺失吧！如果岡崎久彥說的是「在台灣沒有任何人反對台灣自立」的話，恐怕是接近事實吧。然而因為他將「台灣獨立」強加上去，結果反而使他的論斷邏輯成立的可能性大幅降低。

自立不等於是分離獨立。像今天的情況那樣，就是維持在至今的連鎖關係下自立生存下去。保持目前的狀態以確保與大陸的和平共存，如果狀況好轉的話，還可以進行對話談判。

岡崎久彥以為民進黨取得政權的話可能推動獨立政策是一種誤解。但是，因為民進黨若取得政權的話，本身將轉變為對大陸談判的主體，因此將無法再自由暢談獨立主張。因為若是仍然高唱獨立口號，政權能否維持恐怕都成問題。

我有一個朋友在學生時代很討厭國民黨，因而主張台灣獨立。雖然他的日語比我還要流暢，不知為何在留學考試中落榜，因而留在台灣，如今已是一個傑出成功的企業家。1985年我在相隔13年後返回台灣與他重逢。另外，我與許信良及《新新聞週刊》等的幹部也都相知甚熟。

有一天，我的這位朋友對我這樣說道：「戴兄，你可認識那些朋友嗎？」

「認識啊，不過我是學者，並不直接參與政治運作。雖然曾與他們議論各種問題，不過因為他們是政治家，許多看法都是大相逕庭。騙人型的台獨系學者因為沒有學術競爭能力，遂對我說起一些戴國煇是統一派等之類的話，實際上許信良與施明德都曾與我一起吃飯。之前你不是說有事要跟我講嗎？那就請說吧！」我這樣回答。之後他接著說：

「請你告訴那些人好嗎？沒事的話不要老是把台獨、台獨掛在嘴上。如果惹火大陸，對方如果向花蓮港發射高準確度的彈道飛彈的話，台灣的股價將大跌。由於有錢人都持有美國的綠卡，大概都會逃出去吧！其他的台灣人到底要怎麼辦呢？」一口氣把滿腔怒氣全都吐了出來。

最近在台灣，以假想中國武力攻擊台灣為內容的《一九九五閏八月》在市面上大為暢銷。該書作者推測中國共產黨有可能會沒有理性地對台採取軍事行動，像是中印邊界戰爭，就是一種經過計算的非理性軍事行動。而所謂的對越南「懲罰」戰爭，也是經過計算的非理性軍事行動。作者從這些具體事例，認為中國有可能對台灣採取軍事行動。中上層的台灣人都買書回去看，因此才會那麼暢銷。

岡崎久彥對於台灣民眾的這種心情有多少了解？如果了解他們的這種心情，應該就不會說出如此武斷的話來。如果梯子被拿掉的話，不知他要如何下台？

台灣的蔣介石父子體制轉變為李登輝體制已經過了五年。在這期間李登輝總統雖然經歷相當多的辛勞，想為台灣民主制度紮下根基。客觀說來，我認為台灣一直在朝向好的方向發展。不過，如果是談到更進一步的共有歷史觀與世界觀的話，我認為台灣的住民意識還不是十分成熟。正因為不這麼認為，我等在海外的台灣人都認為李登輝總統真辛苦。

今天，台灣直接選舉的省長、台北市長與高雄市長的選戰已經開打。投票日是12月3日。主要是國民黨、民進黨與新黨的候選人在競選。民主主義一般都是多黨政治，與台灣目前的情況類似，但實際上台灣的情況與一般議會制民主主義國家的多黨制競爭情況不同，原因是台灣政治競爭議題一直面臨著一個有待解決的重大歷史包袱。

首先是清朝在甲午戰爭中戰敗，根據所簽訂的《馬關條約》，台灣與中國分離「割讓」給了日本，直到1945年日本戰敗為止，淪為日本的殖民地。我想在台灣想必沒有人全面肯定這50年的殖民統治。

日本的殖民統治留下了正面的遺產與負面的遺產。然而，除了少數極親日人士之外，台灣居民中應該沒有人對日本殖民統治抱持歡迎的感情。但是，對於如何總結日本50年殖民統治並重新出發上，台灣居民存在著思想性與主體性營為的課題。

在台灣居民主體性還沒有充分確立下，台灣就根據《波茲坦宣言》交還給以當時中國的執政黨國民黨為中心所組成的中華民國政府。

在韓國，對於日本戰敗而重獲獨立也是被稱為「光復」，不過韓國的光復指的是1945年8月15日，台灣的光復指的卻是10月25日。這種差別意味著什麼呢？這意味著台灣沒有能自主地擺脫日本殖民統治。也因此遺憾的是，必須等到10月25日才由國民黨派遣的接收人員與官兵完成台灣的光復。今天似乎還沒有人對此提出質疑。

當時的台灣居民如果具有主體性的話，有三種年號的選擇可能。就是可以選擇1945年、民國34年與台灣零年。這個問題是我最先提出來的。民進黨與台獨分子都沒有提起過。這種不同也是日本殖民統治遺留在台灣的責任所在，如果不談這個問題，根本無從談論今日的台灣。

日本過去的殖民統治是否留下基礎建設遺產的問題，應該以經濟史或是社會史的問題應予以綜合性與客觀性的研究判斷。然後台灣居民在此基礎上將這些遺產轉化為正向運用，而與之後的經濟發展相結合就好。

至少在思想的主體性營為上，應該要有這樣的認識。或許與岡崎久彥相見的人當中幾乎都是沒有這種認知的人也未可知。又或者是說台灣人或是在台灣的中國人的個性氣質與韓國人不同，而且對待客人的態度也不同也未可知。因為有了這種不同，岡崎久彥才會在兩次訪問台灣並會見上層人士之後就振筆疾書，做出「沒有任何一個人反對台灣獨立」的論斷也未可知。

從這樣的判斷又繼續的往前推展，令人驚奇的是岡崎久彥甚至還到了北京，向北京當局提出勸告，說台灣的獨立乃是必然的結論，北京應迅速承認台灣獨立，並尋求建立中台聯盟，並從這裡考量新的關係比較好。對於這些創作孫子兵法的先人的後代——不論是喜歡或是不喜歡，針對以季辛吉為首的歐美國家的巧妙外交手腕，產生出敵友都承認的周恩來外交的國家的人們——做出這樣的勸告。從其大膽性來看的話，讓我不得不認為岡崎久彥不正是典型的善意日本人嗎？然而，中國人是比較滑頭。從外交官退休而有了發言的自由，就做出如此大膽呼籲這件事，給人一種截然不同於以「長坂覺」筆名發表一系列論文時的岡崎久彥的印象。

關於中國大陸，岡崎久彥的論旨中一再出現「中國政府如果不發怒的話」與「中國如果不發怒的話」等用語表現。然而，中國的民眾似乎並沒有進入岡崎久彥的觀點之內。雖然也可以說因為時間有限的匆匆訪問所導致的不可避免結果，不過閱讀過岡崎久彥關於韓國的各種論文之後，還是可以確認這是欠缺對民眾觀點所導致的缺陷。這種缺陷在對台灣的論述以及對中國大陸的呼籲中都可以看到，不就證明問題的存在了嗎？

說起我所尊敬的國際知名新聞工作者松本重治先生，以及我的恩師東畑精一老師、竹內好老師與穗積五一老師等，這些曾經大力幫助過亞洲留學生的老師們如今都已經去到天國。這些老師前輩們，在不喪失日本人主體性的情形之下，持有日本沒有能看清明治維新與甲午戰爭之後的亞洲民眾與亞洲的民族主義，是導致日本與中國、日本與亞洲不幸歷史的原因的認識。

岡崎久彥在其著書中引用了德國鐵血首相俾斯麥的「愚者從經驗學習，我則從歷史學習」的名言。但是在缺乏對亞洲民眾與亞洲民族主義觀點下，把以美日同盟為中心的軍事戰略當成日本的大戰略，處理不好的話，不禁令人憂心不只可能無法從經驗獲得學習，勢必也無法從歷史的教訓獲得學習的狀況發生。當然，我並不認為岡崎久彥是一個愚者，因為我只是一個平凡的人，我想如果可以的話，不只有必要學習這些父祖輩的經驗，而且也有必要把這些經驗進一步淨化、昇華的歷史經驗學習。

將民進黨視同台獨也是一種過度的論斷。民進黨的黨綱裡確實有訴求建設台灣共和國的主張。但是黨綱在日本的情況也是相同，它單單只是文字而已，是否能如文字般的實施呢？實際上不必然會付諸實現。

另外，岡崎久彥也說，今天的台灣已是一個完全自由民主主義國家，為何他的文章裡會有如此多「完全」的論斷式表現方式呢？

由於我等是台灣出身，我們期待公民的法意識與政治意識能夠成熟與提升。之後，再來對台灣未來最終要走的路做出抉擇。

根據岡崎久彥的說法，台灣居民對於台灣海峽問題的選項似乎只有獨立或統一兩個選項。但是，實際上更多樣的選項正在台灣內部進行積極的討論。例如，像是台灣先不是獨立，但是要保持今天的自立狀態，將來的選擇留待子孫去決定，或是對應中國大陸的內部發展與民主化進展來考量未來去路的抉擇，或是當前是要確保自己生活的舒適與安全，但也要求擺脫如蔣介石時代的戒嚴體制生活以尋求自由等的議論。

對於台灣的居民而言，還存在著一個應該與日本50年殖民統治如何對決與整理的課題。與此同時，台灣居民也必須對李登輝總統以前的蔣家時代的台灣進行客觀性的整理與對決，並必須聯繫到未來的新抉擇。關於這些問題，外部的人不應該隨便對台灣居民說一些應該這樣或是應該那樣的話。如果台灣的市民意識或公民意識成熟的話，應該會對這種「建言」加以拒絕吧！

岡崎久彥在其大作《陸奧宗光》的最後地方這樣寫道：

> 社會的重大變革必然會威脅到全國數百萬原本享受著安定生活樂趣家庭的基礎，並產生無以計數的家庭或是個人的悲劇。不論是敗戰還是明治維新，我們都看到了這種情況。要說今天的日本這樣那樣，應該說它是一個大多數國民各自經營維護著幸福家庭的社會。大家都期待著：維持目前日本社會狀態的外部環境可以繼續維持下去，更何況以日本自己的手加以破壞，而且能夠不斷克服、改良日本政治與社會的惰性與禁忌，維持進步的生命原動力，以期能因應未來內外環境所可能發生的變動。

為何岡崎久彥不能把這段話裡的「日本」改為「台灣」來想想看呢？雖然他說獨立是必然的，不過如果從戰略論來看的話，應該可以知道台灣的獨立並不只是台灣的問題而已。它將與中國大陸的西藏問題、內蒙古問題、新疆維吾爾族問題產生連鎖影響。

以前被形容為亞洲三大火藥庫之一的台灣海峽如今是相對安定。越南則以強行的武力解放解決，不過它所付出的慘痛代價卻是大家所清楚知道的。我想，居住在台灣的人也反對中國大陸的武力解放，並不希望發生類似的悲劇。

關於今天朝鮮半島的核子問題，好不容易在美國與北韓的對話下，已經開始朝向好的方向發展前進。

台灣的民眾也想要維持他們所擁有的幸福家庭生活，即使是一步或是兩步都好，期待能繼續向著21世紀邁進。與此同時，自然就不希望目前的情況發生劇烈變化。現在儘管仍有一部分人高唱台灣獨立口號，不過在這次的選舉中，各黨彼此都盡可能相互自制，避免在統一與獨立的議題上直接爭議對立。只是選舉最終勢必為了獲得選票而產生你死我活的混戰，很可能出現各種非理性的行動，我們無法確知今後可能發生怎樣的事態。

我們期待於岡崎久彥的，是他能夠回到以「長坂覺」為筆名寫作時的原點，也就是要認真的研究台灣，而且不只要與上層的一部分人對話，更要在與台灣民眾持續對話之後再來發言。如果不這樣的話，恐怕日本式的善意會引起世界性的顰蹙與反感。至少還會碰上像我這樣的人。

對於台灣海峽問題做出像是一刀兩斷的統一或獨立的解決論

斷，並據此提出預測，不論這是出於岡崎式的善意，在戰略構想中做政策建言，我認為最好要明白向他說出這種論斷建言是很令人困擾。

對於台灣的知識空白或是外交官與台灣接觸為禁忌等，都只是日本政府的邏輯。在我們民間絕沒有禁忌，研究台灣的人持續在進行研究，還有許多人則是用他們溫暖的眼神關注著台灣的情勢發展。

例如我所尊敬的多位日本老師前輩們，都是在保持日本人主體性之下以善意關注台灣的發展。然而這些日本老師前輩們，不只思考著要避免以前所發生無視於中國民眾的心情、蔑視中國人與輕視中國民族主義的錯誤，而且也都以非常理性的態度來熱情招待台灣來的客人，我曾多次有幸與會，並一起陪同吃飯。對於這樣的事情，我要特別在這裡一提。

剖析中國內部

土田：我想岡崎久彥的這些發言不是為了台灣的人而發的嗎？

戴：那是因為台灣知識分子的墮落不爭氣造成（岡崎久彥會那樣想）。當然如果要談岡崎久彥的方法論的話，就是存在著菁英主義的問題。基本上，韓國的情況也有看不見民眾的現象，台灣的情況也看不到民眾出現。他說「中國可怕」與「中國如不發怒」，其中依然欠缺這種觀點。也就是中國民眾是否憤怒？或是說中國民眾是怎麼想？雖然我認為《在鄰國思考的事情》是一本相當認真寫的書，不過該書仍然存在這種菁英主義的問題。因為它只是根據與韓國上層對話為基礎寫成的。不過，由於對話內容有緊張感，因而能寫成那樣的書來。

前往台灣時嘴巴說想要填補知識上的空白，然而還是未能建立填補的觀點。兩次前往台灣，會見幾個人士，就可以說出那樣大膽武斷的話。到中國去時，竟然有對著寫出《孫子兵法》的民族後裔，提出了最好早日承認台灣獨立與建立中台聯盟建言的勇氣，我實在要說他真的是了不起，只是⋯⋯。

岡崎久彥的問題在於他自我陶醉於日本人式的善意中。日本人裡面有相當多這樣的人。雖然說很少有日本官僚會寫出如此大膽的東西，最初他是以筆名發表的，到了由中公文庫出版時才用真名。這時候他或許已經認定自己未來在外交官生涯中已沒有更上一層樓的機會了吧。由於已經擔任過局長級的職位，想必他也有一種能如此成就已經不錯的感覺。

土田：《在鄰國思考的事情》一書裡，他明確認識到對於韓國36年殖民地時代的歷史研究存在空白。

戴：嚴格講的話，他所說的知識空白只是一種外務官僚的知識空白。難道可以說日本的學界有這種知識空白嗎？或許在史觀上還有值得批判的部分也未可知，但是將這個解釋成是他所說的知識空白適當嗎？比如有人反問他，岡崎久彥，或許你有知識空白也未可知，怎麼樣呢？我們也可以這樣的提出反問。話雖如此，他在韓國能夠寫出那樣的內容，但只到過兩次台灣並會見過一些人之後，卻能說出一些如此武斷大膽的內容，我不得不為他感到驚訝。

土田：前些時候楊憲宏來日本一起在國際文化會館座談時，永井道雄先生也前來露了一下臉。當時一名記者問道：「在中台關係中，日本應該做些什麼比較好呢？」永井先生說：「日本最好是什麼都不要做比較好。這個問題最好是讓中台的政治家去處理。」而贊同我的想法。換言之，由於一百年來中台雙方分別獨立生活，彼此之間有互不信任感，彼此有不相互理解之處。但是，以往雙方互不往來交涉而隔著台灣海峽敵對的中台關係，最近幾年有數百萬人次以上的人員往來，經濟上也慢慢進入了共存共榮的合作關係階段。這應該說處於比以前更為接近正常的關係。

維持這種關係狀態並逐步加深彼此的了解不是很好嗎？過去曾對台灣有過50年殖民統治的日本如果有不明智不好的舉動，恐怕反而會加深台灣海峽的緊張關係。

戴：確實是這樣。岡崎久彥真的是輕舉妄動。說到那種地步實在是不好，還是不說比較好。

……或許（是他自己）還有一些（想法）沒有能夠完全整理好吧！因此給人一種非常焦慮急迫的感覺。似乎也有驟然離開外交官僚而獲取自由發表言論的解放感，不過卻因為想要急於表現自己，因此才會說出那麼武斷大膽的話來。

土田：連司馬遼太郎那樣的人都寫出那樣的內容，我們不能只責備岡崎久彥。

戴：台灣的人也不好。邱永漢叛變回台，女作家平林たい子怒道：「教人支持卻沒有半句交待」。

土田：李登輝與司馬遼太郎的對話似乎在立法院也成了議

題。主要是新黨方面的人出來罵「李登輝是日本人嗎？」之類的話。

戴：因為李登輝不必出席立法院的質詢，而是錢復外交部長遭受到嚴厲批評。

我在會見《產經新聞》的吉田信行（編輯委員長，前台北支局長）時，對他說：「只有你請務必以真正的日本人來寫。」而且還對他說：「我看不起以下這樣的人：到北京去隨便跟人家吃個飯，就一切中國共產黨怎麼說就跟著怎麼說的傢伙，另一種人則是到台灣去跟人家吃個飯，就淨說一些向對方阿諛奉承的話，這兩種人都不是真正的日本人，而是最壞的日本人，我相信你不是那樣的日本人。」此時吉田表情很困惑。

九月我與李登輝見面時，問他「您身為國家元首，到日本出席京大同學會是否合宜？」時，他沒有明確回答，只連連回以「嗯！嗯！」之聲。

目前無法想像這次的選舉結果會造成怎樣的影響。

岡崎久彥的外交官僚生涯發展並沒有飛黃騰達。雖然他相當自負，結果最終只當到駐沙烏地阿拉伯與駐泰國的大使。日本廣告大商博報堂最近接到台灣的航空公司業務，如果像岡崎久彥那樣寫的話，無疑將立即踢到鐵板。《在鄰國思考的事情》一書雖然好，不過欠缺一貫性。請看一看《陸奧宗光》。東大法學部中途休學，去英國劍橋大學最初雖被期待，之後漸漸的……，因為是這樣，結果就變成了那樣。

首先是必須經由對日本50年殖民統治對決並思考新的出路，另一則是要如何與包括蔣介石父子戒嚴令、二二八事件與白色恐怖在內的歷史對決，在建立彼此的共識當中，最重要的是建立共同的歷史觀與世界觀，時機尚未成熟，也因此李登輝總統面臨了艱難的任務，而岡崎久彥對這些不做任何的研究，只是憑自己意思隨便說隨便做。我要說的是，在自立中而不是獨立中，公民的政治意識與公民意識的成熟（獲得持續成長），實際上，民主主義在台灣仍處於在紮根的過程。應該在此之上來考量問題。

大家不應該在外面這個那個的指指點點，靜靜地觀察、關心就好。但是岡崎久彥卻拿著這個問題跑到北京去，還裝成一副偉大的樣子來勸告人家。他的作為還真是有夠大膽。

實際上周恩來最為喜歡的是被他稱為真正日本人的岡崎嘉平太先生。至於一些偽左派分子，一吃過山珍海味後就懂得高呼毛澤東萬歲，他對這些人是不加以信任的。

然而松本重治先生的情況，因為受到吳學文之流所發的錯誤情報影響（受到中國當局的誤解），實在是委屈。松本重治先生一直致力於中日關係的改善與促進，是尼克森訪問中國之後的事。

我們對於中國共產黨有過於美化的誤解，總以為他們一直保有更為禁欲的精神與延安精神，事實上並非如此。

土田：我曾經聽過如下的說法：逃到台灣的國民黨，基於確保政權的需要來考量對日關係，因此關於日本殖民統治時代的台灣，不論是好的事情還是壞的事情，也不管是談論或是研究，都一律加以禁止，對於殖民統治時代給予客觀性歷史評價也不被允許。是否真有這樣的事情呢？

戴：其實那只是用來推卸不從事相關研究的藉口而已。台灣學界裡的人自己懶惰不從事研究，卻把責任全推給了國民黨。他們到東大取得博士學位，之後即以此為唯一的資本，連一本像樣的書都不出而到處招搖撞騙。現在，大陸也出現相同的情況。因此我對於中華民族沒有像你那麼樂觀。他們都很自我本位主義。（略）都是「自求多福」。像我這樣的人是笨蛋。因為是笨蛋所以才會接受這個企畫專訪。坦白說，如果經過「自求多福」的計算的話，是絕對不會搭乘您的企畫的。這恐怕是你所不了解的部分……。

拓和提看過我寫的書後，對於我為何要那樣寫感到不可思議。我是這樣的寫道：「以勞農專政為基礎移向下一個階段，然而那並不是無產階級專政，其結果只是共產黨的高級官僚專政。」我的書在台灣出版後，台灣的朋友也說同樣的話，「為何一定要說到那樣露骨的地步呢？」但是，如果我沒有說到這個地步的話，我就根本沒有做為一個社會學者的價值，就變得跟作買賣的商人一樣。

土田：台灣的朋友為何要擔心呢？台灣遲早被中國所吸收，之後……。

戴：包括這點一起在思考。

我連邱永漢都加以批評。

坦白說，李登輝與司馬遼太郎對談中出現的所有觀點，我在20年前都已經加以徹底批判過了。因此，今天大陸的許多人都在拚命看我寫的那本書[*4]。在此之前，我並沒有受到那種程度的注

---

*4 應是指《日本人與亞洲》，東京：新人物往来社，1973年10月。

目，會這樣是因為《亞洲週刊》介紹我的那本書之故。在那之前大陸也一直在批判李登輝，因此大陸還經常寫信來，要我給他們書。

土田：為什麼您對李登輝很少批判？

戴：批判的話會變成怎樣呢？今天台灣若失去了他會變成怎樣呢？也是因為擔心這一點，所以我才會一開始時不願意接受這次企畫。除他之外已經沒有其他人。對於你所期待的台灣海峽的安定等，雖然我們現在無法確知李登輝是否能完全達成歷史性的角色任務，但是除了他之外，應該沒有其他人可以讓這種安定局面繼續維持。

林洋港比我大四歲，李登輝比我大八歲，兩個人都有飲酒的嗜好。林洋港具有政客的機巧，但是蔣經國選擇了李登輝，我認為這是對台灣將來一個好的決定。因為林洋港太清楚國民黨的腐化之處，結果將使他喪失勇氣，李先生因為什麼都不知道，所以可以做到那樣的地步。蔣介石父子在那樣長的期間使用特務機關進行統治，但是台灣在很短的期間內就終止了動員戡亂的敵視大陸政策、廢除懲治叛亂條例與解除戒嚴。北京的人不知道那些措施的實質意義與關係，他們什麼都不知道。那是非常冒險的事情，如果是林洋港的話大概就不會做得如此徹底，因為他知道因而不會如此做，而李登輝因為什麼都不知道，所以就直接做了下去。這就是所謂「初生之犢不畏虎」的作為吧。最近李先生似乎也開始知道其中的輕重利害關係了。

土田：這有冒什麼危險嗎？

戴：林洋港是在國民黨內被培養出來的，他知道國民黨的一切好與壞的所在。因為他知道這些所以就不能有所突破。李登輝因為有所不知而能有所突破。北京當局似乎不知道這樣的事情，因而總認為只要口頭上會叫統一、統一的就是好的。這真的是悲哀。我在北京不願說到這樣的程度，其實真想要跟他們說的是：「你們都太奇怪了。」

土田：李總統不要把日本扯進來比較好。因為日本不可能承認台灣，而且此舉也很危險。

戴：不過不用那麼擔心。歷史總是照著歷史要走的方向發展。

日本人的壞傢伙就在吃定台灣。那些日本人之所以說那些話，只不過是為了騙吃一些美食而已。對此要我說什麼呢？希望把我的格局看得大一點。我不願與他議論，也不會正面說那些芝麻小事的話，我可沒有興趣與他議論。

你似乎認為台日關係是那樣的重要，其實並不是這樣。

我很想回報你對中國人的好意。實際上如果中國方面自己不認真努力變好的話，日本方也不會變好。東畑精一、松本重治與岡崎嘉平太都是這樣看。希望你能讀一讀みすず書房再版發行的伊藤武雄、松本重治與岡崎嘉平太三人的對談《我們生涯之中的中國》〔參見《全集》24〕一書。促成三人對談的正是我與阪谷芳直。這三個人在舊制一高時正好各相差一個年級，伊藤是觀念左翼，松本對於伊藤的思想全然沒有好感。

土田：日本不應該試圖製造中國的分裂。

戴：我並不是不知道這些試圖製造分裂者的想法。世界上有哪一個國家的人會希望中國統一強大呢？像土田先生這樣的人大概會吧。美國則是要在還能夠不退讓條件下繼續進行其遊戲。

土田：大陸與台灣如果合而為一，造成的衝擊應該也不會很大，因為中國本身原本就已經很大，而台灣就像戴先生所說的，只不過是睪丸而已。

戴：由於我要會見李登輝與林洋港，或許有些人說我是向國民黨投降也未可知，不過我不屬於任何政黨。我所持有的只不過是台灣的護照而已。而且護照還在1972年被國民黨當局取消而回不了台灣的家，直到1985年返還給我。

土田：在台灣民主化以前，大陸是共產黨獨裁統治，台灣是國民黨獨裁統治，這方面雙方沒什麼大區別。不過台灣卻不時發生政治暗殺事件，就此一意義而言，台灣似乎比大陸還要落伍。

戴：江南被暗殺的那一天，他的太太打電話給我，說：「江南遭到暗殺，你自己要小心。」真是個有勇氣的人。之後，國民黨來託我代為邀請立教大學棒球隊。東京的六大學沒有赴台的只有立教大學而已。由於當時我沒有合法護照，還不知道能否回台灣。我遂打電話給代表處說：「如果還不讓我回國，麻煩早一點告訴我。」結果對方回稱：「不是這樣，老早就希望你能回去了，因為擔心你不答應所以沒說。」不過今天想起來，這應該只是謊言。因為他們知道我與江南很熟，如果能讓我在那時返台的話，他們就能藉此改善因為暗殺江南所導致的外在惡劣形象。我的太太很擔心，不過我對她說：「不要傻了，國民黨也不是蠢蛋，應該不會再製造另一個江南出來。因為一個江南案就已經在美國造成那樣大的風波。」

結果我就帶著立教大學的棒球隊去台灣。但入境後隨即被特務人員包圍。因為我帶著我寫的書要給姊姊當禮物，但被告知：「戴先生，非常對不起，這是不行的事。」

土田：與那個時代相比，現在的變化真的是很大。

戴：就此而言，李登輝的表現真的很了不起。原本的台灣共產黨員全都能回台灣了。

在六全協之後，東大的學生團體重心在於代代木。……然而忘記擔任代代木學生事務的中央委員是否被毆打的事情……，新的全學連建立了起來，之後日本的新左翼漸漸地……，我正好那個時候在大學裡念書。1960年安保時期社會運動中心人物的廣松涉已經過世，但桑原賢一仍在學習院。中嶋嶺雄是清水幾太郎等人的……，他是從東京外國語大學到東大的研究所。另外還有新島淳良。我也是共同擁有那段時期回憶的一人。

現在台灣內部還沒有能建立起共同的歷史認識與世界觀。

土田：為什麼還不能建立呢？

戴：首先是還沒有與日本的50年殖民統治展開對決，其次是國民黨入台之後台灣的內部主體性還沒有確立起來。不只沒有台灣零年，而且也沒有1945年，有的是民國34年。因此有二二八事件的發生，有白色恐怖的發生。那樣的事情一再的發生，而這是今日的情況。

那兩座大山障礙，用毛澤東的話說就是反帝與反殖民地。簡單言之就在於北伐過程，孫中山在第一次國民黨代表大會時，開始因為辛亥革命後的成果遭袁世凱竊奪，之後並面對著軍閥混戰的局面，因而認識到清朝雖然被推翻，但是清朝遺留下來的軍閥問題依然存在。但是他沒有實力，因而對軍閥無可奈何，因此他設法創立黃埔軍官學校，任命蔣介石為校長，周恩來為政治委員、毛澤東為廣東省農民講習所所長……，有那些過程，並在過程中次第展開成長。民進黨至今對我仍是全然無技可施……，因此如果坦白說的話，我想我仍然有資格當一位台灣獨立運動的理論家。那些人不努力研究令人驚訝。然而我一向與實際政治劃清界限，然而至今仍會收到一些威脅，或是其他種種事情，不管如何我也已經活到了63歲，只是從某種意義而言，實在是感到悲哀。

說真的，如果我要是取得日本國籍的話，會過得更為快樂一些，先不論這是否為真正的快樂，至少是形式上的快樂。例如，我有可能成為日本的國立大學教授。而且如果拿的是日本護照的話，應該早就能夠造訪中國，而且想到哪裡去都不會有什麼問題。雖然持有台灣的護照，但是卻遭當局吊銷，因此哪裡都去不成。雖然如此，我仍是繼續堅持，忍耐再忍耐，國民黨當局最後不得不放棄，重新發給我護照。這是1985年之後的情況。

土田：在此要斗膽問一個問題，那就是為何您沒有想要入日本籍？

戴：像我這樣的人，受到日本殖民統治，但仍進入菁英學校，無疑證明了學業能力的優秀，但是仍然受過被稱為清國奴的打罵經驗。如果只是簡單地是、是、是，取得東大學位就成了日本人的話，那麼哪有今天的戴國煇今天在這裡與你如此議論呢？就因為這樣，我會看不起陳舜臣與邱永漢。說得明白一點，正因為沒有拿日本國籍，我戴國煇才能在此大聲的說，我之所以為我的存在理由就在這裡。

本文係爲未刊稿。訪談分多次進行，有電訪及面訪方式，時間爲1994年10月17～30日

【附錄】
土田眞靖致戴國煇函

◎ 陳進盛譯

1994年10月30日（上午）

戴國煇教授：

預定對談的內容已經全部修改過。如能請您再次過目則幸甚。

土田

戴國煇（立教大學教授）之對談大綱

最近在日本，關於台灣的書籍、報導與論文開始相繼出現，身為一個台灣出身的研究者，我對於這種現象深感高興。不過，同時我內心也有某種憂慮。原因是原本不關心台灣事務的人們突然關心起來，讓我產生一種格格不入的感覺。

岡崎久彥在台灣論中最讓人震驚的是，他只是兩次訪問台灣，而且只會見過一部分的政經界領導人之後，竟然就做出「台灣的所有人都有獨立志向」的論斷。這是岡崎議論的出發點。

岡崎也把民進黨定位為台獨政黨。確實，民進黨的黨綱裡面有「建立台灣共和國」的主張。不過日本不是也有類似的情況嗎，也就是政黨的黨綱並不必然是被照著拿來實施的。如果民進黨成為台灣的執政黨的話，就伴隨著有責任的產生，屆時就不會如此輕易的說出要獨立的口號。

如果岡崎是說「台灣的所有人都有自立志向」的話，恐怕就很接近事實。自立並不是分離獨立，這裡的自立是指保持現在的狀態，而與大陸和平共存之意。

雖然岡崎說台灣住民對於未來的選項只有獨立或是統一而已，不過，在台灣更多可能的選項正在被熱烈討論。例如，像是台灣保持現在的自立條件，將來的選擇則交由後代子孫去抉擇，或者是因應中國大陸今後的經濟發展與政治民主化的狀況來考慮對應舉措，或是目前以確保當前舒適安定的生活為目標等的各種議論。

目前在台灣，一本以預言中國對台展開武力攻擊為內容的書《一九九五閏八月》成為市場上的最暢銷的書。中印戰爭與中越戰爭都是經過徹底計算的非理性軍事行動。該書的內容，是1996年總統直選之前，中國可能對台灣採取軍事行動。據悉台灣的中上層人士都在爭相閱讀。

上個月我回去台灣，一名企業家朋友憤憤地對我說：「主張台獨的人真是太沒有責任感了，像那般刺激大陸究竟會導致怎樣的後果呢？」並且還說道：「大陸根本不需要進行什麼登陸作戰，只要瞄準花蓮港外發射一枚洲際彈道飛彈，台灣的股價將隨即暴跌。擁有美國綠卡的有錢人大概只要逃出去就沒事了，但一般的民眾到底要怎麼辦呢？」

台灣民眾的一個小小的願望，就是希望能夠維持目前的幸福生活。對於走向獨立時的情況，岡崎只是輕鬆簡單地說「可能出現一些像戰爭一般的挫折紛亂」，這些話是否有顧慮到可能被捲進「挫折紛亂」的台灣民眾而發的呢？

由於認定台灣獨立是必然的結果，岡崎甚至對中國提出了應該採取承認台灣獨立，並建立中台聯盟的所謂上策建言。不過如果以他從事戰略論研究的角度來看，他應該知道台灣獨立可能直接牽動中國境內的西藏、蒙古與維吾爾等少數民族問題。

以往，台灣海峽與越南及朝鮮半島被並稱為亞洲的三大火藥庫。台灣海峽目前相對安定，與中國大陸的人員交流與經濟往來也正逐漸加深。在朝鮮半島方面，核武問題在美國與北韓對話下，也正朝著解決的方向發展。越南的情況則是在武力解放下解決，但是其慘痛的教訓是我們所知的事情。住在台灣的人的想法，應該都是拒絕大陸的武力解放，也不希望引發這樣的悲劇。

岡崎也說，台灣現在是一個「完全自由民主的國家」。我懷疑為何他的情勢分析中會有這麼多「完全」或是「一個人也沒有」等武斷性的表現用語。

台灣由蔣介石——蔣經國父子體制轉變為李登輝總統新體制已經過了五年。在這段期間，李登輝總統很辛苦但是很努力在為民主主義從事紮根的工作。不過，台灣公民的法意識與政治意識要發展成熟還需要相當的時間。議會經常出現一些打群架的情況，金權選舉情況也是出奇的嚴重。

以前讀到岡崎先生針對韓國所寫的《在鄰國思考的事情》一書時，曾對於一個外務官僚能夠如此用心研究感到驚訝，而且也對於身為一個日本人的他有勇氣嘗試自我批判的謙虛作為感到敬佩。

不過，從那時起就讓我開始注意到的一點是，岡崎先生所會見談話的對象幾乎都是社會菁英人士，也就是欠缺對民眾的關注。當他對台灣與中國事務研究發言時，也出現了相同的傾向。

我所尊敬的已故岡崎嘉平太、松本重治、東畑精一、竹內好與穗積五一等諸位老師們，對於日俄戰爭與甲午戰爭之後的日本忽略亞洲民眾之心與亞洲的民族主義，是導致日本與中國及亞洲之間不幸歷史的原因，都有明確的歷史認識，

岡崎久彥在他的書中曾引用德意志帝國首相俾斯麥所說「愚者從經驗學習，我從歷史學習」的名言。但是，岡崎卻是在持續欠缺對亞洲民眾之心與亞洲民族主義的觀點下，以日美同盟為基礎，堆疊各種假

說或是提出各種戰略性建言。如此的話搞不好，不只無法從經驗獲得學習，恐怕也沒有可能從歷史學到教訓吧。

所謂對台灣的知識空白，或者是說與台灣接觸的禁忌等，都只是霞關的事，民間沒有任何的禁忌。日本一直都有一些人在認真地研究台灣問題，更有一些人一直以關心熱情的眼光注視著台灣的發展。

我所尊敬的這些老師們，一直都在認真地思考不要重蹈往昔日本無視於中國民眾的心情、蔑視中國人與輕視中國民族主義的覆轍，他們都以溫馨的態度接待來自台灣的客人，我有幸也曾多次與會，跟他們與台灣的客人一起用餐。在此順便一提這些事情。

1994年10月30日（晚上）

戴國煇教授：

岡崎久彥先生的原稿作了相當多的修改。由於距11月2日的提出稿子還有一些時間，請再次閱讀岡崎先生的最終原稿，並對戴先生自己的原稿進行最後的調整。正值參加研討會的忙碌時候，萬般打擾甚感惶恐不安。還有，我每日凌晨三點以前都還未就寢，因此，有任何的問題，請不必客氣，晚上也可以直接打電話給我。

每日新聞　土田真靖

岡崎久彥（前日本駐泰國大使）之對談大綱

日本在過去的22年裡，談論台灣的問題成為禁忌。由於我身為外交官，自從1972年中日復交與台日斷交之後，甚至不能到台灣去旅行。因此，我必須在對2,000萬人居住的台灣知識的空白下，來論述東亞的情勢。

不過在離開公職之後情況改變了。自1993年以來我曾經兩度訪問台灣，曾和李登輝總統、主要內閣官員及民間領袖等人士懇切會談，這些都加深了我對台灣的理解。因此，我想再次來深入探究台灣問題的本質。

我的專長是透過對資訊情報的徹底分析，以看透情勢如何發展。而台灣獨立則是我所得到的結論。我在此的意思，不是說台灣人要獨立或是應該獨立，而是說未來情勢發展的預測評估，台灣必然是會走向獨立。但為什麼會是這樣呢？

第一，是因為絕對多數〔譯註：原本為「所有的」〕台灣人都志向獨立。選舉中獲得四成選票的最大在野黨民進黨以尋求獨立為目標。剩下的六成選民屬於國民黨派系，他們尋求加入聯合國，而這在國際法上就是毫無疑問的獨立。因此可以說，台灣的民心是支持獨立。

第二，美國的輿論必然支持台灣獨立。台灣已經不是國民黨特務統治下的警察國家。它是一個完全自由民主主義的國家，沒有任何的政治犯。而美國是一個為了追求自由而獨立的國家，一旦自由民主主義的台灣說出要獨立，大概沒有什麼美國人會出來反對吧！

美國政府雖然對中國承諾「一個中國」的政策，不過議會與輿論卻有最後的決定權。法律與條約是跟著現實之後產生出來的。美洲大陸以前也曾在英法兩國的條約下，被分置在英法兩國的主權下而加以分割，但在美國獨立宣言之後整個情勢起了變化。歷史最終還是依據民心的趨向而動。

我是研究戰略論的人，因此對問題都要加以徹底思考研究。如果說台灣遲早終歸是會走向獨立的話，那麼假定我是中國領導人的話，要如何因應才是最為有利呢？

上策是中國自己率先承認台灣獨立。這麼一來的話，所有的台灣人都將熱烈歡迎，而且都將成為親中國者。關於這樣的判斷，我在後來與台灣人會晤中曾加以檢證，無疑台灣人應該是會如此。英國現在也與獨立後的美國保持著切都切不斷的關係。

前德意志帝國宰相俾斯麥在殲滅奧地利軍之後，與對方簽訂了條件寬鬆的和約，創造了之後的德奧同盟關係，在長達半世紀裡鞏固了德意志帝國的背後安全，因而得以在歐洲中原地帶長期稱霸。上策的缺點與德奧同盟一樣，太過成功的話可能引發周邊各國的警戒。

下策是持續維持目前的政策。不過，自由民主主義的台灣希望獨立將逐漸為世人所知，屆時歐美各國將漸次傾向支持台灣獨立，北京的立場勢必將漸漸轉弱。

下下之策是對台動武。中國曾經一再提出警告，台灣如果宣布獨立的話將予以軍事攻擊。但是，即使以武力成功達成合併，民心必然不會就此屈服。其結果恐怕會是在海外組織流亡政府，並發起台灣解放運動。而包括美國、日本、韓國、印度、俄羅斯與東南亞各國在內的所有周邊國家，可能因為中國威脅論而採取一致的防範行動，其情況將與希特勒合併奧地利時相同。

中策則是不放棄「一個中國」的原則，但成為台灣加入聯合國的共同提案國。台灣人因為不願被共產主義統一而對中國有不信任感。不過就中國而言，由於太平洋這一邊的安全保障問題獲得徹底解決，當然就可以全力進行國內建設。不能完全掌握台灣人的心是這個中策的缺點。

我經常斥退所謂就日本而言台灣與中國究竟是結成同盟軸心或是對立敵視比較好的議論，中國與台灣未來的關係應該是由中國與台灣決定的問題。日本不只沒有影響力，而且由於日本過去曾經有過對台灣長達50年的殖民統治歷史，即使只是開口插嘴，就可能讓整個問題複雜化。

在民心反映於歷史的過程中，有人提出可能發生戰爭等紛亂的可能性，如果中國不採取上策或是中策的情況，是有可能發生這樣的情況。不過包括採取哪一種政策在內，這些都是中國與台灣應該來判斷抉擇的問題，而不是日本應該出來說三道四的問題。日本人不只沒有說「台灣應該獨立」的權利，而且也沒有多管閒事說「因為可能引發糾紛而不要獨立」的權利。

我深知，由於這是直接關係到自己生活的問題，台灣人一直在認真思考這個問題。內心雖然想要獨立，但是說出來到底是得是失？獨立與立即獨立間，或是獨立與自立之間都被精密的界定，或指對手是極端意見，或指他人是不負責任，把自己與他人的主張限定在狹窄的範圍內來彼此論述辯明。不過我完全沒有加入這些論戰之意。

我在這裡要提出的是民心。如果是像自由、民主主義與高水準的生活是否不會受到侵害或是否要與中國在一起等的重大抉擇問題的話，台灣民心的歸趨如何是不容被拿來議論交換的。當然，或許繼續維持現狀也是一個好的選擇，不過若這種情況繼續下去的話，對台灣人的孩子與子孫世代的未來生活安定並沒有給予任何的保障。如果北京採取上策的話，即使是原本主張「自立」與「維持原狀」的人，大概也不會說出類似「不，我認為自立很好，我反對獨立」的話來吧。我想，那是真正的台灣民心。

1994年11月1日

戴國煇先生：

現在正在參加亞洲公開論壇（Asia Open Forum）的您，想必非常的辛勞。關於週日對談，真的給戴先生添加了許多麻煩，戴先生對此生氣乃自然合理的。參與對談的人事前看過對方的主張，中途卻又將原先的觀點加以修改，這樣的話，確實不能說是公平的對談。這件事情的錯，完全在於我，因為是我接受岡崎久彥中途修改論點。

還算幸運的是，對談人員已經改由天兒慧教授擔任，對談稿也已經於稍早脫稿完成。

在事情告一個段落的現在，回想起整個事情的經過，能有這樣的結果也稱得上是很好的結論。因為關於請戴先生出席對談一事，我的內心曾有一絲牽掛之故。從這一層意義而言，或許我得要感謝修改基本論點的岡崎先生也說不定。

為了維護戴先生的名譽，我準備寄一封如下內容的信給岡崎先生，不過這得要看戴先生的意見之後再做最後的決定。如果沒有問題的話，我想這封信將在週日對談內容刊出之後再寄給岡崎先生。

從仙台回來時，我將再次向您當面請罪致歉。

土田真靖

土田眞靖致岡崎久彥正式函*

岡崎久彥先生：

關於這次的週日對談之事，正當您出發訪美前的百忙之中，承蒙接受訪問、對談對手的變更、出發前還麻煩您追加文字稿以及弄錯原稿行數等，一直到最後一刻都還在慌亂之下，實在是萬分對不起您。

特別是在對談對象變更之際，隨即獲得您的諒解，對我們而言真的是最大的幫助，我要在此再次向您致謝。不過，當天（10月31日）上午打電話給您時，由於必須立即獲得您的諒解，而且一旦獲得諒解之後，又必須隨即找到新的對談者，並在您訪美之前完成原稿，當時我的心情十分焦躁，以致關於戴先生退出對談的經緯沒有能充分向您說明。因此，想藉著這次寄送刊登對談內容報紙給您的機會，向您說明最後關

＊ 此函係經戴國煇看過後並修正。

頭更換對談人的經過。

當天的凌晨零時過後，正在橫濱出席亞洲公開論壇的戴先生打了一通內容大抵如下的電話過來：

「我與土田先生確認（岡崎先生）發表於《讀賣》上的兩篇論文的觀點沒有變更的前提下，正式同意等岡崎先生回國時參加對談。不過稍早回到房間時，收到岡崎先生修改過的原稿。其中『所有的』台灣人改成了『絕對多數」等，這是做為原本討論基礎的基本論點的重大改變。而且我也聽到，之後岡崎先生還可以加寫一些對於我主張論點的反駁意見。但是，在像這種看過對方意見再修正自我基本論點的條件下，已使得對原本的對談無法成立，這樣的對談即使進行也沒有什麼意義，因此我要退出這次的對談。」

戴先生的意見原來是這樣的：

不贊成日本人介入台灣問題；但是既然岡崎先生這樣的論文已經發表出來，那麼不就是應該讓日本人就歷史認識等問題好好自己對談論爭一番嗎？

最後因為我的全力邀請他才同意參加對談，這是戴先生同意參加對談的經過原委。戴先生為了因應這次對談，特別重新閱讀了岡崎先生所寫的多本著作，做了相當周全的準備。就我的立場而言，即使單單只是為了將台灣知識分子的想法介紹給日本的讀者，也非常期待這次對談企畫能夠實現，但是因為戴先生的心意非常堅決，我也不得不死心放棄。

還有，關於戴先生在對談中所論述的台灣問題基本觀點，後來我才知道在《台灣與台灣人——追求自我認同》（研文出版）一書中已經有明確的表明。在接受訪問時，由於岡崎先生曾說：「戴先生在岩波新書裡對自己的想法如何沒有任何的表示」，特此在此提出來加以說明。

以上，謹就週日對談之事向您表示謝意，以及過程中發生的種種事件向您致歉，並對戴先生辭退參加週日對談的經緯加以說明。

每日新聞　土田真靖

戴國煇心繫寶島始終如一

旅日學者戴國煇一直是國內主要的政治評論家之一，最近又被聘為國統會研究委員，很多人會去猜測箇中原因，除了戴國煇本身的專業素養外，他個人與李登輝總統的關係特別能夠成為話題。

戴國煇長期在日本立教大學任教，最近讓台灣人印象最深刻的是，戴國煇持續二十多年來的二二八研究，出版《愛憎二二八》一書，曾經幫助台灣社會解開二二八的歷史糾葛，讓這段歷史愈來愈明。戴國煇人雖然在日本，但是每天一定閱讀台灣的報紙，平時更是關心台灣多年來的政治演變。在野人士甚至左派代表性人物，與他的私人交情都不壞。戴國煇回到台灣時，雖然酒量不是很好，但都會找時間與他們喝一杯，談談每個人心目中的台灣，這時的戴國煇比平時更能侃侃而談，尤其他旅日多年，還持用中華民國護照一事，更是他感到最驕傲的事。

在目前國內學者很容易被貼上標籤之時，戴國煇經常會被列為「主流派學者」。其中的主要原因，不但因為總統府祕書長吳伯雄的妻子戴美玉是他的妹妹*外，戴國煇本人數次與李總統的

* 係為堂妹。

接觸，外界經常猜測他可能是總統重要的策士，又或者至少也一定是李總統身邊的朋友。同時，在談到李總統時，他本人對於李總統更是給予很高的評價。

戴國煇欣賞李總統，好像是一個學者在欣賞另一個用功的學者一樣。他曾經說過，李總統學問淵博，精通美、日、德語等多國語言，總統不但自己每日閱讀各種出版書籍，還會透過衛星了解國際資訊，看很多份報紙，然後從中吸取最新的資訊。這樣的領導者在戴國煇心目中不但是農經專家，更是哲學家。戴國煇除了平時會從言談中透露外，戴國煇與李登輝血型同為AB型一事，在不經意間，也會成為戴國煇樂意談論的事。

但是，由於李登輝總統平時就非常樂意與學者見面，在他就任中華民國元首的這幾年間，公開與私下會見學者的次數無法計數。戴國煇在諸學者間能夠獲得聘任為國統會研究委員，對於一向關心台灣的他，應是一次實際舞台的展現。只是，平時常像閒雲野鶴般，會突然出現在台大羅斯福路、或是在某場研討會亮相的戴國煇，在肩負這個新的任務後，未來的日子恐怕要被迫多負一些責任、少一些悠閒了。

本文原刊於《中國時報》，1995年3月11日，17版。由林照真採訪整理。原副題「致力研究二二八事件逾二十年，與李總統深厚淵源讓人津津樂道」

外國人所看到的日本大學教育
——新時代的國際文化交流座談會

◎ 李毓昭譯

時間：1995年10月5日

地點：私學會館

與會：羅曼紐·傅佩塔（Romano Vulpitta，京都產業大學教授）
　　戴國煇（立教大學教授）
　　金政炫（立命館大學教授）
　　巴夏（Mahajob Al-Basha，駐日蘇丹共和國特命全權大使）
　　瑪麗·亞特侯斯（Mary Althaus，津田塾大學教授）

主持：石黑昭博（同志社大學教授、日本私立大學聯盟宣傳委員會委員）

回顧日本大學的國際化

石黑昭博（以下簡稱石黑）：戰後50年，日本與多國之間發生許多國際大事，撇開政治、經濟等問題不提，其中活絡的國際文化交流尤其重要。在國際文化交流裡面，學術交流占有先驅的位置。學術交流的主幹是人才交流。可以說有優秀人才的交流，就能產生好的國際文化的交流。

另外，國際文化交流無法估計其效果，人才交流也不例外。也不是短期內能夠立竿見影的。有時經過長期的努力，才能得到無形的效果。我想文化就是這樣的東西。不過，只要日積月累，就會產生某種成果。我不認為加速進行國際文化交流，效果就會立刻顯現。日積月累是最重要的一點。

今天在「新時代的國際文化交流」的主題下，邀請在日積月累努力的各位，有的外國人士在日本念書，之後在日本教書、做研究；有的活躍於政治、外交等領域，希望大家把焦點放在日本大學的過去、現在和未來，隨心所欲地討論對日本大學要求什麼？能得到什麼、對留學生教育的現狀或日本大學國際化有什麼看法、日本的大學能做到什麼，有什麼不足之處？各位長年在日本生活，很了解日本，也很清楚日本人的優缺點，所以希望今天各位不要站在「袒護日本」的立場，如果能公平而坦率地表示意見，就太好了。

戰後美國一直在進行全額留學獎學金計畫〔譯註：指傅爾布萊特獎學金〕，如果把它當成美國的占領策略就太短視了。我認為此計畫可以說是世界人才交流的典範或理想。我國的留學制度至少也要達到該全額獎學金的幾分之一效果。

我們要先談談留學日本的意義。全額留學獎學金計畫是由前美國參議員傅爾布萊特創設的，所以想請來自美國的亞特侯斯老師先發言。

瑪麗・亞特侯斯（以下簡稱亞特侯斯）：雖然有關我的資歷是寫著「來日本留學」，其實我是先在日本執教三年，對日本的語言、文化和文學有興趣，才暫時中斷工作去念書的。

石黑：接著請傅佩塔老師談談歐洲人看到的經驗。

留學最大的收穫是該時代日本的活力

羅曼紐・傅佩塔（以下簡稱傅佩塔）：我來日本留學的原因是對日本文化，尤其是對日本文學有興趣，雖然已在義大利學了一些，還想更進一步學習日本文學，直接了解日本的現況。這是30年前的事情，當時義大利的日本研究還沒什麼進展，基於日本研究是必要的觀點，我覺得日本具有只能在日本學到的東西，才來留學。那是至少30年前的事，現在說極端一點，我覺得在外國也可以充分學習日本，幾乎沒什麼非得在日本學習不可的了，只是來到日本可以學得更深入。我個人在學問之外學到了許多東西。

就某方面來說，30年前的日本是比現在有意思的國家。一言以蔽之，就是社會非常有活力。也許我最大的收穫就是那個時代的日本活力。當時，義大利每年都有一個公費留學生來，兩年就有兩個人。當時留學生很少，但我感覺獎學金比日本上班族當時的起薪還要高，可以過著非常優渥的生活。即使是現在，我也覺得公費留學生的獎學金有點高。留學生有很多打工機會，好像花在打工的心力還比較多。

石黑：接下來請金老師就亞洲人的立場談談。

金政炫（以下簡稱金）：我來日本留學的動機可分成兩點，第一點是大戰結束之前接受過所謂殖民地時代的日本教育。另一點是，我大學畢業後想要再多學習時，正逢韓戰爆發，才會來到離韓國最近而且有親戚在的日本念書。因為已在殖民地時代學過日語，覺得來日本念書比較有利。

石黑：現在請做為廣大第三世界，也就是非洲的代表巴夏大使發言。

巴夏：我不是以學者，而是外交官的身分，在17年前的1978年以蘇丹大使館的參事官來到日本。由於對日語有興趣，為了學習日本人的生活和文化而進入大學。進了大學才了解到日本人真正的生活，得到很難得的經驗。

石黑：現在請另一位亞洲人戴老師發言。

留學帶來身分的確立

戴國煇（以下簡稱戴）：我的情況相當特殊。我來日本已經將近40年了。我哥哥戰前就來日本留學，曾被派去當學生兵。那是國共內戰台灣還很混亂的時候。哥哥不回來，我父親就叫我來找他。那時因為美國是世界的一流國家，所以我想去美國，而且我在殖民地時代的台灣受到很大的心理創傷，老實說不想來日本留學。

在東京見到哥哥之後，哥哥氣得對我說，別這麼自以為是，日本是侵略了別人沒錯，但日本老百姓也吃了很多苦頭。你想念社會科學，就要重新鍛鍊自己。他要我先念幾年書再去美國，我就在東京大學待了十年。那時的東京大學不是縱深，而是寬闊的，可以過得悠遊自在〔譯註：意指可跨系聽課〕。

現在想來，要是直接去美國，我一生都無法了解日本人，也無法原諒日本人。後來我拿到學位，在亞洲經濟研究所待了十年，然後到立教大學任教，今年就要滿20年了。

我在這段期間有兩件收穫。一是碰上做學問很好的時代，另一是得以確立自我身分認同，所以日本留學很有幫助。我對日本人和日本有了不同的看法，也很高興交到日本朋友。

要是問我日本人是什麼樣的民族，我很難回答。我覺得日本人自己對殖民統治、戰爭責任都迷迷糊糊的，搞不清楚，也好像很困擾，好像不知道要如何給自己定位。

雖然那時我有機會拿獎學金，但是我希望自食其力，就沒有申請。不過我為東京大學留學生免除學費創造了先例。我另一個先例是使結核預防法也適用於留學生。

石黑：亞特侯斯老師，聽了其他老師的發言，有沒有要補充的？

亞特侯斯：如同戴老師說，要與外國人接觸，才會對自己的身分有許多了解。我是在1969年從美國的大學畢業，那時正在打越戰。起先我打算進研究所念拉丁文，但由於是在那樣的時代所以我猶豫不決。後來有人找我來日本教英語，我也正想去外國看看。

離開了美國，我才發覺美國怎麼做出那麼蠢的事情。從外面看美國和從裡面看美國完全不同。另一方面，我來日本26年的期間，大致上每年都會回美國，每次回去都會感覺到美國的廣闊和一些優點。

至於日本是什麼樣的國家，日本人是什麼樣的民族，我想有許多特點，例如勤奮、聰明、愛乾淨，而在外國人眼中，就是有排他性，會只是因為對方是外國人而拒絕出租公寓，我就有過這種經驗，也感覺在各方面除非有什麼契機，不然很難與日本人結交。

日本人有排他性，是難以結交的民族

石黑：亞特侯斯老師剛才說日本人的排他傾向很強，是很難結交的民族。日本人自認在國際化社會中是先進國，這種話聽起來刺耳，其他人對這方面的看法呢？

巴夏：依我的經驗，由於有外交官這一道牆，我又是從非常不同的文化來到日本，日本人可能很難了解我們的心理或文化。何況我是伊斯蘭教徒，日本人對伊斯蘭教徒一無所知。比如說，朋友都會想要一起喝酒，我說我們不能喝酒，也不能吃豬肉，他們就會產生伊斯蘭教很嚴格的印象，似乎想要避開我們。

我剛進大學時，這種差異變少了。依我自己的經驗，不僅非洲人自己有非常大的誤解之外，也受到日本人的誤解，因此在日本難以生活。

石黑：其他老師呢？請舉實例具體說明。

傅佩塔：我是故意避過這個問題的（笑）。

常有人說，在日本只要待一個星期，就可以蒐集到寫書的資料。待上一年，或許就能寫出有意思的幾篇論文和報導。可是待上三年之後，就什麼都寫不出來了（笑）。我已經進入這個境地。如果有人問我日本是什麼樣的民族，我覺得不知道了。

雖然這樣，如果要我坦率說出經驗的話，我並沒有受到歧視或有直接被排斥的感覺。我在大學和其他日本教授一起工作，學生不會因為我是外國人就另眼看待。我會出席教授會，參加多種委員會。我不會想要被當成百分之百的日本人，也沒有這種期待。當然，外國人就是外國人。外國人反而有許多特權，我也樂於接受。

可是，有兩個但書。第一，或許是日本人的態度，對歐美人和對亞洲人有很大不同。另一個是常有人說的，日本社會的排他性不只是針對外國人，也包括日本人自己。比如說，要和不同性質的團體接觸很難，搬到不同的地方時，要在那裡生根也很難。這種排他性不僅針對外國人，顯示出日本社會的封閉面。

石黑：金老師、戴老師受過殖民地時代的日本教育，應該都嚐過很多苦頭。您們在自己國家對日本有什麼看法？受日本教育之後來到日本，比較日本人教育日本人的情況，有什麼樣的想法？會覺得受到歧視嗎？

對已開發國家依然軟弱的日本

金：我們受日本教育的殖民時代是在日本的統治下，而我來到日本是在大戰結束以後，所以實際上並沒有看到特別的差異。當然軍事政府教育和戰後教育總是不一樣，目的不同，教育的方式也有差別。

我在東京大學的第二工學部待了六年。那是37、38年前的事。後來我經常會來日本停留兩三個月或一個月。今年四月開始，我在立命館大學擔任客座教授，一直無法掌握最近的日本，但剛才傅佩塔老師所說的排他性似乎是存在的。

日本人給我的感覺是，對英語圈怯懦，對已開發國家也是。而對有古老歷史文化的國家也會怯懦起來。但東方國家例外，只針對西方。尤其是對白種人怯懦，對亞洲則採取非常強硬的立場。畢竟亞洲人就像剛才戴老師提到的，殖民地時代遭遇過惡劣到無法形容的事。亞洲人對這一點會當成排他性來想。每次發生什麼事，就會覺得那是不是針對自己的排他性。

至於那是不是排他性，雖然想法因人而異，但一般而言，是有點不耐煩或性急的一面。可能情況無法符合自己所思所想時，就立刻發脾氣。這方面應該要做為日本未來的問題稍微思考一下。譬如對亞洲謝罪一事，國會在今年春天也討論了很多，但並不是謝罪之後就什麼事都沒有了，這麼想是很大的錯誤。與其這樣不如單純去付出。得到的反應會更有效果。

石黑： 這是來自日本人國民性的整體傾向嗎？

金：是的（大家都點頭）。

石黑：戴老師說他來到日本之後，發現了身分認同，各位也都有同感，這方面能不能請戴老師多說一些？

留學是新邂逅的機會

戴：我在大學教書已經25、26年了。我會給學生幾個建議，當然會說英語是其中一個，並要學習一種亞洲的語言，以及要找機會到國外留學。大學部大致上是18到22、23歲的大學生，還有研究所的學生。校園生活不是有類似「通過儀禮」的性質嗎，可以透過大學裡的邂逅來確立自我。

留學或大學的國際化就是提供獲得邂逅機會的方式。出去念大學的後期或當研究生是比較有效率的，因為身分認同危機的迷惘程度會比較小。

要是沒有來日本留學，我對日本人就只會走向反感和逃避。可是既然留下來了，就不得不當面對決，無法逃躲。起初有人說我日語說得很流利時，我會有點得意。後來發覺這樣不行。如果是自學的語言，能夠說得很流利當然不錯，但那是我在被強迫的情況下學好的語言。不把日語當成工具是不行的，我因此有了明確的問題意識，開始寫批評日本社會的文章。不是說壞話，而是藉著審問日本的近代來質問自己。審問日本近代就等於是在審問歐洲的近代。

日語有句話說「只用自己的升斗來衡量別人」，任何人或民族都會站在自己的立場，從自己所屬的民族、社會眼光去看事情。身為大學教員、知識分子，只會這麼做就太貧乏了。我在理念上把如何超越自己的量器當成課題。日本的近代有同質性，日本人自以為日本是單一民族國家。全世界沒有一個地方是單一民族國家。日本雖然引進資本主義系統，市民社會卻一直不成熟，至今仍殘留問題。日本的近代是接納以歐洲的猶太、基督教為背景的部分文明，再組合中國的儒教和日本文化、歷史創造出來的。我看要確立自我並不容易。

日本社會沒有人種和宗教問題。中國每天都要面對少數民族問題、西藏問題等牽涉到少數民族與宗教的問題。美國也有黑人問題，西歐有猶太人問題，自然能夠多元思考。日本的情形則為，不是夥伴就不安心。也因為這樣，日本人給人的印象是心胸狹窄或封閉性。

大學要有效達到國際化，應該要讓學生在生活中了解多元的文化、宗教、存在。像農村有來自韓國、菲律賓的新娘。婆家一開始並不喜歡菲律賓媳婦，只是兒子找不到老婆才娶她們，而既然來了，就要好好珍惜。這是農村改變的徵兆。我們也要以寬大的心胸，不要說日本人有封閉性，要把眼光放在如何一起構築21世紀上面。

石黑：我們自然而然進入了第二個部分「對日本大學國際化的看法」，出現國際化的問題。現在就由這方面的話題進入。各位老師有的在日本待了20年或30年很長的時間，有的是長期不在又再回來的，對日本的大學應該有很多觀察。日本的大學確實在往國際化的方向發展嗎？目前實際的作為算得上是國際化嗎？我想聽聽各位的意見。傅佩塔老師，您有什麼想法？

僅加上國際兩字並不代表國際化

傅佩塔：京都產業大學的創立精神是開放的國際性，因此我能夠較早以外國人的身分教外語以外的科目。現有的學院有語學之外專任的外國教師，今後也計畫開設國際文化學院。

就國際化的觀點來看，好像所有大學非得開設有國際兩個字的學院才稱心，但只加上國際兩個字，就是國際化了嗎？

再說和未來的展望有關，我的感覺是現在日本的大學有輸入和輸出的問題，要輸入什麼學生，而社會又期待大學輸出什麼樣的人才，大學夾在這兩個問題之間，不論擬出多麼美好的計畫願景，我想都很難實現。

石黑：大約12年前，當時的首相提出「21世紀初接納10萬名留學生構想」，要從外國引進10萬名留學生到日本來。我任職的大學已約有300名留學生。日本的大學接納外國學生的基本想法維持不變嗎？

金：以立命館大學來說，已經改變了很多，前陣子報紙也有報導，就是在大分縣別府市設置了亞洲太平洋學院，名額是3,200人，其中一半的1,600名學生來自韓國、台灣、中國、泰國、新加坡、印尼、馬來西亞、越南等東南亞國家，盡量在當地發給入學許可。學生在日本參加入學考試的話，就非來日本考試不可。如果在當地就有日語能力，就可以給予認可。

不只是這樣，現在立命館大學也來了很多各國的學生。我想總共應該超過1,000人。不只是從外國來的留學生，我們也會讓日本學生到外國留學。這是交換學生制度，合作對象有美國大學、加拿大的UBC（英屬哥倫比亞大學，University of British Columbia），以及韓國等。UBC設有能收容100人的宿舍，我們每年都會送100人過去。就此而言，我感覺立命館大學已經搭上國際化的浪潮。

以後還會從各國聘用著名的大學老師，運用客座教授制度。其中有任期長達三年的客座教授。這種制度對日本的國際化和了解日本方面都是相當不錯的。

如果日本所有的大學都能朝這個方向去做，就能達到更理想的國際化，讓世人對日本有更深入的了解。

石黑：亞特侯斯老師，津田塾大學從以前就是知名的國際大學，目前的情況怎樣呢？

不能輕忽的歸國子女問題

亞特侯斯：我們學生的規模含研究所在內有2,500名，雖然不能只看數字，但是國際化的傳統確實是我們引以為傲的。我所屬的英文系30名專任老師之中4人是母語出身的，兼任則超過40人，日本的教師80%以上有英美大學碩士以上的學位。國際關係學系是1969年設立的，每年都有四、五十名學生出國留學，時間以年為單位，可以說是這種傳統的表現。

關於剛才談到的事，還有一點不能輕忽，就是歸國子女的問題。以我的基礎討論課來說，一班20人，其中4、5人在國外生活過。如果日本社會將來會改變，我想因許多人有異文化體驗，感覺也不同，是其中的要因之一。

現在我在津田塾負責交換留學生等海外交流的工作。如果要舉出一兩個問題的話，就是在訂立與歐美交換留學的計畫時，必須面對四月或九月的學期差異問題，要花很多心思去調整。

立命館似乎有一些作法只靠當地的面談就接受學生入學，我們學校的人數少，只能接受日語達到某種程度的留學生。至於要讓他們上什麼課也是問題。學生不滿意只開設日語的課，所以也想讓他們上其他的課。可是語言不夠好。因為是小規模的大學，只以英語或中國語、韓語，能針對留學生開設的課有限，學生還是非得提高日語能力不可。這是現況。依我的經驗，從語言學習該文化是最紮實的方式，所以我希望留學生能夠先把日語學好。

石黑：剛才老師提到採用學期制的問題，不採用的話，日本的大學就會在國際上落後了（笑）。日本大學的封閉性之一，就是不採用學期制。所以回國的人會為這方面的差異感到困擾。巴夏先生雖然不是大學教師，但也請您談談這方面的看法。

巴夏：我不太了解日本的大學，不過在我的國家，因為是第三世界，問題很多。也因為是開發中國家，面對著糧食不足、疾病等課題。說到日本的大學與這些課題的關係，我想在我們看來，好像都沒有扮演什麼功能。比如說，歐美各國的大學非常努力去研究非洲的問題，承擔某種功能。日本的大學從地域研究來看，雖然有非洲研究或中東研究，但是非洲研究的水準非常低，我才會有這方面的期待。非洲有一個非常大的問題，就是瘧疾。我很希望日本的大學能夠為這方面提供一些幫助。

石黑：巴夏先生，能不能請你談一談非洲留學生不多的情況？

巴夏：這方面有兩個理由，第一個是日語的問題，另外是非洲很遠，精神上有很大的距離。非洲人的眼光也會朝向歐洲或美國，而且以前非洲是歐洲各國的殖民地，彼此關係很深。另一個理由是錢的問題。除非有文部省的獎學金，否則沒辦法來日本。

石黑：非洲的日語教育與其他地方比較，好像真的比較落後。

巴夏：是的。以非洲來說，日語學校只有開羅等少數地方才有，真的非常少。對日本一無所知，像我來日本之前，對日本也只知道有富士山而已。現在雖然了解較多了，但事實上還是非常少。

石黑：金老師，立命館大學在前陣子設立了新大學，您剛才提到的國家並沒有非洲的，將來有沒有打算把非洲也加進去？

金：這方面還不知道，但因為名稱是亞洲太平洋學院，所以現階段應該不含非洲，而且要否把中東也包含在內，還在猶豫中。

石黑：戴老師，對於國際化的結論，您有什麼想法？

日本很難建立給與取的關係

戴：我想向日本各方人士進言。我認為給與取的互惠觀念還沒有在日本社會紮根。「村落結構」的觀念還很強烈，像志工活動也是最近才開始的。村落並不需要志工，因為村子或親戚彼此都有關聯。市民互相幫助的給與取關係很難建立。說極端一點，一走到「村落」外面，就好像只取而不給，只想要取而已（笑）。

日本有「接納十萬名留學生構想」。國立大學的能力不足，需要私立大學協助。但私立大學接納時會發生的問題，就是接納的學生會以第三世界學生為主。對第三世界的人如何補助高學費是個課題。此外尚有住的問題，日本社會不肯把房間租給來自第三世界的人。

我因此想了個替代方案。日本社會逐漸走向高齡化。小孩子因為工作關係而住在別處，留下老先生、老太太在家，房間也空了出來。另一方面，小孩會為父母擔心。既然這樣，老夫婦不妨接納留學生，一起生活。比如說，另外設一個大門，浴廁也分開。由大學為學生擔保，同時設計由留學生協助老夫婦日常生活的制度，用來折抵部分房租。這樣子老夫婦有人可以聊天，有緊急情況時也能得到幫助，同時留學生可以在家裡體驗日本人的生活。屋子改建、修繕的費用則由地方自治體補助。這種方式不就可以解決居住問題嗎？要做到這一點，要思考的是如何使老先生和老太太的思想國際化，語言倒是不需要考慮。

政府開發援助（ODA）預算要怎麼分配，是不是也是應該思考的？既然提出了「接納十萬名留學生構想」，沒有配套措施是很奇怪的。目前流行的國際學部，有國際兩個字是否就是國際化，很令人懷疑。

另一點是教師的觀念不改變不行。現在都還只是在考慮輸入學問。對於亞洲或非洲來的留學生，也要求一定要學好英語。可是他們是來日本念書，光是要學好日語就夠頭痛的了。要知道他們的第一外國語就是日語。等達到一定的水準再入學，這時就可以請他們學好英語。明治以來的思考模式有待變革，日本人對今後輸出學問要有自信。

大學要做到國際化，至少要有一兩千名留學生，也就是固定名額的15％左右，否則意義不大。

石黑：傅佩塔老師，您專長的日本浪漫派的想法可以輸出嗎？

傅佩塔：因為與歐洲的想法有共通點，所以我認為可以。剛才提到語言，戴老師有點樂觀。

戴：請年輕人多用功就行了。

語言是留學的一大障礙

傅佩塔：這麼做是可以，可是現在的國際化，以從外國來日本念書的觀點來看，語言是一個很大的障礙。如同剛才老師說的，沒有用外語教學的體制，當然那是不可能有的。因為是日本學校，通常不會考慮用英語等外語上課。從金老師和戴老師的經驗來看，兩位老師就某方面來說算是受惠，本來就懂日語，才能夠跟日本人一樣學習。可是不懂日語的人要在日本的大學念書，就必須先學日語。而要做到真正的學習，還是需要深厚的日語知識。如果要專研日本方面的學問，就要在學日語上投資。而如果要在日本學習優異的領域，不懂日語會很困難。因此學日語時，是否合算是個大問題。

比如說，從義大利的觀點來看，當然日本有許多值得學習的東西，例如工學、建築、醫學等科學和其他，但不懂日語就不能學習。這麼一來，來日本做研究的人都會變成是在研究日本。這樣子回國後是找不到工作的。所以我說語言是個很大的障礙。

石黑：各位的談話中出現了今日座談的第三個主題「未來展望」的線索，現在能不能請各位談談，對以後日本大學留學生教育的看法？

金：如戴先生所說的，來日本的留學生可以陪伴老人，可是近來每個國家的年輕人都不想要養老年人，我想就算免費供餐，可能也沒有人要住。他們會不會寧可去打工，有自由的時間，過著自由自在的生活？這部分也有年輕人是否能夠理解的問題。

幾乎所有打算來日本留學的學生，經濟上都算是比較寬裕的。對於這些學生，我希望能提供某種程度的獎學金，金額少也沒關係，盡量不要讓他們去打工。希望他們念完書就回國。因為就像去美國或歐洲留學回來的學生，日本學生也是一樣，在短期間經驗到的不是上流社會，而是下流社會，也就是他們最容易相處的地方。因此這些學生會變得我行我素，學會各種玩樂的方式，當然有些學生會認真生活、念書，但社會秩序往往會從這個地方露出破綻。

從這一點來看，從亞洲國家來的學生回國後，會如何有效利用對日本的感覺呢？要是看到不好的地方回去，而在母國做出不好的事，最後只會對日本的印象愈來愈差。接納留學生時，從教育的層面來看，也要注意這一點。

無論如何，大學的政策都已依照國家方針確定了，就此點來說，國家必須負的責任，大學在某方面也得背負；而在大學也要分擔責任的原則下，必須替國家做出貢獻，盡量接納許多留學生時，要好好指導他們，以免他們回國後對日本反感。所以並不是說接納的留學生愈多愈好，也必須考慮到如何避免他們對日本反感。

石黑：戴老師，金老師說年輕人不喜歡與老人家一起住，您覺得呢？

對第三世界提供教育支援才重要

戴：房租太貴是很頭痛的，我才會想出這種互補的關係。他們要來留學，就不得不請他們忍耐。

接著我想說說日本大學應該怎麼做的看法。以日本的農業為例，日本的農業非常特殊。有農學院的私立大學很少。國立大學似乎在以各種形式嘗試改組。第三世界的基本問題就是農業問題。由日本的國立大學來培養農業人才也是一個方法。

另外一個方法是由國立大學的醫學院提供約十個編制外名額，選拔第三世界的學生，設立熱帶醫學或特殊的講座來支援。這樣就能對第三世界有實質的幫助。

金：政府開發援助從1992年開始已經這麼做了。

戴：那是研修吧。

金：不只是研修，也包括教育。如果能包含在裡面，留學生的問題就可以解決一大半。

戴：我剛才的建議就是這個意思。

金：已經有這樣的制度了，所以大可以包含在裡面。可是到目前為止，實際上像教育、環境等全部都不包括在內，只著眼在開發的地方。當然，政府開發援助的理念也包含教育，所以我想對第三世界的教育支援也是應該考慮的。

石黑：傅佩塔老師對日本有什麼期待嗎？

建議對亞洲地區有更進一步的貢獻

傅佩塔：如同金老師說的，日本的國際感覺似乎只考慮到上下的順序。依我的感覺，從很多觀點來看，還是以英語圈的地位最高。我想近來有一點點改變了。也許從亞洲來的兩位老師因為是當事者，所以不太有感覺，但是日本的想法正在慢慢改變。一方面是經濟上的因素，已經對亞洲大幅轉向了，像我的學生對亞洲的興趣確實在增加。比如說，中國語愈來愈受歡迎，韓語也有許多人在學。日本似乎是站在比較平衡的立場了。如果能夠對地區做出更多貢獻，對日本也有好處。

我是歐洲人，首先對日本的期待是對這個地區扮演更積極的角色。當然，從文化觀點來看也是一樣。日本有東西可以教給其他亞洲國家。彼此不妨再丟掉一點偏見，以更認真的態度因應。我每次談到這個，就會說到歐洲的情況。歐洲有德國人、法國人、英國人、義大利人，波蘭也包含在裡面。50年前，沒有人會想到彼此能融洽相處。如果法國人和德國人做得到，為什麼日本人和韓國人做不到呢？這是我很大的疑問。以後或許日本能夠更務實地面對事實，以戴老師所說的給與取的互惠方式，對這個地區會有很大的貢獻。

石黑：也請巴夏老師從非洲的觀點提出意見。

巴夏：也許我的話有點離題，但非洲人對日本缺乏了解，好像對日本沒有興趣，所以為了解決包括語言在內的問題，希望日本能在非洲國家設立文化中心。比如說，蘇丹有美國的文化中心，法國、德國、英國、義大利也有，日本卻連一個也沒有。雖然這是政府層面的事，與大學無關，但我很期待。

石黑：也請亞特侯斯老師從美國的觀點談談。

亞特侯斯：我要說的與其是美國觀點，不如說是從各位的話得到的感想。剛才有人提到輸出，日本人一直在想著輸出，只是輸出的是具體之物。像想法、語言就沒有輸出，只是一直在輸入。尤其是從歐美那裡輸入。要是在思想或文化方面沒有可以輸出的東西，我想是很難成為留學王國的。

石黑：時間差不多了，各位有什麼要補充的嗎？

真正的國際交流是從溝通中產生

金：請讓我再說一些話。今年暑假，我們大學約有三、四十名學生去韓國。從釜山直接到首爾，也看了板門店，這是終戰50年的紀念活動，在立命館大學招募學生。學生分成幾團，有的去韓國，有的去中國大陸。我想既然學生們到了韓國，應該要給他們和韓國學生對話的機會，學生們也認為機不可失，我就安排場地，讓他們與韓國學生談話。我給他們的建議是不要談論困難的話題，只是老實說出內心話就好了。韓國學生對日本有什麼看法，日本學生對韓國有什麼想法，可以互相談一談。如果有韓國學生說出刺耳的話，也是過去的問題，由於現在的教育之故，才會出現那樣的話，你們不也是一樣，因為沒有受那種教育，才會不了解。如果能改變立場思考對話的話，我來安排場所。後來兩國學生都接受這一點，答應不論聽到什麼都不生氣。我因此讓他們溝通，大約談了兩個小時，後來大家又一起去逛市區。

學生們在那種場合得到的印象都非常強烈，異口同聲說學到很多，也有所了解。我想不只是留學生問題，只要能彼此對話、討論，就能夠從中產生真正的相互理解。每一所大學都可以自行嘗試這種作法，但我認為日本私立大學聯盟有必要利用假期，讓各國的年輕學生一起溝通。能夠因此有所了解是最好的。是否可以引用這種作法，做為互相了解的基礎？

石黑：確實不錯。

戴：我再提一個具體的建議。日本的校園生活最大的特色是討論課的研習營和研習聯誼。私立大學的留學生要負擔高學費，無法參加。我希望留學生能得到補助金去參加一年兩次的研習營和聯誼。讓他們和日本學生一邊泡澡、討論、健行，一邊學習。有這種活動，才稱得上日本式的學習。

金：日本改變了很多。近來改變太大，讓人無法捉摸。尤其說話的速度，講得太快，讓人聽不懂在說什麼。還有新的語詞出現。以前沒有的新日語不斷冒出來。如果一直待在日本，也許不會有這種感覺，但是像我這種偶爾才來日本的人，馬上就會感覺到。

傅佩塔：這不只是日本的問題。我每年都會回義大利一次，都會聽不懂電視新聞，因為都是新語詞。語言不能溝通，變成無法溝通的手段。變成只有圈內人才懂的專門語言（笑）。

亞特侯斯：英語也是這樣。

金：是嗎？現在的世界全部都變快了。

現在最大的問題是日本接納留學生的態度

石黑：今天是為了探討「新時代的國際文化交流」，尤其是留學問題，而請過去都曾在日本念書的經驗，目前在我國不同領域活躍的各位代表歐美、亞洲、非洲前來齊聚一堂，自由自在地討論。

話題可以歸納為三點：第一，對日本大學的需求與收穫；第二，我國留學生教育的現狀和國際化；第三，未來我國必須補足的地方、應該怎麼做和可以達成什麼。我們的話題也大致依照設定的重點展開。

本期的特輯也請了座談會之外的幾位人士針對留學話題惠賜文稿，看了他們的論文和文章，我得以從新的觀點重新審視留學在此國際化時代的意義，也有了重新思考的機會。

今天座談會之前，閒聊時有人提到亞洲的年輕人最想留學的地方是美國，其次是歐洲，接著是日本。日本其實是最後一名，讓我們非常驚愕。

常有人說，留學的國家會成為一個人日後的人生中最喜歡的外國。尤是留學美國的人幾乎都帶著親美的態度回國，而一生不改其「喜歡美國」的態度。就算沒有到這種地步，有美國留學經驗的人，不僅會對美國的富裕感到震撼，也會覺得校園內外人人親切隨和，而帶著這種好感回國。不僅是美國，其他外國也是一樣。相反的，常聽人說，留學日本的人回國以後會一直講日本的壞話，變成排日人士，為什麼會有這種情況，我們日本人要好好思考，該反省的地方就要反省，該改過的地方就要改過。這樣子才能為真正的國際化奠定基石。

此外，希望最近剛留學回來、目前正在留學，或是與留學生有接觸的人士，都能參考今天出席者的意見和忠告，努力去達成被賦予的使命。

今天承蒙各位撥出寶貴時間提出意見，非常感謝。

本文原刊於《大学時報》第258號，東京：社団法人日本私立大学連盟，1995年11月，頁14～27

戴國煇，日本的「台灣通」
——拿的是農業博士，談的是家鄉政治

也不知道從什麼時候開始，日本立教大學的教授戴國煇，成為台灣每次選舉之後的日本評論專家。日本的記者找他，台灣的記者也都找他，大家都似乎忘了他是日本的農業博士。

但是他對台灣的政局，從海外的另一個角度來看，卻是看得透徹。

台灣立法委員選舉開票的那天晚上，戴國煇教授成為在日本的記者們追逐訪問對象，他的書桌上堆滿了從台灣傳真過來當選或落選人的名單，他仔細的剪剪貼貼，好像在為台灣的政治勢力做一個重新排列組合。

對於自己生長故鄉台灣的事情，戴國煇教授比任何人都關心，最近他在台灣的報章雜誌上再掀起了李登輝〈出埃及記〉與「出埃及」的論戰，許多人認為他是在為李登輝緩頰，但是他說：「我只是因為讀過這段典故，想把它說出來而已。」

他認為，〈出埃及記〉是一個歷史發生過的典故，「出埃及」只是一個尋求自由的概念。如果李登輝總統當初所說的概念是〈出埃及記〉的話，則他應該是得回福建建國，而不是還待在台灣，並且當年台灣人從大陸過來時，並不是被奴役的，這個歷

史背景也並不相同。所以他認為李登輝的觀點，還是比較傾向於「出埃及」而非〈出埃及記〉。

他經常往來於東京與台北之間，雖然只是每年的幾趟台北之行，他敏銳的觀察使他成為日本學界有名的「台灣通」，一本岩波書局發行的《台灣》，目前已經刊印了十多萬冊。

本文原刊於《聯合報》，1995年12月30日，37版。由記者陳世昌報導

政治的成熟，最後加工之時

——訪問前立教大學教授戴國煇

◎ 謝明如譯

向民主化跨出一大步的李登輝總統和台灣，此後將邁向何處？讓我們聽聽40年間持續以研究者的身分，從日本關注台灣，並於今年春天搬回台北的前立教大學教授戴國煇先生之意見。

台灣現在在某種意義上正處在陶醉歡樂的情緒中，這顯示台灣人輕易將「民選總統」等同於「民主總統」，並將兩者結合在一起。李登輝總統自身也很努力，他做為民主總統能否做好，攸關2,100萬台灣人的政治成熟度。李總統必須做最後加工。

台灣歷經日本統治時代與國民黨時代，台灣住民的能量備受壓抑，現在不僅在經濟方面，在政治和社會方面亦首度開始以正常的形式表現台灣住民的能量。狀況固然不同，但我感覺此時的台灣與德國威瑪共和國時期頗為類似。威瑪共和國末期的德國，因為賠償問題等沉重的經濟壓力，加上市民階層的政治水準未臻成熟，最後招致希特勒的登場。台灣在情緒上若走向獨立，我擔心不知將會發生何事。

然而，與德國人的腳踏實地和精神主義相較，使台灣民主化成為可能的最大要因是中國人的實利主義。如果經濟沒有發展到此一程度，則民主化不會發生。連向（主張台灣獨立的在野黨）民主進步黨捐獻政治獻金的企業家們雖具有台灣住民意識，但絕非台灣獨立派。他們有考量大陸市場的計算。

一般人僅注意李總統在選舉中獲得54%的票數，但更重要的是，他想做的事終於開始獲得（隨著國民黨從大陸渡台的）外省人的理解。李先生雖係蔣經國所提拔的政治家，其成為總統後所致力的，卻是國民黨的革新。

國民黨迄某一時期為止，事實上限制機關當局錄用（自戰前即住在台灣的）本省人，本省人的政治能量被壓抑，因而轉向經濟發展。在台灣興起的民主化具有使轉向經濟發展者回歸並「有意在政治場域發言」之動向。

李總統深知國民黨因過去的彈壓和腐敗而缺乏人氣，但又不能拋棄國民黨。蓋因國民黨有龐大的資產和組織，軍部及情報機關仍深具國民黨色彩。其既然以「寧靜革命」為目標，故必須將摩擦減縮至最小程度。

因此，李總統不會積極地促使民進黨解體，而是一面培育民進黨，一面改善國民黨。其認為若國民黨、民進黨再加上新黨的多黨政治能夠順利運作，亦可衝擊中國大陸。

在台灣，並沒有所謂「台灣民族」的概念，「台灣人」的概念則在逐漸建構中。另一方面，「中華民族」的概念雖然曖昧卻仍存在著。此外，還有「中國人」的概念，台灣住民無法否認其自身具有獨特的歷史、文化、語言，且面對地理上如此接近的大陸，某些地方只能妥協。

關於「一個中國」，仍各自表述即可。至於其應有之型態，係未來之事。其理想狀況為何？雙方唯有透過互談決定。實現之時，或許是下一代，或許是下下一代亦未可知。

又，在日美中三國關係中思考台灣，連同華僑問題一並考慮的話，可知若無此一基礎，台灣將無安定。

台灣正加強民主主義和言論自由，但若推動緩慢不前，則大陸的變化亦不會發生。

本文原刊於《朝日新聞》「奔流中國」欄，1996年5月29日。係訪談稿，未註明記錄整理者

戴國煇：台灣勿成別人手上的牌

國安會諮詢委員戴國煇昨天指出，《美日新安保宣言》係出自美、日各為維持其在亞洲勢力，以中共為假想敵而結盟，台灣不應僅依賴美國，對於安保條約有所寄望；應多蒐集全球的看法，研判安保條約對亞洲情勢的影響。台灣要防衛安全，應從自立做起，「不要成為別人手上的牌被玩弄」。

戴國煇一再強調，面對北京，台灣要從確立本身定位做起，尋求自立自強，「台灣沒有獨立的條件，但要自立」。對於「一國兩制」，也不必太「硬性」——目前中共主張的「一國兩制」我們固然是不可能接受，但「一國」在變，如果變得合理，為什麼未來不能接受？他認為，中國人一直沒有深入討論國家的理論框架，像美國、前蘇聯聯邦的型態，也許是中國人未來可考慮的方向。

戴國煇是在陸委會演講「從歷史角度試論大陸工作的方向」時，做上述評論。他在會後強調，美日兩國擔心中共坐大，影響其在亞洲市場的利益，聯手簽署協定，其最終目的仍在爭取中國市場，「說難聽是各懷鬼胎，擔心對方與中共聯手」；而台灣應看清這點，不要以為被劃入協防範圍就高枕無憂。戴國煇並指出，要注意美、日及中共三角關係形成時，東南亞華人力量的影響；一旦這些力量與中共結合，對於亞太地區情勢將是一股不可忽視的力量，直接受衝擊者就是日本。

戴國煇指出，他曾告訴中共，台獨的問題是出在大陸，而非台灣；中共不要對台灣亂來，就不必擔心台灣民眾搞台獨。從湄洲媽祖及達賴喇嘛來台獲得民眾普遍支持盛況可知，台灣人不見得真正仇共。

本文原刊於《聯合報》1997年6月14日，9版。由記者楊羽雯報導。原副題「提醒不應對美日安保條約有寄望，『台灣沒有獨立的條件』」

戴國煇：我們需要「知日派」

——仇日媚日都無法開展兩國更新境界

我國旅日學者戴國煇在「亞洲展望研討會」中指出，目前日本經濟策略已擺脫地域性觀念，邁向全球化境界；未來國人也應努力踏入此一全球世界觀的境界。

戴國煇綜合這兩天會議的感想指出，四十餘年台灣對日的關係，可分為三階段，最早溯自蔣中正總統時代亦即張群及何應欽建立的老關係、老管道；到了蔣經國時代，則為馬樹禮先生建立的新關係、新管道；如今進入李登輝時代，我們應藉各種交流活動，融合新舊關係，開展更新的境界。

根據兩天來中方企業界人士的發言，戴國煇發現國人對日本經濟路線的推論，都犯了搞亞洲地域化的偏差，實在是低估了日本的經濟力量，他們早已超越地域性，邁向全球化的境界，而且日本已將美日貿易摩擦的態度轉為共同攜手向亞太地區進軍的合作關係，像最近聯手對中共施展影響力即為顯著的例子。

至於政治方面，與會的中方發言者，不斷重複江丙坤日前發言的觀點，指責日本犯有恐共症的毛病，日本外務省遇事均先請示中共……。戴國煇說，日本對外策略，一向是採取「柔道」方式，專藉別人力量，來化解所面臨的問題，如美國多年來一再迫使日本增加國防預算，而日本外務省是利用社會黨等在野黨為託詞，達到推搪拖拉的效果。

戴國煇強調，在中日關係上，我們確實可以批評日本「油滑」，但在徹底研究他們的作法後，須知我們需要的不是「仇日派」或「媚日派」，而是更多的「知日派」。

本文原刊於《聯合報》，1997年7月14日，4版。東京特派員陳澤禎報導

戴國煇：日處理三不，不脫離美中模式

繼柯江會之後，中共國家主席將於九月訪問日本，可能再度為我國外交帶來衝擊。日本立教大學榮譽教授、政大歷史系兼任教授戴國煇指出，日本的外交政策依循美國的腳步，這次對江澤民訪日的處理應不脫柯林頓的前例。但我們不必太矮化自己，也不要太失去信心，只是要特別注意，日本在各種壓力不是否會重現軍國主義。

曾經長期旅居日本的戴國煇，對日本政情及中日關係有深入了解，以下是訪問內容：

問：相較於美國國會對台灣的強力支持，日本國會近來在爭議《美日安保條約》「周邊有事」範圍時，對台灣並不太友善。日本和美國對台灣的態度為何有如此差別？

答：美國的政治制度，是國會與總統相制衡的關係，現在與中共交往的政策大方針已經確定了。國會議員表達對我的支持，其實還是在《台灣關係法》的範圍內支持，那些全是口舌之惠，對他們自己沒損失，也沒影響美國的大方針。媒體如果一味報喜不報憂的話，會讓國人有他們絕對支持我們、反對大陸的印象，其實不是的。

議會內閣，外交批判少

日本的情況又不同。日本是議會內閣制，閣員大多是國會議員；說到日本的選舉，就是花錢罷了，所以對政府的外交政策較少批判。而且日本本身沒有外交，他們的外交，是在美國保護傘下、在美國的外交大框架下所做的小規模外交而已，不是自己的選擇，連多走一步都不行。

問：日本曾經搶在美國之前和中共建交，而承受沉重代價，因此日本不敢再超越美國的腳步了嗎？

答：田中角榮垮台的理由，表面上是因為貪污，事實上是美國讓他垮的。大家以為原因是美國不高興他跑在美國前面和中共建交，這只對了一部分，另外一層因素，是他想利用中共來脫離美國掐住日本脖子的手。而當時日本和蘇聯談開發西伯利亞、通油管，也是為了擺脫英、美對日本石油來源的控制，這樣美國當然不肯了。

現在日本不會企圖脫離美國的外交大方針，因此在處理江澤民訪日及「三不」問題上，應該都會仿照美國柯林頓的作法。事實上，日本、美國、中國這個大三角，日本希望的是個等邊三角形，並且有戰略夥伴關係，但現實上是做不到的。

經濟衰退，頻拉攏中共

日本現在經濟狀況很差，像這次拉江澤民訪日，另一個原因，就和小淵的後台老闆竹內登爭取北京到上海的高鐵工程有關。全世界都是「西瓜派」啊！功利主義嘛。李總統說意識形態的時代已經過去了，好像對我們不錯，其實我們的籌碼不多了，何況我們的經濟也愈來愈依賴大陸。

問：所以日本這次是見到美國倒向中共，也趕緊拉攏中共，以免美日關係在美、日、中大三角中失衡？

答：對。日本自己也很氣呀！日本沒有核武，又沒有聯合國安理會席位，從《舊金山和約》以來，戰敗國的帽子始終沒摘掉，現在經濟大國的地位又沒了，做為同盟國的美國竟在大陸罵日本，在這種狀況下，很容易激發右派軍國主義的，這點我們要非常注意。因為最近日本有部電影《自尊——命運的瞬間》，是為東條英機平反，也等於是否定美國人主導的東京裁判。加上《被遺忘的大屠殺：1937南京浩劫》*一書在美國賣了20萬本，日本多家重要政論雜誌刊文指為「陰謀」，我認為這些發展非常值得重視。不過目前這些右派行動都只是零星的，並沒有一個領導。

問：既然如此，對於江澤民訪日，台灣能做什麼呢？

答：我們過去花在小動作、表面動作的精神太多了，將來應

---

* 張純如（Iris Chang）著，蕭富元譯，台北：天下文化出版，1997年。原文書名：*The rape of Nanking: the forgotten holocaust of World War.*

該多交流，花功夫和真正能看問題的人交往。除了學術界的主流人物外，對日本政界也要加強互動，不要老是找和我們親善的人。

周邊有事，最好模糊化

在對外關係上，我們的戰略與戰術要平衡，但以前可能太著重戰術了。我們應該做的，是好好發展建設，不要消耗太多資源買些小朋友，也不要內部紛爭不斷消耗資源。最重要的是，把台灣從全球戰略架構來重新定位，建構出21世紀我們要走的方向。「三不」怎麼講，「周邊有事」有沒有劃入台灣都是小事，重要的是我們要站得住，讓民主體制能穩固成熟。

問：對於「周邊有事」議題，最後會怎麼處理？

答：我們現在是怕日本不把台灣劃入，不過最後可能變成不是指地理概念，而是事態性的，以創造性的模糊來處理其實最好。對台灣的老百姓而言，明講劃入台灣可能較能安心，但外交上很多事情是要祕密的，如果能有特殊管道給我們某種承諾，也是不錯的了。

本文原刊於《中國時報》，1998年8月15日，4版。由記者張慧英專訪。原副題「旅日學者分析，我應平衡外交戰略及戰術，加強與日政界互動，愼防其軍國主義再起」

戴國煇：台灣對日本太客氣了

辜汪會晤後，兩岸的外交出擊並未稍歇，中共國家主席江澤民已定於11月底訪問日本。日本東京立教大學榮譽教授、政大歷史系兼任教授戴國煇認為，對於江澤民的訪日，日本的企圖心和緊迫性比中共還強，最後雖然可能還是從第一及第二公報的框架延伸中找共識，但如果中共加強施壓，甚至打出「化學武器牌」，結果還很難說。

但戴國煇認為，我們不應向日本採取求情的態度，而應該從大方向思考，擴大雙方共同的利益來說理。以下是專訪內容：

問：在辜汪會晤時，我們刻意提出《波茨坦宣言》，強調中華民國的存在，而日本最近也以《波茨坦宣言》，向中共表示日本已無立場對台灣問題發言，你對這個策略的看法如何？

答：我們應該先確認一個事實，二次大戰結束後，真正的勝利者是美國，自此成為世界的龍頭，我們只是慘勝者。蔣介石參加了1943年11月22至27日的開羅會議，但開羅會議結束的隔天，在伊朗開了史達林、羅斯福（F. D. Roosevelt）和邱吉爾（S. W. Churchill）的德黑蘭會議，便沒有讓蔣介石參加。1945年2月4日到11日，羅斯福、邱吉爾、史達林在雅爾達召開了會議並簽定

《雅爾達祕約》。

同年7月17日開了波茨坦會議，當時羅斯福已逝世，由杜魯門代理，仍然由史達林、邱吉爾談，但7月24日邱吉爾因為敗選，改由艾德禮新首相參加。7月26日發表了《波茨坦宣言》，蔣介石只得到照會，沒被邀參加。至於《舊金山和約》，當時國民政府已經遷台，韓戰開始，美國此時要把日本扶起並保護中華民國，但這都是美國遠東政策的一環，中共被拒參加外，中華民國也沒能參加。所以我們一定要自立自強，才能有討價還價的本錢，而不是只做些口水之爭。

全世界的國際關係，都是「power politics」的顯現，是力量與力量的結構性關係動態，所以不會停留在一地的。而我們始終在《舊金山和約》的框框裡求生存迄今，不同的是主導台灣的政權中心在變化，選舉全面地實施，民進黨開始有聲音出來，這些還沒能真正融合在一起建立新的國民意識，所以才會有國家認同分歧的問題。

辜汪會晤只是為兩岸關係打開窗子通通氣，我們打我們的算盤，他們也在打他們的算盤。但在這個背後，將迎接21世紀的遠東，整個情勢都在變。所以柯林頓講出「三不」，朝鮮半島也在變，像北韓的核武問題及金大中訪日等。

我們是刻意提《波茨坦宣言》。宣言中，日本把台、澎交還給中華民國，這是對清朝中國割台、澎後的善後處理，所以我們藉此主張中華民國沒有滅亡，我們擁有台、澎主權。可是如果有人問：「那金、馬呢？」甘迺迪總統還曾請加州大學教授施伯樂（R. A. Scalapino）研究處理中國問題的方案，想逼當年的國府從金門、馬祖撤出，以二次戰後日本歸還的台、澎為一單位，形成兩個中國或一中一台。當時國府沒答應，中共也發現有問題。

《波茨坦宣言》只處理了台、澎的問題，金、馬則是國共內戰遺留下的問題。這部分的主權是不是共享主權而分治呢？我們必須有個整套的理論來應付。現實政治的實踐與學理是兩碼子事，但在談判、宣傳時，還是該準備一套完整的說法來。戰略與戰術一定要平衡，不能只求一時，因為話講出去以後就收不回來了。

問：江澤民即將訪問日本，但對於聯合公報的內容，雙方還無法達成協議，你認為此事將如何發展？

答：我們好像喜歡報喜不報憂，只是依自己主觀的願望做判斷。試問現在對江澤民訪日，那一方比較有企圖心和緊迫性？當然是日本而不是中共。美國的世界龍頭地位已慢慢重建，柯林頓出這麼多事還不下台，就是因為內政外交受肯定。反觀小淵的民意支持度只有20%，日本百姓對政府、官僚、銀行都不信賴，這是日本近代歷史上的第一次。美國又一直逼日本開放經濟，所以日本只能尋求重新回歸亞洲，建立一個以日本為中心、亞洲獨得的經濟圈，甚至把日圓建成國際性貨幣，方便與美元及歐元競爭。

因此日本先把韓國拉過來制衡北韓，另外企圖和市場龐大的中國建立更穩定的關係。可是美國與中共的「engagement」（交往政策），是美國較占優勢，但日本要與中共建立更高層次的交往時，有什麼牌可以打？

有件事情幾乎未有人注意：日本過去在黑龍江一帶留下了很

多生化武器，中、南方也有，「南京大屠殺」也許會變成口水之爭，但化學武器卻有實物證據，加上國際社會又明文禁止，中共若打出這張牌，要日本負責處理，估計要花費一兆日圓，更會影響日本的國際形象。如果中共用這張牌施壓，日本會怎麼辦，值得關切。

日本當然希望能在第一公報和第二公報之框架延伸，取得與中共的新共識。我想可能會用對韓國的方式，把歷史的問題文書化，其他少說為妙，或許會說「日本不便發言」。但不知道中共如進一步施壓，結果會如何，值得我們關切。

我們不應該向日本求情，我們一直對日本太客氣了，欠缺主體性的主張，外交怎能一廂情願地求情呢？至於「周邊有事」有沒有把台灣劃進去等，這些都只是末節，應該多思考日本的大利益是什麼，我們的大利益是什麼，台、日間能共同謀取的前瞻性共同大利益又是什麼。

本文原刊於《中國時報》，1998年11月1日，2版。由記者張慧英專訪。原副標「江澤民訪日，我方不應以求情態度冀望日本不在中共施壓下損害我利益」

戴國煇談日本如何反敗爲勝

從一個最不被看好的首相，到現在的民意調查中，首次反敗為勝地以支持度高於不支持度的結果出現，從去年〔1998〕7月底接任首相至今不過半年多的日本首相小淵惠三，如何在日本政界中，脫穎而出；日本立教大學榮譽教授，同時也在政治大學任教的戴國煇教授，從日本的政經問題，以小淵惠三做為反敗為勝的實例；看看小淵的例子，難免會讓人聯想到台灣的政治人物，或許，運氣加上個人的意願，才是政壇上反敗為勝最重要的條件。

小淵經濟魄力遭質疑

在日本前首相橋本龍太郎，為了自民黨在參院選舉的挫敗而下台之後，小淵就成了橋本心目中最理想的繼任人選，只是，這一位被橋本視作接班人的日本前外相，卻在宣布角逐自民黨總裁的同時，遭到了日本民眾對其治國能力，特別是解決日本經濟問題魄力的質疑。

日本、台灣的體系不同，許多台灣民眾對日本官員的頭銜並不了解；就以這次前台北市長陳水扁到日本時所見到的外務省次官武見敬三，接下父親的棒子，走上政治之路；曾在日本指導過武見敬三的戴國煇表示，在台灣，政務官比事務官大，但在日本，政務次長在日本代表的是一種見習生，未來是有可能當上部長，不過，「這個職務就跟盲腸一樣」。

1963年，當小淵進入政壇之後，運氣不錯，他受到了前首相竹下登的照顧，1991年則是擔任自民黨的幹事長；日本政治原來就是派閥政治的組成，單是小淵所屬的自民黨中，就有五個派閥，包括了小淵派、三塚派、宮澤派、中曾根派及河本派，其中以小淵派所有92位議員為最大。去年九月，當小淵宣布角逐總裁寶座之時，立刻受到了來自同一派閥內，日本前官房長官梶山靜六的競爭，當梶山靜六一宣布，東京股匯市立刻雙雙上揚。由於梶山在內閣任內就曾大力推動金融改革，獲得不錯的評價，日本民眾普遍認為，如果真由梶山出任首相，對日本的經濟或許會有更多的幫助；當梶山可能參選的消息才傳出，日本市場上甚至傳言東京股市可能會因此登上兩萬點的水準。

縱使在先前不被看好的情形下，小淵還是順利地當選日本自民黨的新總裁，接下了內閣總理大臣的位置，才不過去年底，當小淵剛上任之初，不少的媒體專家都預測小淵可能是個「短命首相」，然而，半年過去了，小淵不但依然穩坐首相之位，甚至於最近一次的日本民調都顯示，支持小淵的比率首度超過了不支持的比率；這除了看出日本民眾對小淵惠三逐漸增加的信心之外，也可以看出，過去的小淵並未受到日本民眾普遍的支持。

為什麼對於現今台灣的政治人物來說，民調數字能在逆境中求生是相當不容易的事，小淵惠三做到的方式很簡單，最近美日安保新指南相關法在國會開議，及小淵在中國的壓力下，仍能堅持地在去年江澤民訪日時，拒絕宣布新三不，這些外交上的作為，讓小淵獲得了日本民眾的認同，一改小淵過去在媒體上被形容是「優柔寡斷」的負面形象。

小淵有八方美人之稱

事實上，小淵惠三從當上橋本龍太郎的接班人開始，就是一場反敗為勝的戰爭；戴國煇說，小淵一直都不與人爭，在人人爭出頭的日本政治環境中，小淵如此的作為，反而是另一種明哲保身的作法；有趣的是，小淵惠三出身於早稻田大學的辯論部，「辯論就是立志要當政治家的」，結果，立志很早的小淵惠三，在面對當時大家對他能力的質疑時，「從來沒有反擊」，不但如此，小淵甚至還說出「我就是欠缺字彙」，在日本也成了流行語。

不與人爭的小淵惠三，在日本政界有個稱號「八方美人」，意思就是指小淵這個人八面玲瓏，在日本派閥政治林立的複雜環境中，小淵能有這種稱謂，也算是一種稱讚；然而，戴國煇認為，小淵能在這些派閥之中出線，除了是他不與人爭之外，小淵注重人事的運作，也堪稱一絕。

戴國煇說在日本，主政者如果不掌握人事權，根本就沒人理你；他說，在內閣官員中，每個人都認為自己是比小淵還能幹，小淵因此沒什麼班底，正因如此，小淵才能將在野的人士統統納入：「不是他要大家，是每個人都要他出來穩定局面。」

放到台灣的政治局勢之下，當初李登輝的出線，不就也有那麼異曲同工之妙？

只不過，當時的李登輝沒想到他會是蔣經國的接班人，但是，橋本卻是在小淵接任外相時，就明白地告訴小淵未來的路。

刻意將周邊模糊化

當時的小淵惠三，雖然已經在自民黨的派閥中活躍，由於小淵的心臟不好，他對自己在體力上能否負荷起總理的壓力，感到有點遲疑；當時，部分有意角逐首相職務者也擔心小淵八面玲瓏的個性，會讓小淵撿到首相一職，因此，遂建議小淵去當眾議院議長一職。小淵本來就有意順水推舟地接下，沒想到，橋本找了小淵，告訴他「答應了，我假如支持不下去，誰來代替……」小淵因此才打消了接眾院議長位置的想法。戴國煇表示：「小淵因為最沒威脅性，最後反而讓他撿到最好的，政權雖然要用搶的，但，也有人用等就等到了。」

小淵雖然在首相一職上打敗其他人，但要如何在民調中抬高自己的聲望，一直都是小淵及其聯合政府努力的方向；美國國務卿歐布萊特（M. K. Albright）曾經在小淵剛接任首相時，嘲笑他是個「cool pizza」，可是，這塊已經涼掉的pizza卻能在大家都不看好的時候，組成了聯合政府，又能將《美日安保條約》，在戰後首相岸信介提出的30年之後，而與美方達成新指針相關法案的通過，戴國煇認為，其中更深的意義在於小淵成為能夠繼承岸信介政權所訂下的日美安保、同盟路線的人物，「cold pizza將成為

hot pizza」。

另外，小淵刻意讓新指針中「周邊有事」的「周邊」模糊化，所謂的「周邊」，究竟是指地區性的周邊或是周邊的事態，再者，在國會認可的部分，則是在於「事前認可」或是「事後認可」；戴國煇認為，中國也該知道日本模糊焦點的意義，然而，小淵四月底訪美時，可能會將安保條約新指針方案的通過，當成禮品帶給美方，美方才能以此做為它掌控東北亞的法寶。對美方來說，雖然此舉代表的是美方可以藉此掌控日本後勤，但對日方民眾來說，小淵此時的堅持，正好是向日本國內展現他抗拒中國壓力的能耐，這對於一向深怕中共坐大的日本人來說，小淵展現了不錯的魄力。

整頓經濟少了阻力

另外，日本現在所面臨最嚴重的經濟問題，小淵在上任之後，先是部分的民間企業在競爭的壓力下，做出對企業有力的調整，例如國際知名大廠索尼，不久前才宣布裁員，進行部分重整計畫；過去流行於日本企業界的世襲制，也就是三代甚至家人都在同一企業工作的傳統，現在則是被認為「穩定、沒有競爭反而不好」；這些企業生態隨著國際社會的變化，多少也讓小淵在整頓日本國內的經濟上，少了不少阻力。

戴國煇形容，日本的柔道，講究的是如何借力使力來制住敵人，並不是單靠本身一己之力：戰後20年間，日本忙於恢復，無暇他顧，石油危機以來，日本經濟受到創傷，但是，日本人的信心並未完全喪失，但是，現在的日本，不但是經濟出現問題，民眾對政府處理問題的能力是完全喪失信心，於是，錢不敢存在銀行或郵局裡，廣島生產的金庫事業，反而成為日本在不景氣之中，一枝獨秀的賺錢生意，日本人寧願將錢放在家裡，免得到時銀行倒閉，血本無歸；日本究竟要怎麼辦是一件日本民眾相當憂心的事。

小淵從上任的不被看好，到現在逐漸地反敗為勝，取得人民的信賴；他所提出的部分挽救經濟的政策，尤其是新年度大規模預算案的通過，是戰後以來最快速在國會通過的法案；小淵不但是讓安保精神真正發揮意志的第一位首相，除了是讓他在日本國內獲得不少的掌聲外，也會讓他從此走上勝利之路，更有可能會走向長期執政的路線，跌破不少當初預測他是「短命首相」的專家們的眼鏡；只是，在這些掌聲的背後，小淵的健康，特別是他心臟的健康，在龐大壓力下，能否支撐下去，也讓有心之士相當擔心。

本文原刊於《新新聞》第631期，1999年4月8～14日，頁100～102。
由康依倫、陶令瑜記錄整理

透視美日安保新指針

時間：1999年5月

與會：戴國煇（國安會研究員、政治大學歷史系兼任教授）
　　　林郁方（淡江大學國際關係研究所教授）
　　　吳新興（海基會副秘書長）
　　　楊志恆（台灣綜合研究院研究員）

主持：莊佩璋（《中國時報》主筆）

駐日美軍，從撤退說到保留十萬大軍

莊佩璋（以下簡稱莊）：日本眾院剛通過美日安保新指針*，中共反應很強烈。這項發展與北約介入科索夫（Kosovo），被視為後冷戰時期國際新秩序重建最重要的發展。《美日安保條約》的確定，台灣無可避免地是其中一個因素，一般認為是台海飛彈危機事件間接促成這個指針的修正。希望各位能就這個發展深入分析，讓民眾了解台灣處於什麼樣的情勢中。

---

* 指《美日防衛合作新指針》。

戴國煇（以下簡稱戴）：媒體朋友可能沒搞清楚，《美日安保條約》有舊指南與新指南，為什麼叫「新指南」，主要是有別於1978年的「舊指南」。1960年岸信介時代改過一次，十年後又重翻新，1971年沒有經過國會自然延長，等1996年柯林頓訪日本後，才又新解釋。新解釋的意思是沒有經過國會而直接解釋，被人家稱為「日美新安保」，附帶地有新指南，新指南要有配套的相關法案。今年〔1999〕4月27日，配合小淵訪美，日本眾議院主導通過，現在要等參議院通過。

我們一直在談安保條約新指南、，主要是關心「周邊有事」有沒有包括台灣海峽，其實《美日安保新指針》，加上相關法案，這一套東西是在冷戰結束後，美國要重新建立其世界戰略領導地位。Pax Americana（美國所主導的和平）這個概念很重要，東北亞加亞太，這個圈子之內美國如何做戰略思考，戰略思考背後最重要的人物是奈伊，他來過台灣，他最後的報告美國對亞太地區的安全保障戰略（"United States Security Strategy for the East Asia-Pacific Region"）1995年發表在東亞戰略報。奈伊第三次報告非常重要，談的是東亞與亞太安保條約未來的構想，認為對日本與其他地區友好國家，柯林頓政府要有明顯的表態。第一次報告為1990年4月，第二次是1992年7月，主要談的是冷戰後美國準備裁軍、撤退，第三次則準備保持十萬軍隊，並認為亞太地區的安全保障，符合美國國家利益。美國在財政、尖端武器電腦上，需要日本支援，像波斯灣戰役時日本就支援了13億美元。美、日因經貿產生很多摩擦，美國對日本有批判，日本也有反彈，剛當選的東京都知事石原，就說要對美國說No，很多人只曉得他親台灣罵中共，其實他更批判美國。石原的批判源於人種之別，是褊狹的民族主義，這點我們若沒掌握到，覺得只要石原罵中共就好了，可能我們自己會吃虧。

吳新興（以下簡稱吳）：這次日本眾院通過安保條約相關法案，具有下列意義：第一，美國與日本在亞太建立了預防戰爭發生的機制，這是美國預防性國防的落實。1989年蘇聯瓦解後，日本要求美軍撤軍呼聲大，但1990年代開始，一些情況陸續發生，日本開始重新思考要不要美軍駐防。那時有幾個事件，首先是波斯灣戰爭向世人證明，雖然後冷戰時期來臨，但區域性安全未必能確保，還是有動亂。另外，1993年北韓發展核武，1996年台海情勢，1998年北韓試射飛彈。這些事情使美日認真思考安保條約的修訂。

《美日安保新指針》通過，對目前亞太地區、東北亞的戰略具有重要意義。第一，美國落實預防性國防；第二，美、日向世人證明，安保條約是亞太和平穩定的基礎；第三，日本已經從「日本有事」這種純防禦概念，跨出一步成為「周邊有事」，預告了日本將積極參與國際事務，從經濟強國變成政治強國。新指針刻意的搞創造性模糊，美、日都說不是針對中共，而是針對北韓，事實上，「項莊舞劍，志在沛公」。在邁向21世紀的前夕，我們看得出來美日在亞太地區起碼有五道防禦網。第一道，面對中國大陸，有台灣關係法；第二道，在朝鮮半島有《美韓共同防禦條約》；第三道是《美日防衛合作新指針》；第四道在夏威夷；第五道在美國本土。明年三月前，日本、美國必須著手制訂一些共同作戰計畫，日本內部也要通過相關法律。我們知道日本也採配合措施，包括參加戰區飛彈防禦系統（TMD）等。

林郁方（以下簡稱林）：我很贊同兩位先進的想法。美國在日本本來要裁軍，後來為何反而變得更積極？其實美國的考量很多，純就科技上來講，美國認為伊拉克戰爭打得很漂亮，戰略上比較樂觀。美國思考的其實是兩個戰略目標，第一，確保區域性的和平，主要是歐洲與亞太兩大地區的和平；第二，強化自己的利益。這兩個目標其實是合一的。在確保兩個地區的和平上，主要是看到歐洲與南斯拉夫的問題，亞洲地區是北韓與中共的擴張問題。要強化自己利益則是因為美國已經看出，對其利益的挑戰，是來自朋友，而不是來自敵人。

後冷戰時期美國的利益受到朋友的威脅，在歐洲是歐洲聯盟，歐洲聯軍未來會擴張，政治上也正慢慢統合。在亞洲，美國對日本一直有猜忌，小淵惠三訪美，柯林頓花了很多時間講美日貿易逆差的問題。其實美國非常擔心日本再站起來，變得強大，會脫韁而去。在冷戰時期，美國不需擔心。因為不管是歐洲或日本，在蘇聯的強烈威脅之下，對美國有很大的依賴。但蘇聯解體，讓歐洲、日本都不再需要美國，對美國來講是很難接受的事。因此，美國急於要建構後冷戰時期的戰略，一方面遏阻住像南斯拉夫、北韓、中共這些不穩定的因素；一方面則藉著戰略的建構，使那些老朋友再怎麼不喜歡它，都要與它緊緊靠在一起。

美國今天要打南斯拉夫塞爾維亞，最重要原因就是要把歐洲國家拉進去，讓歐洲人有危機感，對美國有愈來愈多的依賴，以確保美國的影響力。在東北亞，美國的戰略是拉住日本、圍堵中共、遏阻北韓。在歐洲是拉住西歐、擴大北約、清除蘇聯的潛在勢力。安保新指針表面上是圍堵北韓，實際上當然是圍堵中共。

莊：TMD是軍事手段，新指針是政治手段，政治與軍事手段是結合在一起的。

楊志恆（以下簡稱楊）：美日安保與北約有相當強的關聯性。上星期北約50周年在華府開了一個很盛大的、象徵重新出發的誓師大會。美日安保條約也在上星期由日本眾議院通過。國際媒體將美日安保與北約視為未來可能主導東西二大區域的軍事同盟。就美國全球戰略而言，有二大重點目標：第一，防止大量破壞性武器的擴散，尤其是針對北韓；第二，維持區域穩定，以鞏固美國的區域利益。

美日安保與歐盟之所以關聯性很強，主要是聯合國對美國而言愈來愈無用，美國要支持對哪個地方用兵，維和部隊要派駐哪個國家，中共一反對，聯合國的案子就成不了。美國以前可以用聯合國介入，調解衝突，但未來可能是寧可用北約而跳過聯合國，如這次的科索沃事件。以後在亞太地區也是一樣。

要跳過中共，必須要有新機制。目前美國在亞太地區有美澳、美韓、美日同盟，其中以美日同盟最主要、規模最大，未來隱然有意將美日安保機制擴大成類似北約功能的意思，萬一亞太有事，美國要出兵的話，這是一個很好管道。

至於周邊事態的第六型，日本官方曾提過的是印尼，去年蘇哈托被推翻時，日本曾經要派運輸機去撤僑，最近則是東帝汶事件。對於是否亦暗指中國大陸和台灣，我想一定是有的，台海一定包含在日本所謂周邊事態範圍內，但日本不能明講，否則不利其與中共發展關係，所以寧可舉印尼為例，把周邊有事界定模糊化。不過，前首相橋本曾在1996年台海危機時，要求內閣研究台灣有事時援救在台日人的問題，並檢討現行法令。所以將來日本若介入台海衝突，一定是非主動、非正面的，而是透過《台灣關係法》、《美日安保條約》，這樣日本才能師出有名，也不會違反國內相關法令。

美國的如意算盤

莊：在這種國際情勢形成中，台灣的地位如何？國內對此意見分歧，例如最近的陳（水扁）許（信良）之爭，其實就是對台灣處境樂觀與悲觀的意見分歧。樂觀者認為，在後冷戰時期，台灣地位沒有變壞，反而因為美國不需要聯中抗俄，所以台灣會有更大的空間；悲觀者則認為，後冷戰國際新秩序形成時，台灣所受壓力愈來愈大，在承受不了壓力時，則必須與中共妥協。如果美國的戰略是要確保和平，是否就會導致保持現狀；美日安保是否也是在確定現狀？台灣地位在國際新秩序形成時又是如何？

戴：21世紀新的國際秩序還在重建之中，未能確定方向，包括美日都還在摸索。

美國總統柯林頓在上海講的新三不，與日本的其實是同一套，都有創造性模糊。美國需要大陸市場，以延續美國資本主義繼續發展。拉住中共目的是讓大陸和平演變，讓中共與市場經濟、國際秩序結合，所以有戰略夥伴關係，而美國對日本，則是怕日本的經濟壓過美國。

不過，奈伊在1990年發表的書中，談及大國興亡及所面臨的新挑戰，並不認為美國經濟大國地位會被日本取代。所以美國用軍事來卡住日本，為避免日本用尖端技術或經濟力量搞核武、導彈，所以用安保條約來提供保護傘。

李總統講，柯林頓上海提新三不，對台灣而言，根本一點也沒有影響，但我們自己卻怕得要命。江澤民要到日本之前，雖然柯林頓緋聞案纏身，但還是跟日本說悄悄話，要日本不要學美國講三不。美國基於對大陸市場需要，所以自己講了三不，期望在外交上做夥伴，但軍事上則無法同盟。對於美日安保新指南，中共一直罵日本，卻不罵美國，則是因一超多強，不想與美翻臉。

吳：下一個世紀亞太戰略態勢，國際體系將走向單一霸權，美國成為超級強權，維持世界和平。從中共的立場則是希望是在與美國合作下的穩定。但目前美國並不希望與中共平起平坐。以現在亞太情勢來看，存在二個變數，一個是北韓，美國關切北韓其實還勝過中國大陸，它擔心北韓發展核武，這是美日安保最優先考慮的；另一個假想敵則是中共，雖然美國與中共已經建構戰略夥伴關係，但只是表面說說而已。

值得注意的是，美國駐中共大使任期屆滿，考慮派一個軍方人士接任，這是一個很重要的訊息，就是繼經濟之後，美國想進一步影響中共的解放軍，唯有滲透、支配解放軍，美國才能確保在下一個世紀繼續維持其戰略優先地位。

所以在這個世紀即將結束前，美國有美日安保、WTO牽制中共，台灣在此戰略格局下，在大國外交的夾縫中還是找得到生存空間，因為如果美國要確保其在亞太地區的利益，台灣是一張牌。現在兩岸都被美國拉著走，只要台灣在國家安全與民族主義之間找到平衡，對於下一個世紀台灣在國際新情勢中扮演的角色，個人持審慎樂觀的看法。

林：美國一度以為和平演變對大陸非常有效，一度以為中共愈強大、愈富有，對外面世界只有好處沒有壞處，但現在已不這麼認為。

我認為中國民族主義會取代共產主義，所以蘇聯帝國會解體，但中國不會解體，也不會出現戰國七雄情形，中國文化因素比蘇聯強很多，美國也看出這一點。

美國就是因為沒有把握，才會有強化安全、軍事的作法，希望能嚇阻中共。基本上，美國作法是既對抗又和解、既和解又對抗。

但是台灣的主流價值常常是強調對抗、少講和解，只看到美國、日本合演的對抗中共那部戲，但對之後那部對中共和解的戲，台灣政界很多人不能體會美日戰略合作的深層義涵。美國表面上是集體防衛，貝克（J. A. Baker）的扇形理論已指出，扇子的五根骨幹中最大骨幹是美日安保。

我們對集體防衛要有某種程度的接受，有點黏但不要太黏。集體防衛的建立對於嚇阻中共是有幫助的。一個像台灣這樣的小國要生存，一定要借助外力，可是也要注意，二隻大象打架，底下小草可憐；二隻大象做愛，小草更可憐。

如果搭便車加入集體防衛，先要想對美國要付出什麼代價。中共是對付不了美國、日本，但很容易對付我們，從阿留申群島到菲律賓的圍堵島鍊中，中共最想突破的點是台海，因為具有主權正當性，所以才會在對岸加強部署飛彈，我們如果只講對抗，不搞和解，就會完全依賴TMD，搞成軍備競賽。

今天看《美日防衛合作新指針》，外交部公開講有助亞太區域和平的說法遠不如南韓的說法。做為主權國家，應要求美日在介入台海安全演習時事先照會我國。

莊：台灣的作法，基本上從民國38年以後到現在都是一致的，就是緊緊抓住美國，前一陣子美國的學者也說台灣的策略是對的。有關新三不、台灣在整個美日安保新體系的角色，大家有什麼看法？

戴：不要忘記，柯林頓上海的新三不出來，李總統講過一句話，我們的問題不要被人家牽著鼻子走，第一次對美國有那種表態，我認為非常好啊！

莊：既然柯林頓要日本不要講，他當時在上海就不要講，怎麼能夠你有壓力，難道日本就沒壓力？

吳：美國到底有沒有叫日本不要講，我不知道。但柯林頓在上海講新三不，這是個老議題。但他沒有講三不，而是講兩不，不承認台灣獨立，反對一中一台；一個不認為，不認為台灣應該以國家具備要件參加國際組織。

但是不要忘記，這也是美國國家元首第一次在中國大陸的領土上講到台灣關係法。也就是說，柯林頓雖然面對中國大陸強大的壓力，但也盡量做到一個平衡的說法。

日本也會根據它的國家利益來考量，從日本立場來看，它對於中國大陸內部情勢的評估，有不同的看法。他們不需要在江澤民去日本訪問的時候，把新三不這麼重要的一張牌提出來。

TMD出來，當然也有它的背景。美國有軍火商利益的考量，在下個世紀來臨前國際武器競賽情況下，軍火商認為他們需要再提供新的產品，透過國會議員提出來。事實上TMD我們知道基本上是1982年雷根時代星戰計畫的重新包裝。

對日本和美國來講，TMD有它的戰略考量。剛剛志恆兄和郁方兄也都提到，事實上日本的傳統軍力不弱，不比中國大陸差。唯一差的是二砲部隊，就是戰略核子武器，因為長期以來它在美國的核子保護傘下，不需要發展戰略核武。

假如有TMD的話，目前中國大陸享有對日本軍事的邊際局部優勢就被化解掉，這也是中國大陸最關切的地方。它的戰略優勢被化解掉以後，接著它還要去進行另外一波的軍備競賽，對中國大陸來講，它勢必要投入很大經費和資源。

這就是西方國家在玩的一套棋盤，是整個的戰略思維。我們面對這樣的一個情況，最好是在國家安全和民族主義間，找一個平衡點。

政府對TMD的政策，李總統說不要再去討論它。事實上我們對這個問題保留一個開放的空間，也不要把話說死，永遠要有選擇。TMD最後會有怎麼樣的情況？美國會賣什麼產品給我們？我們想要什麼產品？我想都還言之過早，是未來五年、十年以後的事情。

但是現在討論TMD，我認為是有政治上的意義，會使得中國大陸比較焦慮、緊張。很清楚的，我們希望跟中國大陸維持建設性的對話，我們希望改善兩岸關係，希望兩岸關係能夠正常化。根據國家統一綱領，以後時機成熟，不排除跟中國大陸討論國家統一的問題，這是遠程、中程及長程的規劃。

中共……不是滋味

楊：美日兩國把指針的角色，視為維持亞太地區的和平與穩定。這個對中共而言，剛好跟它在對台政策中，公開的使用武力解決的方式是對立的。中共的反彈主要是指新指針的適用範圍很強烈的暗示，把台灣也包括進去，而且暗指中共解決兩岸問題的方式，將被局限在國際允許的範圍之內，也就是用和平的方式，對中共來講當然是無法接受的事實。

對兩岸關係而言，中共可能更加擔心美、日等國介入。不過中共如果採取惡化兩岸關係的作法的話，無疑是強化美日安保的重要性，所以中共也有它的矛盾。

很有可能一種情況就是，中共可能一方面大肆批判安保。但是實質上它會加強對台工作，避免台灣問題國際化解決。

對台灣本身來講的話，台灣在國際上的角色，會被迫、被動性地提高地位。台灣可能擁有國際的暗中支持，因此在未來一段時間，我個人認為是跟對岸談一些以前不容易談妥問題的一個很好的時機。

如果說汪道涵要來台北，要談一些比較敏感性問題的話，對台灣來講現在就是相當好的時機。

日本並不希望輕易捲入戰爭

戴：小淵有一個好朋友，我認識，他說小淵這個人非常八面玲瓏，以至於大家誤解他不果斷。那個朋友在江澤民去以前也怕小淵會跟柯林頓一樣講三不，勸他絕不能講，或是先下手為強，講四不，加上放棄武力侵台。但最後沒有談攏，所以沒有簽。

林：這個防衛指針最後還是有被做了修改。本來只是說日本周邊出現威脅日本和平與安全的緊急事故時候，可是修正之後最後在眾議院通過，所提的是，那樣的一個緊急事故，如果置之不理，可能會導致對日本的直接攻擊，在範圍上有做進一步的壓縮，這是為了要滿足自由黨和公民黨的要求。

第二個就是說，對於危機期間，日本船隻在海上執行所謂的船舶臨檢的問題，這個條文被拿掉了。最後要用什麼來取代則要以後另外立法。可見日本國內，至少那兩個合作的黨——自由黨和公民黨，還是希望日本不要太容易被捲入戰爭。因為你執行海上船舶的臨檢，就是戰爭；拒絕停泊就得開火。

所以在1960年古巴飛彈危機的時候，雖然兩條蘇聯的船越過封鎖線，美國還是不敢開火。原來美國甘迺迪總統的危機處理方案是，只要它硬闖，就打掉船舵，然後一定要上去執行，如果再拒絕就開火。幾經考慮，甘迺迪最後讓它們過了，海上臨檢是一個非常大的問題，所以這一次這個條文暫時被拿掉。

第三個，日本派兵執行後勤支援、搜索及援助這些行動，需要先經過國會批准，除非是緊急狀況。

這三點說明了日本內部還是對防衛指南的修訂有所保留。但是為什麼最後沒有辦法形成一股大的反對力量可以對抗？我覺得第一個原因是社民黨的大幅萎縮，剩下自民黨它跟共產黨合作還是沒有用。

第二點我覺得是外在環境北韓和中共的威脅，還有美國的強力運作。

我認為其實還有一個更重要的問題，是戰術性的問題。反對這個防衛指南修訂的，沒有辦法把這次的爭議變成憲法之戰。因為坦白講，防衛指南，包括安保條約都是違反日本非戰憲法的。

但是這些在野黨，本身沒有辦法整合，也就沒有辦法把它變成一個憲法大戰。你沒有辦法提升到這麼高的層次的話，那你就沒有一個很好的理由，敢去、可以去對抗它。國內很多人大概不清楚，事實上在當天27日表決的時候，日本的眾議院外面有3,000人在示威，有的是從琉球特別坐飛機過去的。

戴：1960年搞美日安保時有100萬人示威，我那個時候在那邊念書啊，後來死了一個女生之後更是激烈。所以比起來這3,000人就少多了，當然是有反對聲音沒有錯。

本文原刊於《中時晚報》1999年5月9日，5版（中晚茶館）。由林馨琴等策劃整理

沒批判，就沒進步

戴國煇是在1965年獲得日本東京大學農經博士的，可是他讀書範圍很廣，不但是台灣史，連國際戰略都有深入的研究，像他最近就主張，要了解美國對東北亞戰略的擬訂，一定要好好研究美國國防部前助理部長奈伊相關的論著。

戴國煇今年67歲，桃園中壢人，不過，無論他到哪裡，他都說他是祖籍廣東梅縣的客家人。曾任行政院副院長的徐慶鐘勸他在外不要老講自己是客家人，他卻覺得對自己出身的尊嚴，是一定要堅決主張到底的。

在他那一代的台灣人，由於經過日本的統治，對日人多有好感，也認為日本人對台灣的現代化很有貢獻。可是，儘管戴國煇是在日本拿到博士學位，在日本發展學術事業，擁有十分重要的地位，但他所有的著作，沒一本是誇獎日本人的，反而都有深切的批判，從而贏得日人的敬重。

由此看來，雖然李總統禮聘他為國家安全會議的諮詢委員，兩人也有很多的交情，但對歷史的觀點，其實是有相當距離的。

戴國煇指出，台灣是有「台灣人」的概念，但並無「台灣民族」的概念。當年出亡日本的台南人王育德寫了一本《苦悶的台灣》，邀戴幫忙建立台灣民族的理論，戴國煇回了他一句：「苦悶的是你自己，台灣並無苦悶。」

但他強調，「我批判你，不是反對你」，因為是和人家講理，所以也不怕人家罵他，他還說：「真正做學問的，要靠孤獨，而不要孤立。」

戴國煇就是這樣一位個性強烈的學者，似乎經常容易得罪人，他的理由卻是「社會科學如果沒有批判性，就不會進步」。

本文原刊於《中國時報》，1999年5月11日，20版。由詹伯望專訪。
原副題「戴國煇留日，反而批日最凶，稱作學問不怕人罵」

兩岸和平是李遠哲終極關懷

「不要僅僅從自然科學專業領域的高成就者來理解李遠哲。」前總統府國策顧問*戴國煇14日對李遠哲辭職，並擔任民進黨總統候選人陳水扁國政顧問一事，做以上表示。他說，李遠哲其實是一個充滿理想主義的實踐者，李遠哲對「時機的選擇」相當敏感，以他的了解，李遠哲確實對兩岸危機憂心忡忡，兩岸和平是他的終極關懷。

辭卸總統府國策顧問的戴國煇，與李遠哲有一位共同的朋友張昭鼎。張昭鼎的弟弟張隆鼎，與李遠哲是同學，哥哥張宗鼎又與李登輝為舊識，白色恐怖時期，戴國煇是黑名單中人，張昭鼎有一段赴日進修的日子，返台前，特別寫信給在台大念書的李遠哲，要他去接船，「免得上岸就被抓走」。

戴國煇說，李遠哲某種程度上，也和李登輝一樣，是關心國事的左派青年，李遠哲迄今對竹中校長辛志平感念猶深，和那段風雨飄搖的歲月備受辛校長保護有關。戴國煇形容李遠哲是一個理想主義者，年輕時也是社會主義者，即使到老，還是重視由下而上的民間力量，但李遠哲所強調的不是「民粹」，而是從基層

---

* 應為國家安全會議諮詢委員。以下出現時相同。

勃發的社會實踐能力。戴國煇表示，李遠哲有強烈的「台灣意識」，但他的台灣意識和狹隘的「台灣人意識」不同，更不能把所謂的台灣民族意識連在一起。李遠哲確實想為海峽兩岸做些事，負點責任，兩岸不能輕啟戰端，是他最深的懸念。

六年前李返台時，有過一段掙扎的歷程，毅然放棄美國的一切，就是認為「時機到了，該做點事」，當時他非常想為台灣學術研究拓展視野，並積極推動兩岸的科技交流；四年前幾乎引動他接受總統組閣邀請，也是基於飛彈危機，自認可以居於兩岸，擔負起傳信的和平使者角色，卻未料這個想法令李總統不悅，終至兩人漸漸疏遠。

戴國煇說，李遠哲具有高度理想，他身邊的人卻不免有借他的光環追求權勢與升官發財者，各取所需，各押其寶。如果黑金舊體制是一種共犯結構，權力的本質會不會使陳水扁所謂的「清流共治」淪為新的共犯結構？是熱心國事的學者要審慎評估的。

戴國煇說，李總統主政，許多學界中人也寄予厚望。他記得自己在這十多年來，不同階段曾給李總統三個不同建議：學者從政時，要立污泥而不染；開創台灣民主新途時，要謹記「民主的摩西不能只有一人，而應是追求改革的一群人」；當選民選總統後，他也提醒「民選總統不等於民主總統」。期望學者在李遠哲號召下站出來，不要再一次被政治所欺，上述三項建議，戴國煇說，他還是要提供給學者和總統候選人們參考。

本文原刊於《中國時報》，2000年3月15日，2版。由夏珍專訪。原副題「形容李是充滿理想主義的實踐者，重視民間力量，確想爲兩岸做事」

從「歷史台灣」看「民主台灣」
——柏楊vs.戴國煇

對談：柏楊（河南輝縣人。1960年代用柏楊筆名撰寫雜文，揭露中國文化的病態及黑暗面，1968年3月7日被控以挑撥人民與政府間的感情遭逮捕，至1977年4月1日始被釋放。出獄後，繼續筆耕著作，著有《異域》、《醜陋的中國人》、《柏楊版資治通鑑》等著作凡兩千餘萬字，近年並獻身人權教育，籌建「綠島人權紀念碑」並於1999年12月10日落成揭幕）

戴國煇（在台灣史研究仍為禁忌的年代，率先在日本組織研究會，研究台灣及亞洲相關議題，因此被列入政治黑名單。戴國煇曾任日本亞洲經濟研究所調查研究部主任調查研究員、日本立教大學國際中心長，1996年返台定居，任總統府國家安全會議諮詢委員，現任中國文化大學史學系所教授）

戴國煇（以下簡稱戴）：《光華雜誌》給我們這個「回首歷史台灣、展望民主台灣」的摘要很簡要清楚，但是我認為「回首台灣」是不夠的。李登輝總統主政12年以來最大的特色是只顧往前衝，談的是主張、使命，但是很少停下來做總結，沒有總結就沒有反省，新政權就要開始，我覺得這時候台灣社會最重要的是總結既往、反省過去，以策勵將來，不知柏楊先生以為如何？

柏楊（以下簡稱柏）：「回首台灣」是必要的，我覺得台灣在李登輝時代發生的問題都可追溯到日據時代。今天許多台灣民眾對日據時代有好感，常常懷念那個時代的秩序感，但是很少想到日本殖民統治本質上是歧視大於尊重台灣人，這樣的統治讓台灣人付出很大的代價，甚至光復後台灣人對國民黨的過度心理期待都與此有關。國民黨來台時，台灣的民眾簞食壺漿以迎王師，不理會日本人「你們不要以為中國是戰勝國，它還不如我們」的警告，後來台灣民眾對國民黨的期望落空，也造成了「二二八」事件。

談到蔣中正治理台灣的部分，蔣中正的確保衛了台灣，台灣也保護了蔣中正。更宏觀來看，無論日本或是蔣氏父子都對台灣影響匪淺。但是現在台灣面臨的重要問題卻是族群的問題。族群的衝突是因於中國的非理性文化：「排外」。在大陸上不要說一省，連不同縣，像方言只有幾個字發音不同的湘潭、湘江人都要械鬥，我說這是中國文化的「窩裡反」。

「排外」與「窩裡反」

戴：我聽到柏老講到中國人的「窩裡反」，想到「人性」裡的「排外」很容易導致族群的衝突，台灣的未來除非大家能像中研院院長李遠哲所說的最後將「走向地球村」，不再在意出身、省籍、族群等，否則台灣人這種「排外」的文化若與「反外省人」與「反國民黨」的情結糾纏在一起，將導致族群衝突。

光復後很長一段時間，國民黨為保障政權、維持法統等原因，並未公平地讓台籍人士參與「中央」政治，因此被批評與日本一樣是「外來政權」。「國民黨是外來政權」的說法，跟近年流行的「本土化」，加上人性裡的弱點「排外」，造成過去台灣人的「李登輝情結」。

我不是說李總統等同於蘇俄的獨裁者史達林，但台灣在蔣氏父子下台後的狀況，很像蘇俄人民擁戴或縱容專制者史達林的情況，為何曾經推翻沙皇的俄羅斯子民，居然可以擁戴更暴戾的史達林體制74年？我認為是史達林提出了「大俄羅斯」主義，以及在史達林主政下，比起沙皇好一些的農奴封建統治制度，讓俄國的老百姓折服了，因此大家遷就他。我再強調，我不是說李登輝總統獨裁，而是李主政12年將台籍意識的能量釋放出來，台灣的「李登輝情結」某些部分跟俄國人支持史達林的因素是一樣的，比起兩蔣，李登輝的確拔擢了不少台籍人士，滿足台灣人「出頭天」的潛藏欲望。

李登輝因為是第一個台灣人總統，首先將本省人被「排外」的不滿心理填滿了許多，因此他獲得支持，再加上他上台後實施的「本土化」政策、利用「國民黨是外來政權」等政治符號的運作，因此有第一次民選總統時高達54%的選票。

然而這次選舉，由前監察院長陳履安及其他國民黨內部喊出來「國民黨爛爛爛」的說法，顯然大家認為李登輝主政以來釋放本土怨懟能量的作法已不能抵銷國民黨在黑金等的作為，也顯示國民黨的另一種期待開始發酵。阿扁某部分的確承襲李登輝路線，但實際上由李登輝主宰的本土化政策及「外來政權」說也已暴露其破綻。這種邏輯不完整的說法，老百姓已經表示不足，阿扁上台後要特別注意這樣的期待。

柏：「外來政權」的比喻是到後來才說的。如果沒有發生二二八，或是光復初期在參政權上不曾刻意箝制台籍人士，或許也不會有類似的說法。光復後台灣人曾那麼期待、心向祖國，這就好比一個孩子被壞人擄走了後，天天盼著親娘來接他回家，沒想到回家後這個親娘比壞人更兇殘，這對台灣人感情的傷害是很大的。我常想光復後台灣人的心情顯然是：日本人侵略我，對我不好是自然的，但是你這個祖國是親娘，卻不可以對我壞。蔣中正是「想獨裁又不敢，想民主又不放心，以帝王自居又想行仁政」的一個領導者，帶給台灣人反感是很大的。

教育之前人人平等

戴：蔣氏父子治理台灣的能力還有待公評，但我想講的「國民黨是外來政權」的說法並不公平，「外來政權」當選舉口號、當政治符號都很爽，但用學理分析，外來政權的意思是什麼，可能大家都沒搞懂。

邏輯上，說國民黨是外來政權是行不通的，因為放諸歷史，沒有一個「外來政權」會給「被治方」平等的教育機會，日據時代哪個台籍佃農子弟能上高中？但是國民黨來到台灣，在教育上還諸於民，從未對台籍人士歧視，在文官就業上，過去國民黨要特惠某些大陸籍人士，在特考、任用之外，又可有後門可走，經濟利益上優惠他們也是事實。這些問題有些在今日已不復見，有些則還殘留，我們必須得從法制上根本解決，讓所有人在立足點及機會上平等。因此我認為阿扁上台後，必得要重新探看「國民黨是外來政權」的真正義涵，否則一邊說「我們不否認是中華民國，一邊又說國民黨是外來政權」，這樣是行不通的。所謂的「直選」是不分族群、人人一票，弱勢總統難免會喊外來政權，但怨氣退潮後，理性將代之而起，選民意識的提升將會給阿扁帶來新的挑戰。

柏：我非常擔心族群的衝突，大選後有人問我：外省人會不會受到壓迫？我就說陳水扁的「台獨」是個競選的語言，不是一個國家元首的語言。

外省人會不會受到迫害？先看看大選的得票數，陳水扁得票500萬、宋楚瑜470萬，只差2.5％，這怎麼解釋？有人說外省人投宋、本省人投扁，這說不通。全台灣的外省人加上剛出生的小娃兒不過300萬，那宋的170萬從何而來？顯然這兩個陣營都有本省人投宋、外省人投扁的情況。因此怎麼說陳水扁上台，外省人就要受到迫害呢？

另一方面，我倒覺得這次選舉特別好，從來沒有一次選舉是這樣「人人有機會，人人沒希望的」，這就是民主。選舉中有美國的電台來訪問我說：「你們怎麼又打口水戰？」我回答說：「口水戰總比槍戰好吧」、「數選票總比數人頭好吧」。陳水扁上台以後會如何變我不知道，但是西方人說，專制必生腐敗，陳總統要特別注意這點。

以非常的肚量做事

戴：有關陳水扁以後會不會專制這點，我認為國政顧問，也就是中央研究院院長李遠哲可扮演某部分角色。我認為「李遠哲現象」跟「李登輝現象」某部分是重疊的，一個是「台灣人的第一個總統」，一個是「第一個台灣人的諾貝爾獎得主」，都有標竿性。

回應柏楊先生所說的得票率，有人說陳水扁得到39％的選票，是因為他繼承李登輝的路線，但是宋跟他只差2.5％，宋並沒有李登輝路線的問題，這又如何解釋？因此有個日本記者問我說，宋楚瑜得這麼多票，是不是因為客家人都投他？我說你開玩笑，誰能收買客家人的票！這次選舉很清楚的一點在，「由上而下」的家長式民主已經不可能。你看1995年李總統訪美國康乃爾大學前後，他在台灣的聲望這麼高，然而現在，他說的「民之所欲」，也就是台灣民眾要「出頭天」的欲望已經降溫，這次選舉證實強人的局限，誰都不要太相信自己的能力，老百姓的眼睛是雪亮的。若如口傳的那樣，「棄連保扁」或李票轉而投扁的話，扁的票為何差李登輝那麼多？

柏：講到領導人的問題，我覺得重要的是要有氣度，要有容人的雅量。在「連蕭配」之前，我原想要寫一封信給李總統，讓他考慮宋楚瑜，但後來想他一定聽不進去，反倒以為我在擁宋而作罷。我覺得一個領導人要有「非常的肚量才能做非常人的事」。「容人」這事說來容易做來難，當年唐太宗的諍臣魏徵對皇帝說：「你已經不復當年了！從前，你一聽到批評便喜形於色，慢慢的，點點頭就算了，現在你一聽到批評，臉色都變了！」很多領導者都有聽不得批評的問題。

我覺得阿扁上台後要做幾件事：第一要堅守司法獨立；另外，他必須主動建立一個制度制衡總統權力，好比立法院；第三要尊重文官制度。我常覺得權力、金錢、愛情這三樣東西是人類最致命的吸引力，我也常說「寶座上有顆毒牙」，一開始還有點警覺，但久了以後就沒了感覺，甚至覺得磨得舒服極了。

戴：柏老您希望領導者要「克己」，但我覺得克己的另一端是「包容」，這次宋楚瑜能找到長庚醫院院長、長庚大學校長張昭雄搭檔，顯示宋對台籍人士的包容。宋的得票數不是如國民黨宣傳的是因為「散財童子」使然，我認為是他實踐謙讓、「本土化」待人所致。

本土化是什麼？就是「草根性化」，真正的本土化是福佬、客家、原住民、外省族群的各種需要都要盡量滿足，我看阿扁一開始稱台積電董事長張忠謀為「華人」，彷彿覺得像從大陸到美國的張忠謀並非跟自己一樣是「台灣人」，這是阿扁沒能超越自己的尾巴，台灣已經走向科技島，我們要將這些人全納進來，全都是「新台灣人」才行。

柏：張忠謀也是台灣300萬「外省人」之一，排斥這些人，絕非國家之福。過去曾有一位民進黨的客籍人士魏廷朝（已過世）說過，客家人也不認為將外省人丟到海裡台灣就會更好，因為客家人好不容易找到一個弱勢族群的同伴，當然要並肩作戰，將來新政府的族群包容要更大器才是。

兩岸關係的正面思維

戴：陳水扁上台要面臨的最大問題是「兩岸關係」，他曾說，兩岸關係一步棋都不能錯。朱鎔基的一句話「中國人讓中國人」，這句話很有想像空間，依我看，兩岸關係也不是大家想的這麼悲觀，責求新政府小心謹慎之外，大陸也要有氣度來包容台灣。過去我曾以「睪丸理論」（請參照戴著《台灣結與中國結》）〔參見《全集》4〕來形容兩岸關係，意思是男人的睪丸（台灣）放在外面，它能產生精子、使男人精力旺盛，若是被吞進身體裡未必好，這個比喻儘管比較駭俗，但實際上兩岸關係就是這樣，合（和）則兩利，分（敵）則兩害。

柏：這次選舉打破統治的神聖性、權威性跟道德性，而且政權和平轉移，很值得嘉許。從未執政過的民進黨的優點是沒有包袱，但缺點是沒有經驗。「窮人乍富」比起優渥慣了的世家子弟通常還要更步步為營，新政府要記取中國古訓，但也不能掉進「醬缸文化」裡和稀泥，醬缸文化要試圖超越。現在我更提出「惡婆媳文化」，希望民進黨不要像多年的媳婦熬成婆一樣，接下來又當了惡婆婆。

戴：我也認為這次的選舉已顯示了台灣選民的智慧，我認為台灣「公民社會」的雛形正邁向成熟。

柏：無論如何，大家對民主不要失望，否則專制就會來臨。兩年前台北市長選舉時，幾位大陸人士來觀戰，怎麼市長選完第二天，街上候選人傳單旗子都不見了，大陸客人都很訝異：「是誰拔的？」他們問。「各人拔各人的呀」我說。這就是民主。

戴：往後台灣要面對的還有經濟上的問題，黑金問題不能只靠李遠哲一個人，還要靠大家共同努力，就像西部片，靠一個僱來的槍手打不來，一定要靠眾人之力支撐法警才能將黑金打掉。我覺得現在台灣面臨的是一個全新的情況。過去李登輝是很有機會當政治家的，但後來逐漸掉入政客的陷阱裡，小動作太多，最後將他自己也打倒了。而陳水扁過去是個現實主義型的政客，現在看有沒有機會成為夠水平的政治家。

台灣的經濟靠的是中小企業，目前面臨的問題是若不好好利用大陸這個腹地，台灣的經濟優勢會出問題，為何長榮集團的老闆張榮發主張戒急用忍政策一定得喊停，因為不考慮大陸市場，台灣沒有出路，而台灣若沒有經濟優勢，民主也將會打折扣。

柏：我們的民主很值得珍惜，千萬不要摧毀它。摧毀民主的因素很多，好比說司法不獨立，好比說經濟急遽或長期衰敗。飢寒起盜心，人們的卡路里若低到800，就會呈現不安，若低到600就沒有了廉恥，若低到400，社會秩序就沒法維持。

戴：如何在民主的體制下，不要讓領導人成為獨裁者，唯一的方法就要有好的監督及制衡制度，健康的媒體也是其中一環。

柏：林肯當選時曾跪下來禱告，我希望阿扁也有這種修養。我也希望台灣無論官員或常民百姓都要有法治精神。舉個例子，像德國有個皇帝要拓展莊園，撞到農夫的地，於是跟農夫打商量說你給我地，我給你錢。農夫說，我不要你的錢，這是我的地，我不給。德皇揚言要用武力驅逐農夫。農夫說，你如果這樣，我就去法院告你。德皇向農夫道歉，並感動農夫對法律的尊重和對法院的依賴。這就是法治，我們希望台灣也有這樣的法治精神。

戴：另外，台灣發展還有很重要的一項是與大陸要有良好的互動，大家的觀念應該不是去對抗它，而是給它正面的刺激。最好的防備不是靠軍備，而是靠老百姓的公民意識，讓大陸人認同台灣人人有出頭機會、平等、正義、又重視公益的生活，如此，兩岸的死結，或有可能解開。

本文原刊於《光華》雜誌第25卷第6期，2000年6月，頁82～91。由陳淑美採訪整理

台灣若似李自我迷失，路會愈走愈窄

針對前總統李登輝接受日本漫畫家小林良則*專訪時對國民黨及日本殖民的看法，文化大學歷史系所教授戴國煇昨天表示，即使日本政治家在卸任後，也很少講話；他懷疑李前總統是否在台灣失去了舞台，想利用日本的民粹主義再創政治生命第二春。

李前總統在接受訪問時說，台灣如果沒有日本殖民，現在可能像海南島，也說台商到大陸投資是「自殺」，還表示大陸七、八年後會出亂子。戴國煇認為，講這些話應該要有所依據，他看不出李前總統這番理論的根據何在？

戴國煇指出，亞洲金融風暴發生時，李前總統及親近李的前政府官員都說人民幣會貶值；但人民幣沒貶，現在是新台幣在貶。任何事情一定都要先分析才能批評，而不是對岸講什麼就反對。

在日本教學四十餘年的戴國煇也指出，陳水扁總統在小林的專訪中反對殖民統治的看法，就比李前總統一味肯定日本對台灣的建設來得正確。

---

* 其名字應譯為小林善紀。以下出現時相同。

戴國煇指出，小林善紀在日本是右翼漫畫家，主流正派的政治家並不重視小林；小林強調的「日本精神」，多數正派政治人物也已揚棄，「只有日本年輕人愛熱鬧才看他的漫畫」，同時這正是美國擔心「軍國主義」復甦的根源。可是李前總統聽不到日本不同的聲音，而且只聽這些願意聽李講話的人的意見，戴國煇擔心如果台灣如此走下去，會像李前總統一樣「自我迷失」，路愈走愈窄。

他表示，很少有外國元首像李前總統一樣，卸任前批評菲律賓，卸任後又要日本直選首相，干涉他國內政。「這種作法，不太適當」，他為李前總統感到惋惜。

戴國煇也指出，台灣有100所大學，必須為學生找就業市場。如果去大陸投資如李前總統所說是自殺的話，每年的畢業生只有關在台灣，就是等死，不然就只有等他們鬧事。他懷疑，李前總統透過日本媒體講這麼多話，可能是要透過日本媒體影響中國大陸及日本；但最後可能引起反效果，日本正派政治家對此都嗤之以鼻，而這也不應該是成熟政治家的作為。

本文原刊於《聯合報》，2000年12月26日，2版。由記者何振忠報導。原副題「戴國煇：小林強調的日本精神，多數正派政治人物已揚棄」

談小林善紀與《台灣論》
——戴國煇最後的廣播節目錄音

唐湘龍（以下簡稱唐）：你在收聽的是News98《下班一條龍》，我是唐湘龍。現在在我旁邊的是戴國煇教授。他現在慢慢的脫他的衣服、慢慢的走到我們的位子來了，好，今天為什麼請戴國煇教授？主要是今天的節目與台灣史的詮釋有關。我不曉得各位對台灣史有沒有花過時間研讀？我自己從念大學、研究所時代甚至於到服役，我大概花過一些時間研讀台灣史，不敢說非常了解，但是這幾年台灣的變化實在很大，因為本土化的關係，特別是解嚴之後整個台灣史都在重新翻案，在一個重新定調的過程。有更多的史料解嚴之後被公開，大家亦較敢於談論過去不敢談的史實，台灣史變成是在台灣史學研究的一個顯學，台灣史不只是在台灣是顯學，連在中國大陸也是顯學。在台灣了解台灣是必須的，這是說對台灣過去的了解，像我手上這個書名《台灣四百年史》。從這麼遠的地方開始去做了解是更好了，若不能，最少對台灣過去100年的歷史，從1895年後這個日本據台之後的歷史，也需要了解。了解台灣史演變的過程，（對於台灣這麼複雜的移民社會所產生的政治面相及其造成的有關心理變化，是與文化、認同態度的影響有關）是非常有必要。過去我們的史學是偏向所謂的大中國史，台灣本身的歷史在過去的史學教育或歷史課本裡面都只占非常小的篇幅。當然，我們這兩天會去特別注意有關台灣史的問題，是因為日本的一位漫畫家叫「小林」的，他畫了一本《台灣論》，用漫畫的方式表現他對台灣的一些觀點。除了表現對台灣的觀點之外，會引起廣泛討論是因為裡面還有對於李登輝政治角色的詮釋。即對李登輝給日本的殖民統治有相當高度的肯定，認為這是所謂的「良心統治」。甚至於提到說如果沒有日本的統治，台灣還是「海南島的水準」等說法。這些說法會讓大家覺得有一點混淆，到底個人情感是一回事，但是以一個國家元首的身分適不適合做這樣的談話，的確引起非常廣泛的爭議與討論。我們今天請到了文化大學史學所的教授，也是東京大學的農學博士、日本立教大學的名譽教授，對台灣史非常熟悉的戴國煇教授來談這個問題。

戴國煇（以下簡稱戴）：大家好。

唐：戴老師因為講話比較慢一點，所以我盡量把多一點的時間留給戴老師，戴老師您這兩天為了《台灣論》這件事好像蒐集了非常多的資料？

戴：本來昨天不是唐先生要我來嗎？

唐：對。

戴：正巧我的兒子今天剛好來到台灣。

唐：他是從日本回來？

戴：是的，他給了我一本最新一期訪問小林善紀的日本雜誌。也就是說《台灣論》出版了以後，小林在這個日本雜誌做了一個專訪。可以提供大家做參考。

唐：啊哈，我現在手上拿了小林畫的這本《台灣論》。就封面印刷來看不像是一般的漫畫，畫的好像我們的布袋戲——雲州大儒俠。《台灣論》這三個字也非常清楚。我不曉得戴教授您看完這一本書了嗎？

戴：當然。

唐：您看完之後的觀感如何？這兩天媒體有很多批評聲音，當然也有一些比較同情的聲音，認為應該同情這些受過日本統治的老一輩的情感的問題，您覺得這本書裡面所詮釋的台灣史觀，不管是透過李登輝的眼睛或是小林主觀的詮釋，到底反映了什麼？

戴：我覺得這本書最重要的就是小林這個漫畫家，在日本書市的發展已經是到了高峰狀態的時候，可能想另外找一個新的刺激，恰好碰上有一批在東京的，主要是傾向台獨論的一些朋友，請他進來台灣，他沒有想到來台灣還碰到那麼多的親日派，統統幫他用日文講解，加上還請客大大歡迎他。其實小林過去對台灣沒有什麼太多的認知，與其說這個《台灣論》是小林的見解，不如說是那些台獨朋友自己沒有辦法表達出來卻透過小林把它表達出來的見解。

唐：所以，等於說小林的筆借給他們用了。

戴：可以這樣說。

唐：是的，透過小林的筆，在漫畫上表達了某些不管是台灣內部親日派人士，或在日本的一些台籍，但比較有獨派傾向的人士的台灣史觀點。但這個觀點，特別是他們對台灣的殖民歷史統治功績的定調，當然跟我們傳統的史學的看法是有些差距的，戴教授您以研究台灣史的立場，如何看待這一部分？

戴：我當然不同意小林的看法。小林自己也承認，他是屬於右翼的，也拚命想要把戰後美國帶給日本人的民主主義給顛覆。其背景是蘇聯垮掉了，現在日本對美國的需求，不像過去那麼大，但小林等人卻持不同的想法。另外就是說過去大家對中共、中國大陸都不是認識的很清楚，但是中國大陸自從鄧小平重新掌權以後，呈現了另一種局面，所以一些日本人對中共有些懼怕。這整個局面裡頭又碰上日本本身泡沫經濟，已經找不到出口了。

唐：所以日本政府做了好幾波所謂的刺激性的動作，但到現在為止好像仍然沒有什麼太大的起色。

戴：我們都知道自民黨一黨獨大也垮掉了，就是我在日本41年，要能夠把田中角榮以後的首相名字一個個講出來也不太容易，意思就是說……。

唐：變化太快。

戴：日本變化太快，年輕人又覺得沒有方向感。所以漫畫這個東西就容易討好，漫畫也並不是絕對的不好，但就是說漫畫有它的生命力，所以現在日本的漫畫等於是一個消遣品的層面。這些層次不高的漫畫是看了就丟的一種消耗品，但在年輕人之中，小林得到某些的社會肯定，成為一個社會的authority（權威）。

唐：也就是說日本年輕人透過漫畫在進行挑戰跟顛覆的動作！

（中間插入廣告）

唐：我現在手上拿的是最近這幾天被討論非常多的、日本漫畫家，小林善紀所畫的《台灣論》，它整個的編排像一本書一樣。《台灣論》三個字還是燙金處理，整個印刷非常精美，雖然裡面是漫畫的形式，但是跟一般漫畫不同，還加上了很多內容，包括導讀，而且它還有廣告，像台南擔仔麵的廣告，基本上有一點兼做台灣旅遊書guide book的味道。書上畫的陳水扁，有一點點微胖，書裡的史觀是，包括剛剛戴國煇教授提到的，是受到很多在台親日人士，以及目前在日本居留，但是獨派傾向比較明顯的這些所謂台籍人士的影響。這些史觀不能算是小林的史觀，小林本身在日本算是一個「非常右翼」的人士，但右翼的這些聲音，過去幾年在台灣島內都得到相當不錯的呼應，很多右翼人士都主動到台灣來，好像在台灣才能找到他們的精神。我一直很好奇，想藉這個機會請教戴教授，為什麼李登輝現在在日本會這麼紅？

戴：我不認為他在日本紅啊。

唐：真的！喔，那是我們誤會了！

戴：就是說我們只看到小林漫畫的那些報導。像《台灣的主張》，這些書有哪些人寫過書評推薦？

唐：以您對日本的研究，並沒有看到這些較嚴肅的評論嗎？

戴：是啊。但是你看像李光耀，他自己寫的自傳，包括我們台灣都有人為它推薦。最近李登輝不是接受了拓殖大學的名譽教授嗎？

唐：對。

戴：我最近就碰到一個朋友，他也認得李先生，對日本的情況也很熟悉，我們是不大方便說拓殖大學是怎麼的一個大學，但是我們認為李先生是第一位台籍人士當上中華民國的總統，我想不論他的國王人馬也好，能夠幫他忙的人也好，應該選更有代表性的大學，給他一個名譽的博士學位。

唐：所以您認為拓殖大學本身的代表性是不夠的？

戴：不是說不夠，而是說那個大學拿了以後，別的大學不容易給，不是嗎？因為他要考慮，那個大學可以說是跟台灣從後藤新平以來都有關係沒有錯，但是一般來講是屬於右翼的。

唐：右翼的大學？

戴：拓殖的理事長、校長是滿專權的，不像日本一流的私立大學，都是透過教授治校，經過投票或怎麼樣，那麼假若有一天更有名望的，更有代表性的大學，要給李先生名譽博士的時候……

唐：可能就有一些顧慮？

戴：不應該先拿這個。

唐：反而被貼了標籤了，會不好的！

戴：對，對，所以這一點我覺得為什麼「國王的人馬」，連這一點都沒有給他更好的建議。

唐：可能最近「國王的人馬」都不太用功，沒有注意到這一方面的事。

戴：我是不敢講啦。最近《SAPIO》這本雜誌……

唐：您手上這本雜誌裡面就是提到小林對於李登輝專訪的那篇文章。

戴：對。

唐：我剛看了一下這份雜誌，這當然是我第一次看到小林善紀的照片，其實他滿帥的。

戴：我們沒有見過面，但是他是漫畫家，他對既成秩序的挑戰，會得到年輕人擁護沒錯。

唐：日本年輕人的反叛其實是對日本整個戰後秩序所建構起來的那一套價值觀的反叛！

戴：開始的時候大概不至於那樣。愈走愈是變成這個樣子。這個是對既存的文壇啦，或是對既存權威的挑戰，但若論漫畫家，日本一流的漫畫家，他算是老幾？

唐：我們看了這篇報導之後，裡面有許多李登輝的談話，其實滿有爭議性的，譬如說他對這本《台灣論》好像評價很高，甚至於說看了這本《台灣論》之後，其他的台灣史好像也不用看了，有唯我獨尊的感覺。但是如果是這樣子的話，您也看過《台灣論》這本漫畫，您本身也研究台灣史這麼長的時間，您會看出《台灣論》這本書真的有這麼高的代表性嗎？就是說李登輝本身的史觀有沒有任何的問題，您怎樣看它的詮釋？

戴：我只能說李先生主政的12年，常要跟非主流鬥爭，然後他又很愛講話，所以太忙，根本沒有時間看書，才會講那種話。你看這個專訪裡頭，他明講「他有電腦，但是他不要上網」就是不要用internet，為什麼？因為他有行動電話，人跟人之間的交流，應該由肉身來交流。台灣人不知道李登輝這些，台灣能夠看這個雜誌、懂日文的人，我想不會太多，也沒人注意到專訪說什麼。

唐：我想是非常少的。在台灣也買不到。

唐：李登輝跟達賴喇嘛很熟？

戴：是好朋友，他是喜歡這樣講，他在他的《台灣的主張》

裡面也說他跟微軟的比爾・蓋茲（Bill Gates）很熟。

唐：好朋友！

戴：這個未免太簡單化了。

唐：也滿膨脹他跟某些人的關係。

戴：我們假如不要太認真的話，他對小林說的溢美之詞，講台灣史的所有問題都在這漫畫裡頭，其他書就不用看了，不要當作一個真話來看也無所謂。

唐：就把這些話當客套話來看。

戴：是不是？

唐：不要太認真對待。

戴：對。但是他本來是一個學者，學者從政，然後我們老百姓支持了他12年，他現在好像目中沒有一個真正……

唐：再打斷一下，我們稍後回到現場。

（廣告）

唐：節目時間的最後一段，在現場的是文化大學史學所，也是研究台灣史非常知名的戴國煇戴教授，戴教授今天帶來《台灣論》的日本原版，以及小林訪問李登輝的這一篇專訪的原版雜誌，剛剛跟戴教授談了一些，他似乎對於不管《台灣論》本身也好，或專訪本身的一些內容也好，似乎都有一些批評。最後七分鐘我想跟戴教授聊一下，就是說因為李登輝在不管是《台灣論》這一本書也好或那篇專訪裡面，我們都可以感覺到李登輝似乎對於日本的殖民政策有相當程度的肯定，我覺得就是說以您研究台灣史的立場來看，您同不同意他的一些公開講法：包括日本對台灣的統治是一個所謂的「良心統治」，對台灣殖民的成功，才讓台灣今天有從比較進步的風貌等，您的看法如何？

戴：我想這是對過去社會的完全誤解。我們都知道李光耀受英國的菁英教育，但是李光耀在新加坡奮鬥的時候，他又反殖民、又反帝，但是他沒有反英國，這是兩碼事。但是李先生現在已變成什麼反帝、反日本帝國主義也沒有了，這個就是失去了自己的立場。

唐：做為一個國家領導人的立場。

戴：但是我認為他是自我迷失，那麼李光耀他批判殖民、反帝，對他的國際聲望，有沒有影響？

唐：沒有影響。

戴：沒有影響。然後對他英國的關係也沒有影響。為什麼李先生硬要全面肯定日本統治了我們50年才能夠親日呢？他沒有聽過日本一流的學者的發言，那些人曾經跟我講，你們的總統是「可愛的總統」什麼都用日本話告訴我們，但不是我們可敬的總統。

唐：是可愛，但並不是可敬的。

戴：是。這句話給我很大的衝擊，但是他接班的時候，我想，包括外省朋友也好，大家都期待他，期待他什麼呢？他可以反殖民、反日帝、反國民黨的封建體制，同時也要揚棄克服我們台灣內部的這個落後的部分，但是現在看樣子，他應該反的沒有反，就是說國民黨過去跟日本的關係，主要是為了保住政權，所以主要是做情治機構的情報交流，為了反中共，但是老總統也好，經國先生也好，對日本還是保持一個距離。現在李先生以為他可以因為是學者總統、是民主總統而自負，人家誇獎他是民主總統，這個時候仍然走上了親日本右翼，然後把日本的殖民地統治應該批判的部分不講一句，這種情形他究竟要跟美國的走上民主、走上人權的部分怎麼掛鉤？我就不曉得。

唐：其實落差是非常大的。

戴：是。非常大。

唐：我之所以會問戴教授這個問題，其實是我在研讀台灣史的過程中，我剛開始接觸當然也是解嚴之後，那時候剛好我在大學念書，您的一些著作是我們非常重要的閱讀材料。當初我讀的時候，您的作品給我一種感覺，就是您對李登輝其實有相當程度的同情與支持，但是在最近我看過您的一些公開的談話或著作裡面，似乎對李登輝批判性的味道增加了很多，我想要特別問您，是不是您對他原來有一些期望但後來失望了？

戴：不是，這個問題我相信外界對我有這種看法是應該的。但是另一個方面我的意思就是說，應該批判的時間到了，我不希望我們第二次選出來的陳水扁總統，假如他也跟李先生這樣走下去的話，愈走會愈窄。李先生已經走得滿窄，本來他可以走得更廣、更健康的，但是他自己搞壞了，今天或許沒有太多時間來分析，但是這樣的作法他還認為這個要傳給陳水扁，所以李登輝這次的專訪裡也說，七、八年中共裡面一定會變化。

唐：對，他有提到這部分。

戴：這是有問題的，我們最重要的要能夠忍耐的住。此事李登輝講了多少次，意思就是說他80歲的人，不在其位，要繼續教訓人家，以為陳水扁一定要聽他的，不然會犯錯。這一種情形如果出現的話可能會給我們台灣帶來很大的災害。

唐：因為時間關係，我們可能下次再找時間再繼續跟大家聊，我們今天到這個地方，也謝謝戴教授。Bye-Bye。

本文原收錄於《戴國煇文集12・戴國煇這個人》，台北：遠流出版公司・南天書局，2002年4月1日，頁281～292。係2000年12月31日飛碟電台News98「下班一條龍」唐湘龍專訪戴國煇的內容紀錄。由戴興夏整理

譯者簡介

李毓昭

1961年生。中興大學社會學系畢業。曾任出版社編輯，現爲專職譯者。譯有：《銀河鐵道之夜》（晨星）、《顏面考》（晨星）、《霍去病》（實學社）等。

林彩美

1933年生。中興大學農經系畢業，日本東京大學農經系博士課程修畢。旅日長達40年，中華料理研究家，曾主持梅苑中華料理研究室（日本）二十餘年。致力於梅苑書庫的保存與研究，長期投入《戴國煇全集》的編譯工作。

著有：《中菜健康瘦身法》（文經社）、《新灶腳的健康料理》（文經社）等；主編：《戴國煇文集》；策劃：《戴國煇全集》等。

陳進盛

1957年生。台灣大學政治學研究所碩士，日本國立東京大學研究，台灣大學政治研究所博士班肄業，專攻國際關係與政治。曾任報社記者、編譯與撰述委員。譯有：《人體大揭密》（時報）、《工作雜湯Ｉ——縱橫21世紀職場的成功祕訣》（天下雜誌）、《李登輝與台灣的國家認同》（共譯，前衛）等書。

謝明如

1980年生，台灣師範大學歷史學研究所博士候選人，專攻日治時期教育研究，譯有：〈日治初期的女子教育與女教師〉等。

（以上依姓氏筆畫序）

日文審校者簡介

吳文星

1948年生。台灣師範大學歷史研究所博士。曾任東京大學、京都大學等校外國人客員研究員及招聘外國人學者，歷任台灣師範大學進修部教務主任、歷史學系主任、文學院長，現爲台灣師範大學歷史學系教授、台灣教育史研究會會長。研究專長爲台灣近現代史、中日關係史。

著有：《日據時期在台「華僑」研究》、《日治時期台灣的社會領導階層》、《台灣史》等；〈東京帝國大學與台灣「學術探檢」之展開〉、〈札幌農學校と台灣近代農學の展開——台灣總督府農事試驗場を中心として——〉、〈京都帝國大學與台灣舊慣調查〉等論文一百餘篇。

林水福

1953年生。日本東北大學文學博士。曾任輔仁大學外語學院院長、日文系主任、所長；高雄第一科技大學副校長、外語學院院長；興國管理學院講座教授等，現爲台北駐日經濟文化代表處台北文化中心主任。專攻平安朝文學、近現代文學，兼及台灣文學、翻譯學。

著有：《他山之石》、《現代日本文學掃描》、《源氏物語的女性》等；譯有：遠藤周作《沉默》等；谷崎潤一郎《細雪》等。並於《文訊》雜誌開設東京見聞錄，《聯副》開設東京文化現場專欄。

林彩美

（簡介略，見前述）

（以上依姓氏筆畫序）

戴國煇全集 26

【採訪與對談卷九】

著 作 人　戴國煇
策劃／總校　林彩美

編輯製作　財團法人台灣文學發展基金會
10048台北市中山南路11號6樓
02-2343-3142

主　　編　封德屏
執行編輯　江侑蓮　王為萱
美術設計　不倒翁視覺創意

出　　版　文訊雜誌社
發 行 人　王榮文
發 行 所　遠流出版事業股份有限公司
10084台北市中正區南昌路二段81號6樓
（02）2392-6899
http：//www.ylib.com

排　　版　浩瀚電腦排版股份有限公司
印　　刷　松霖彩色印刷事業有限公司
初　　版　民國100年（2011）4月
定　　價　全27冊（不分售）精裝新台幣16,000元整
ISBN　978-986-6102-09-7（全集26：精裝）
978-986-85850-4-1（全套：精裝）

國家圖書館出版品預行編目（CIP）資料

戴國煇全集．18-26，採訪與對談卷／戴國煇著．
－－ 初版．－－ 台北市：文訊雜誌社出版；遠流
發行，2011.04
冊；　公分
ISBN　978-986-6102-01-1（第1冊：精裝）．－－
ISBN　978-986-6102-02-8（第2冊：精裝）．－－
ISBN　978-986-6102-03-5（第3冊：精裝）．－－
ISBN　978-986-6102-04-2（第4冊：精裝）．－－
ISBN　978-986-6102-05-9（第5冊：精裝）．－－
ISBN　978-986-6102-06-6（第6冊：精裝）．－－
ISBN　978-986-6102-07-3（第7冊：精裝）．－－
ISBN　978-986-6102-08-0（第8冊：精裝）．－－
ISBN　978-986-6102-09-7（第9冊：精裝）

1. 史學　2. 文集

607　　　　100001715